# LA MEMORIA CONSTRUIDA
## Patrimonio Cultural y Modernidad

# LA MEMORIA CONSTRUIDA

## CONSTRUIDA

### PATRIMONIO CULTURAL Y MODERNIDAD

GIL-MANUEL HERNÀNDEZ I MARTÍ
BEATRIZ SANTAMARINA CAMPOS
ALBERT MONCUSÍ FERRÉ
MARIA ALBERT RODRIGO

*(Departamento de Sociología y
Antropología Social
Universidad de Valencia)*

tirant lo blanch
*Valencia, 2005*

Director de la colección:
MANUEL ASENSI PÉREZ

© GIL-MANUEL HERNÀNDEZ I MARTÍ
BEATRIZ SANTAMARINA CAMPOS
ALBERT MONCUSÍ FERRÉ
MARIA ALBERT RODRIGO

© TIRANT LO BLANCH
EDITA: TIRANT LO BLANCH
C/ Artes Gráficas, 14 - 46010 - Valencia
TELFS.: 96/361 00 48 - 50
FAX: 96/369 41 51
Email:tlb@tirant.com
http://www.tirant.com
Librería virtual: http://www.tirant.es
DEPOSITO LEGAL: V - ŠŠŠ
I.S.B.N.: 84 - 8456 - 445 - 2
IMPRIME: GUADA IMPRESORES, S.L. - PMc Media, S.L.

*«El pasado es un país extraño cuyas características están configuradas de acuerdo con las predilecciones actuales; su rareza está domesticada por la forma en que conservamos sus vestigios»*

*(David Lowenthal, El pasado es un país extraño)*

# ÍNDICE

Capítulo 7
## EL PATRIMONIO ETNOLÓGICO
*Albert Moncusí Ferré*

Capítulo 8
## EL PATRIMONIO CULTURAL VALENCIANO
*Maria Albert Rodrigo*

# INTRODUCCIÓN

El patrimonio cultural genera en nuestros días un interés cada vez mayor entre especialistas, instituciones y sociedad civil. Las transformaciones experimentadas en las últimas décadas y los procesos asociados a la radicalización de la modernidad han convertido al patrimonio en sujeto y objeto de innumerables debates. La entrada en escena de nuevos agentes, la democratización de su enunciado y el reconocimiento de su complejidad han abierto las puertas a múltiples encuentros que enriquecen su visión y comprensión.

Ante las tentaciones que tienden a reificar o a esencializar el patrimonio cultural, éste debe ser concebido como una construcción social, entendida como una selección simbólica, subjetiva, procesual y reflexiva de elementos culturales (del pasado) que, mediante mecanismos de mediación, conflicto, diálogo y negociación donde participan diversos agentes sociales, son reciclados, adaptados, refuncionalizados, redituados, revitalizados, reconstruidos o reinventados en un contexto de modernidad. De este modo, el patrimonio cultural se transforma en una representación reflexiva y selectiva, que se concreta o fija en forma de bien cultural valioso y que expresa la identidad histórico-cultural de una comunidad.

A partir de esta definición previa, que se irá trabajando a lo largo del texto, el presente libro va dirigido, de manera preferente, a un amplio público interesado en tener un primer contacto con el mundo del patrimonio cultural. Por ello, el enfoque que hemos adoptado es de tipo transdisciplinar, desde el momento que en el estudio y difusión del patrimonio convergen disciplinas y saberes tan diversos como la antropología, la sociología, la historia, la economía, la geografía, las artes plásticas o la literatura. Con todo, dicho enfoque interdisciplinar aparece atravesado por un especial énfasis en los aspectos antropológicos del patrimonio, de cara a contextualizarlo en una sociedad compleja caracterizada por una creciente complejidad intercultural.

El trabajo que presentamos nace de la necesidad docente de contar con un manual que cubra las deficiencias que, bajo nuestro punto de vista, existen todavía en este campo desde una perspectiva socio-antropológica. Es cierto que existen libros extraordinarios sobre patrimonio cultural, sólo basta echar una mirada a la bibliografía para descubrirlos, pero quizás ninguno se adapte bien a las exigencias que implican ajustarse a un programa de un curso académico. Ahora bien, lejos de anclarse en una determinada concepción de manual como repertorio de conocimientos neutros dispuestos para su aprendizaje instrumental, este libro está concebido con la finalidad de incentivar la reflexión crítica sobre el patrimonio cultural y natural. Desde este punto de vista, nos hemos alejado de una visión meramente tecnicista para afrontar los retos, dilemas, paradojas y contradicciones que están en la sustancia misma del concepto de patrimonio y que, precisamente por ello, le confieren su peculiar estatuto epistemológico.

Asimismo es un trabajo colectivo fruto de las experiencias cruzadas de sus autores, tanto en lo que se refiere a la reflexión teórica, como a las tareas docentes y el trabajo de campo. En este sentido, y de cara a los estudiantes del patrimonio cultural, hemos intentado primar aquellos elementos conducentes a facilitar la tarea didáctica que lleva a una mejor comprensión del proceso de patrimonialización cultural, garantía, por otra parte, de una deseable sensibilización con un fenómeno que ha alcanzado tanta relevancia social, económica y política en la modernidad avanzada.

El libro lo hemos estructurado en ocho capítulos. El **capítulo primero** lo hemos reservado para introducir de una forma general y amplia el patrimonio cultural. Se trata, sobre todo, de ofrecer sintéticamente algunas claves para la compresión y reflexión de todo el libro. En él realizamos, primero, una aproximación al difícil y escurridizo concepto de patrimonio *con la intención de empezar a trabajar conceptos básicos para su análisis. En segundo lugar, presentamos una breve aproximación histórica que pretende ayudar a contextualizar la aparición del patrimonio cultural como tal, las transformaciones sufridas en el mismo y la patrimonialización de la cultura acaecida en las últimas décadas. Más tarde practicamos una división analítica entre las tres dimensiones que consideramos más relevantes en el estudio del patrimonio cultural, es decir, la política, la económica y la simbólica-identitaria. Por último, cerramos el capítulo con las distintas propuestas formuladas para definir el patrimonio cultural y con una reflexión en torno a lo que pensamos deberían tener presentes las nuevas políticas patrimoniales.*

*En el **capítulo segundo** hemos prestado atención al proceso de normalización e institucionalización del patrimonio. Nos ha interesado ver cómo se va configurando el patrimonio cultural a través de instituciones, normativas y categorías. Por ello, en la primera parte, nos hemos detenido a examinar, en la esfera internacional y nacional, las distintas legislaciones, convenciones, tratados y declaraciones que han ido conformando lo que hoy definimos como patrimonio cultural y natural. En la segunda, nos ocupamos de la construcción de las categorías del patrimonio cultural siguiendo dos criterios: el criterio jurídico y el criterio disciplinar. Por último, hemos considerado la importancia de dedicar un espacio específico al patrimonio natural, muchas veces olvidado en los textos dedicados al patrimonio, como parte fundamental e interrelacionada con el patrimonio cultural.*

*El patrimonio es una herramienta cuya activación contribuye a dar contenido y entidad a esas representaciones de nosotros mismos que son las identidades. De estos ejercicios de activación y representación nos hemos ocupado en el **capítulo tercero**. Dado que el patrimonio suele incluirse en la selección de lo que se considera la cultura propia de un determinado colectivo, hemos empezado el recorrido definiendo el concepto de cultura, con la finalidad de disociarlo de las identidades* *como esencias y llevarlo al terreno de los procesos de construcción de identidades. Posteriormente exploramos las lógicas y los valores que operan en los procesos de activación patrimonial, en los que se relacionan patrimonio e identidad. Finalmente nos adentramos en los museos como metáfora del proceso de construcción de identidades, con un breve recorrido por la historia del museo.*

*El **capítulo cuarto** está dedicado a la globalización y el patrimonio cultural. Para entender la actual configuración del patrimonio cultural hay que prestar atención a la evolución del proceso de globalización, especialmente importante con el desarrollo de la modernidad, y considerablemente intensificado a partir de la segunda mitad del siglo XX. Lejos de considerar la globalización en términos reduccionistas, esto es, vinculándola estrictamente a una dimensión económica, a su aspecto de uniformización cultural o a un tiempo histórico reciente, entendemos que la globalización debe valorarse como un fenómeno multidimensional y complejo que interrelaciona todos los aspectos de la vida social. Con todo, para abordar el tema del patrimonio cultural debemos hacer un especial énfasis en la globalización cultural, poniéndola en relación con el propio concepto de cultura. De este modo, hemos detectado y descrito los rasgos básicos que definen la globalización cultural en la modernidad avanzada, rasgos que se sintetizan en el fenómeno de la desterritorialización cultural, estrechamente vinculado al desarrollo de los medios de comunicación, y plasmado en tres manifestaciones esenciales: la homogeneización cultural, la diferenciación cultural y la hibridación cultural. A partir de estas consideraciones, nos encontramos en condiciones de analizar la propia globalización del patrimonio cultural, atendiendo a su trayectoria específica, a su vehiculación normativa, al análisis del denominado como «patrimonio de la humanidad» y a su concreción en las políticas culturales de la UNESCO.*

*El **capítulo cinco** analiza las relaciones entre el patrimonio cultural y el fenómeno turístico. Afirmar que el patrimonio* *cultural posee una dimensión dinámica implica considerar no sólo su expansión mundial y su extensión conceptual, sino valorar también el grado en que dicho patrimonio es difundido entre la sociedad, especialmente en conexión con la actividad de la industria turística. Sabido es que el turismo, desde su misma aparición, aparece vinculado al consumo y disfrute del patrimonio cultural. Con el desarrollo del moderno turismo de masas, quizás dicha vinculación quedó algo desdibujada, pero con el retorno nostálgico hacia la tradición, característico de la segunda modernidad, y de la mano especialmente del turismo cultural, el nexo entre turismo y patrimonio se ha fortalecido notablemente. Por esa razón, tras repasar la evolución a grandes rasgos de la industria turística, hemos desarrollado de forma preferente el tema del turismo cultural, atendiendo de forma prioritaria a los dispositivos técnicos, conceptuales e institucionales con los que se divulga el patrimonio cultural en dicho entorno turístico. Finalmente, se han valorado críticamente los límites que el propio desarrollo del patrimonio cultural impone a su sostenibilidad y consideración político-social.*

*El* **capítulo seis** *se dedica a explorar, a través de casos concretos, la incorporación del movimiento asociativo a la defensa del patrimonio cultural y a señalar cómo se ha convertido en sujeto creador de nuevas figuras patrimoniales, proceso que viene experimentándose con especial celeridad desde la década de los noventa. Para ello realizamos un breve repaso al concepto de sociedad civil, a partir del cual introducimos el asociacionismo dedicado al patrimonio cultural que constituye el objeto del capítulo desde una doble perspectiva. Por una parte tratamos de mostrar las distintas fuentes de donde surge y se desarrolla dicho asociacionismo; es decir, los factores estructurales que en un momento de profunda transformación como el actual nos ayudan a entender esta efervescencia asociativa. Por otra, a partir de ejemplos etnográficos, mostramos las características del asociacionismo patrimonial valenciano: constitución, objetivos, actividades, tipología, problemática,* *credencial ideológica, etcétera. También hemos incluido referencias a las plataformas conocidas como Salvem en el último de los puntos.*

*En el* **capítulo siete** *hemos explorado en qué consiste el patrimonio etnológico y lo hemos hecho tratando los distintos aspectos que dificultan su construcción como un patrimonio tradicional y representativo de la identidad de un pueblo. Pese a la institucionalización de este tipo particular de patrimonio, la ambigüedad e imprecisión con que ha tomado cuerpo no es ajena a la multiplicidad de nombres (modesto, antropológico, etnográfico ...) que se han usado para denominarlo. Otro motivo para esa vaguedad es el particular origen histórico del concepto, en el discurso folklorista decimonónico, fundamento de la asociación de sus contenidos con lo popular y lo tradicional. Una asociación que contribuye a caracterizar el patrimonio etnológico como definitorio de una cultura popular y tradicional, contrapuesta a la «alta cultura» del arte y los conocimientos humanistas. Por último, la noción de patrimonio etnológico se construye entre, de un lado, las prácticas de las instituciones normativas, que tienden a vincular sus contenidos a la esencialización de elementos territorializados y, de otro, la lógica de una investigación antropológica que plantea la desesencialización y la desterritorialización de identidades. Hemos abordado esos cuatro problemas en este capítulo, con sus correspondientes propuestas de resolución.*

*En el* **capítulo ocho**, *el último de este manual, hemos realizado un breve repaso a la normativa jurídica del Estado español desde sus orígenes hasta nuestros días. Prestamos especial atención a la normativa específica de la Comunidad Valenciana y a la reciente modificación de ley del 2004, distinguiendo entre los distintos tipos de bienes patrimoniales que aparecen mencionados. En el capítulo nos centramos en lo que se ha definido anteriormente como patrimonio etnológico, tratando de mostrar las especificidades valencianas con todos los matices pertinentes. Así, hacemos especial hincapié en las distintas iniciativas que se han puesto en marcha desde las* *instituciones y muy especialmente desde las asociaciones patrimoniales. El capítulo finaliza con un breve apunte de la gestión patrimonial desde la participación y el desarrollo comunitario en el caso valenciano.*

*Por último, cada capítulo cuenta con una actividad práctica y unas lecturas para trabajar los distintos aspectos vistos. Al final, hemos incluido una amplia bibliografía y una filmografía para ilustrar el tema del patrimonio cultural.*

*Construir el patrimonio cultural/natural es labor de todas y todos, aprender a escuchar todas las voces, dar entrada a múltiples discursos, sumergirse en la diversidad de opciones es situarse en una perspectiva que recupere un mundo heterogéneo y heterodoxo. Desde el convencimiento que es necesario volver a redefinir nuestro mundo a partir de la etnodiversidad y biodiversidad presentamos nuestro trabajo como instrumento para el cambio.*

# CAPÍTULO 1
# UNA APROXIMACIÓN AL PATRIMONIO CULTURAL

**Beatriz Santamarina Campos**

«Repensar el patrimonio exige deshacer la red de conceptos en que se halla envuelto» (García Canclini, 1993).

## 1.1. Introducción: Una aproximación al patrimonio cultural

El patrimonio cultural es un concepto extenso y a veces demasiado vago. Desde sus orígenes hasta hoy ha ido transformándose y adecuándose a las nuevas demandas y necesidades. Aquí vamos a tratar el patrimonio cultural desde una perspectiva amplia e integradora. Precisamente hemos optado por hablar de patrimonio cultural, frente a otras denominaciones como patrimonio histórico o artístico, porque entendemos que tras esta designación caben las distintas manifestaciones que, bajo nuestro punto de vista, integran el patrimonio en la actualidad.

Pero, ¿por qué resulta tan difícil definir el patrimonio cultural? Si atendemos estrictamente a su enunciado éste se articula sobre dos conceptos: patrimonio y cultura. Ambos tienen en nuestra práctica cultural fuertes connotaciones ideológicas. Patrimonio remite a una categoría económica y jurídica de larga tradición histórica, que implica la transmisión de bienes de nuestros antepasados. El diccionario etimológico es claro: «conjunto de los bienes de alguien adquiridos por herencia familiar» (Moliner, 1990). Cultura es una categoría comple-

*ja, un recurso analítico que los científicos sociales han definido como todo el sistema de creencias, ideas y valores que comparte una comunidad, o si se prefiere de forma sintética, como una fábrica de significados (Geertz, 1973)[1]. Ahora bien, no se puede pasar por alto que el término cultura ha jugado un papel destacado en nuestra modernidad como instrumento de dominación. Y al decir esto, queremos enfatizar que ha servido como un recurso para jerarquizar diferentes formas de conocimiento de la realidad, tanto dentro de nuestro propio sistema cultural (alta cultura/cultura popular) como desde fuera (culturas avanzadas/atrasadas).*

*El problema se complica cuando intentamos hacer una lectura conjunta de ambos términos. En este sentido, es necesario tener presente que no es lo mismo el patrimonio cultural que la cultura como patrimonio, puesto que son dominios diferentes (García García, 1998). Podemos entender la cultura como patrimonio, lo que supone reconocer que todas las formas y recursos culturales forman parte del mismo, es decir, que toda práctica cultural puede ser entendida en un sentido amplio como patrimonio. Ahora bien, como podemos ver sólo son algunas partes de la práctica cultural las consideradas recursos patrimoniales, lo que implica la asignación de un valor patrimonial a algunos bienes culturales. Cuando nos referimos a patrimonio cultural estamos viendo actuar diferentes lógicas culturales, o lo que es lo mismo, cuando hablamos de patrimonio estamos haciendo referencia a un proceso de selección, jerarquización y control de ciertos modos culturales estereotipados. No está de más recordar que durante mucho tiempo se identificó el patrimonio con la cultura, pero con una cultura específica, la alta cultura. Oponiéndose la misma a la cultura popular (folklore). El patrimonio se conceptualizaba como un patrimonio «culto», perteneciente a los testimonios de las clases dominantes, con un sentido restrictivo.*

---

[1]    *Volveremos a la definición de cultura en el capítulo 3.*

Por otro lado, dependiendo de quién y en qué contexto se haga nos encontraremos con diferentes versiones sobre lo qué es o puede ser el patrimonio cultural. Así podemos considerar a priori que el patrimonio cultural tiene un objeto y un sujeto básicamente problemáticos con una fuerte carga ideológica. Además, debemos tener presente que su constitución varía tanto en el espacio como en el tiempo. Y al decir esto, no sólo queremos enfatizar cómo ha ido redefiniéndose a lo largo del tiempo, sino también que la activación de un bien como patrimonio puede llegar a desactivarse. Por poner un ejemplo cercano, pensemos, por un momento, en el «Negre de Banyoles» (Girona). El Museo de Historia Natural de Banyoles tenía expuesto en su colección un guerrero bosquimano disecado, con claras resonancias coloniales. Ante las protestas de un ciudadano de origen africano que demanda la retirada del museo, por considerarlo ofensivo y denigrante, se desató una polémica no sólo local sino también internacional (global). Al final, por la presión ejercida por diversos países africanos, la OUA y la ONU el bosquimano fue retirado y enterrado con todos los honores en Botswana el 5 de octubre de 2000. En este caso, vemos no sólo como un bien catalogado en un museo sufre una desactivación sino también como el patrimonio tiene en la actualidad una dimensión global.

Sin embargo, la dificultad en la definición de patrimonio estriba no sólo en la complejidad que se esconde tras su enunciado sino también en los inconvenientes que presenta a la hora de acotar sus distintas ramificaciones. Podemos optar por definirlo o bien a partir de las grandes subdivisiones patrimoniales (como el patrimonio etnológico o etnográfico, patrimonio natural o ecológico, patrimonio biológico o genético...), o bien de las más específicas que circunscriben distintas prácticas culturales (como el patrimonio gastronómico, arquitectónico, artístico, documental, ...) o por el contrario, como será nuestro caso, podemos hablar de patrimonio, en su acepción y aceptación más general, como patrimonio cultural o histórico.

Más allá de las dificultades conceptuales y de los posibles matices construimos su definición a partir de un cierto consenso entre todos los que hoy estudian el patrimonio desde distintas disciplinas, que se centra precisamente en su carácter social. Como punto de partida destacaremos un primer rasgo, que si bien es obvio implica aceptar más de una suposición: el patrimonio es una **construcción sociocultural**. O lo que es lo mismo, el patrimonio no es algo natural (en el sentido de objetivo, universal y real), no es una entidad propia (caracterizada por una esencia fundamental que la conforma como tal y que no necesita de subjetivación porque es tal cual es). El patrimonio no es «dado», ni es «neutro», lo que significa que es inestable; varía no sólo temporalmente (los objetos y sujetos son cambiantes, tanto los recursos susceptibles de ser patrimonializados y los agentes que los definen como las categorías, principios e intereses que los mueven), sino también en las distintas prácticas culturales (puede no existir como tal en algunas sociedades como también puede aparecer en algún momento dado).

Podríamos también, siguiendo a Hobsbawm y Ranger (1988), hablar de la «invención» como otro rasgo definitorio del patrimonio pero consideramos que la «invención de la tradición o del patrimonio» debe entenderse como una cara más de su construcción sociocultural, sin desestimar con ello las perspectivas que abre el uso de la invención como herramienta analítica para la interpretación en la edificación de los procesos patrimoniales[2]. No obstante, es necesario tener presente que el patrimonio cultural es un producto de la modernidad que implica la invención (o intervención) de la tradición. Y al hilo de lo anterior es esencial considerar que el pasado, o más bien la aparición de la concepción del pasado en el siglo XIX, es una condición esencial para que aparezca la construcción patrimo-

---

[2]   Para una reflexión sobre la construcción social y la invención del patrimonio se puede ver el capítulo 1 de Prats (1997). Para una definición de la tradición inventada se puede consultar la introducción de Hobsbawm en Hobsbawm y Ranger (1988).

nial. *Como señala Lowenthal (1998), la percepción del pasado como un territorio extraño, es decir, como algo lejano del presente, será el motor del conservacionismo patrimonial.*

*El reconocimiento del carácter social del patrimonio, aunque fundamental, es demasiado vago y deberíamos añadir al mismo otros rasgos que permitieran una concreción en su definición. En este sentido, Prats considera que el carácter fundamental del patrimonio es la facultad para manifestar una identidad, en sus palabras, el «factor determinante es su carácter simbólico, su capacidad para representar simbólicamente una identidad» (Prats, 1997:22). El patrimonio, como fenómeno propio de la modernidad, conlleva la legitimación de identidades colectivas (étnicas o nacionales). En consecuencia, es posible observar como en todo proceso de construcción de identidades se produce una interpretación y selección (mitificación y sacralización) del pasado, con el propósito de fundamentar y dar sentido a su identidad.*

*Con todo, nos parece insuficiente la determinación de patrimonio cultural a partir de estos dos rasgos (construcción social y identidad) por lo que debemos enriquecer y contemplar su definición a partir de otras perspectivas. Desde nuestra óptica, la conceptualización del patrimonio conduce a una multitud de imágenes, con características particulares en distintos contextos culturales, que responden a un mapa de atribuciones y valores complejos sobre los que se seleccionan, legitiman e idealizan ciertos recursos patrimoniales considerados como encapsuladores de una pretendida esencia cultural que debe conservarse y legarse. Por ende, en el patrimonio cultural confluyen distintos factores o lógicas que favorecen la puesta en marcha de referentes patrimoniales: la identidad colectiva (lógica identitaria), la demanda turística (lógica económica) y la racionalidad científica (lógica científica) (Cruces, 1998), así como una diversidad de actores (mercado, estado, ciencia y tercer sector) que pueden demandar una activación patrimonial guiados por distintas motivaciones que complejizan el fenómeno.*

*De facto, como hemos señalado, un rasgo que no puede pasar por alto es que los procesos de activación patrimonial tienen que ver con la constitución de la modernidad (con la reflexividad y el riesgo), que reconvierte el pasado y la tradición en patrimonio. En este sentido, el patrimonio es «una modernización de la tradición» (Ariño, 1999:186). Ante las numerosas transformaciones experimentadas, la conciencia de riesgo y la amenaza del presente, y la fugacidad y la contracción espacial, el patrimonio representa una advertencia para preservar y conservar un pasado elegido y una llamada a la identidad colectiva. El patrimonio cultural es una respuesta al desencantamiento del mundo tradicional y el advenimiento de la modernidad, al reencantamiento del mundo, con la razón, la ciencia y el progreso (nacionalismo y romanticismo) que tiene como consecuencia un retorno simbólico a un nuevo encantamiento compensatorio (tradición, rituales, el pasado, el espectáculo, el patrimonio). En definitiva, la aparición del concepto de patrimonio es resultado de la reflexividad moderna que redefine al pasado como marco de sentido. El patrimonio cultural supone tanto la exaltación de un legado histórico como la obligación de mantener y transmitirlo a las generaciones futuras. Pero para entender mejor todas estas nociones, veamos a continuación con detenimiento cómo se ha ido configurando en nuestra práctica cultural la concepción del patrimonio.*

## 1.2. La aparición histórica del concepto de patrimonio

*Acercarse a la construcción socio-histórica del patrimonio interesa, sobre todo, porque permite ir descubriendo la paulatina aparición del concepto, los diferentes sentidos del mismo y su giro hacia una concepción más democrática en las últimas décadas. Algunos autores sitúan el nacimiento del patrimonio cultural en los orígenes de la humanidad, considerando que la idea de trascender, la voluntad de continuidad y la transmisión de conocimiento han estado presentes en toda la historia de la humanidad. Desde esta perspectiva, es posible otear a lo largo de la historia las distintas manifestaciones patrimoniales. En este sentido, han rastreado las distintas formas de coleccionismo, individual y social, como génesis de la constitución del patrimonio, apuntando que desde los antiguos imperios de Oriente Próximo, China o Japón, pasando por los grandes coleccionistas de los siglos XVI, XVII y XVIII, encontramos formas incipientes de activación patrimonial. De facto, sitúan la confección de la lista de las siete maravillas del mundo, en Alejandría, como la esencia misma de la idea de patrimonio. Además, cabe señalar que en las grandes civilizaciones podemos descubrir tres instituciones culturales consideradas fundamentales: el museo, la biblioteca y el monumento (Ballart, 2001a).*

*En la antigüedad, el conservacionismo se enmarca en un contexto fuertemente sacralizado y ritualizado, con connotaciones mitológicas, religiosas, políticas e intelectuales. El pasado apenas se distingue del presente y es un pasado mitológico y legendario. En esa época hallamos el origen etimológico de «museo» que significa «lugar para las musas». En la Grecia antigua designó el templo dedicado a las diosas de la sabiduría y del conocimiento y, por extensión, acabó aplicándose al lugar «consagrado al estudio y al saber». El primero conocido es el que en el año 332 a.C. construyó Ptomolmeo I Phidelphos en el palacio de Alejandría (Iniesta, 1994:38-39). De esa raíz etimológica nos queda la definición del museo como templo del conocimiento, aunque en nuestro caso conlleva una traducción en signos a través de objetos y mensajes, tan ajena al museion antiguo como lo era cualquier forma de coleccionismo. En realidad, en la antigüedad no encontramos equivalente al concepto moderno de patrimonio pues, pese a que se produce una selección, ésta es restringida y asociada a la acumulación de prestigio y poder. Además, el coleccionismo presenta un carácter individual mientras que el patrimonio hace referencia a lo colectivo.*

*En la Edad Media se desarrolla un coleccionismo asociado al prestigio de los poderosos, que nos remite, prácticamente de forma exclusiva, a la identidad de aristócratas y clérigos como miembros de un grupo social distinguido. Durante ese periodo, existe una mitificación de los restos romanos, aunque no hay una distancia histórica con respecto al pasado, y una cristianización del mundo antiguo lo que permite cierta continuidad histórica entre Roma y la cristiandad. Las peregrinaciones a santuarios y lugares sagrados activaron la exposición de reliquias y tesoros siendo precedentes de las futuras colecciones artísticas.*

*Con la llegada del Renacimiento se retoman las pautas de la Antigüedad y se mitifica el mundo clásico, perdurando todavía una visión sacralizada de la historia. Aparece el concepto etimológico de monumento, como recuerdo del mundo clásico y como objeto de contemplación y reflexión. Asimismo, encontramos una primera ruptura clara entre el presente y el pasado, lo que nos sitúa en los antecedentes de la modernidad. La antigüedad se toma como modelo y fuente de inspiración y, en este sentido, lo fundamental no era conservar el legado antiguo sino imitarlo y superarlo. Los humanistas jugarán un papel clave en la configuración de esta nueva visión, aunque su mirada quedará reducida a los eruditos. Durante esta época se aplica, por primera vez, el término museo a colecciones de objetos, aunque al servicio privado de mecenas, con una mentalidad mercantilista y a la vez con la percepción de que el mundo no podía ser controlado ni representado por el ser humano, sino copiado o emulado por éste, siempre de forma imperfecta. El Palacio Medici de Florencia, en el siglo XV, es el prototipo de este tipo de coleccionismo que de alguna manera representa al poderoso, desde un entorno privado, pero diseñado para ser mostrado a sus visitantes. Las obras de arte constituían una parte de lo que se mostraba, pero como decoración. A otros bienes (joyas, estatuas y curiosidades como el cuerno de un unicornio) se les atribuía, en cambio, un valor en sí mismos para ser mostrados.*

*A lo largo de los siglos XVI, XVII y XVIII se extiende el concepto de antigüedad y aumenta el coleccionismo, empezan-*

*do a aflorar los llamados gabinetes de curiosidades. De nuevo se trataba de colecciones de objetos que eran mostrados por su capacidad de despertar la curiosidad de quien los miraba. Tanto en este caso, como en las colecciones renacentistas, los objetos pasaron a convertirse en significantes, que impulsaban al espectador hacia lo que representaban: un exotismo enraizado en el pasado remoto o desconocido, o en un mundo geográficamente alejado (Iniesta 1994: 30, citando a Pomian, 1987:42-43). Ejemplos de gabinetes de curiosidades los encontramos a mediados del siglo XVI, en Italia, con el Tempio de la Fama (Como) o el Giardino dei semplici (Bolonia). Con todo, el Renacimiento y los gabinetes de curiosidades representaron un paso hacia lo que al cabo de un siglo se constituiría como museo, por cuanto implicaron una cierta ruptura epistemológica, al incluir en sus colecciones una idea de alteridad y al destinar sus esfuerzos a acumular conocimiento, en forma de objetos.*

*En suma, a través de las distintas formas de coleccionismo, es posible ver cómo éstas están vinculadas a la Iglesia, la realeza, la aristocracia y la burguesía. El poder religioso, que consagra los templos como espacios para la salvaguardia de tesoros y reliquias, y el poder político, que atesora objetos artísticos y de valor, representan las primeras expresiones que nos hablan sobre la conservación de objetos históricos y artísticos. Junto a ellos, los eruditos impulsaron un coleccionismo basado en la transmisión de saberes y en la admiración estética. Y son dichas expresiones de coleccionismo, individuales o colectivos, las que nos llevan a considerar que la conservación del patrimonio no es en realidad un fenómeno nuevo.*

*Sin embargo, pese a que podemos decir que todos los grupos humanos han tenido y tienen un conjunto de bienes que constituyen un potencial patrimonio y pese a que encontremos formas incipientes de activación patrimonial en el coleccionismo y en la conservación, el hecho de designar a ese conjunto de acervos culturales bajo la denominación de patrimonio cultural es un proceso gestado en los dos últimos siglos. Considera-*

*mos pues que el nacimiento del patrimonio debe situarse en la aparición de la modernidad. Al decir esto no negamos que en periodos anteriores se dé el coleccionismo, el uso de objetos históricos y la conservación. Lo que queremos subrayar es, en primer lugar, que la forma de conceptualizar nuestras relaciones con los bienes (a través del pasado en el presente, de la tradición, etcétera) es radicalmente diferente a la de otros periodos históricos. Y, en esa nueva relación han jugado un papel fundamental dos fenómenos interrelacionados propios de la modernidad: la aceleración de la historia y las transformaciones constantes. Y en segundo lugar, que hasta ese momento no existía el concepto de patrimonio cultural.*

*Desde nuestra perspectiva, la concepción del patrimonio cultural es relativamente nueva y viene asociada a los procesos de transformación del mundo moderno. A partir de los cambios acaecidos en la segunda mitad del siglo XVIII, encontramos cómo se van superando las limitaciones anteriores, produciéndose, por un lado, una ampliación espacio-temporal del concepto de monumento y, por otro, una incipiente proyección social del patrimonio. Con la Ilustración asistiremos a una crítica racional y reflexiva del pasado, que supone tanto la percepción moderna del pasado como su necesidad de conservarlo. La Revolución Francesa, con sus contradicciones entre destrucción-conservación, no hará más que dar amplitud al movimiento ilustrado, apareciendo por primera vez una conciencia colectiva en torno al patrimonio (Hernández Hernández, 2002). Durante ese periodo asistiremos al desarrollo del coleccionismo científico y de la arqueología y al nacimiento de la historia del arte. Al mismo tiempo, se difundirá la idea del patrimonio como riqueza colectiva y encontraremos las primeras iniciativas estatales para el desarrollo de las bellas artes y la conservación del patrimonio a través de los museos y academias y de las primeras normativas (González-Varas, 2003).*

*Por tanto, encontramos los antecedentes inmediatos al patrimonio cultural en la segunda mitad siglo XVIII, con la Ilustración y la Revolución Francesa; su génesis la podemos datar en el siglo XIX, con la aparición del estado moderno y su concreción en el monumento histórico-artístico; y su desarrollo lo situamos a lo largo del siglo XX, donde hallamos su redefinición como bien cultural a partir de 1950. El surgimiento de la modernidad, con todos los procesos asociados de aceleración, producción y destrucción, provocó una preocupación social por el medio natural y cultural que se manifiesta en la aparición de movimientos conservacionistas (Ballart, 1997). La mirada hacia atrás, la búsqueda del pasado, es la manifestación ante la conciencia de la pérdida originada por la aceleración del mundo. El pasado se restituye como fuente de referentes identitarios. La entrada de la primera modernidad activará el pasado como base para la construcción del patrimonio clásico o histórico.*

*El patrimonio aparece entonces como una respuesta para articular y vincular el pasado con el presente. Permite la identificación con una tradición y con una continuidad en el tiempo, edificándose, de este modo, en puente entre el pasado y el presente. De hecho, «el ansia del pasado es una de las manifestaciones más significativas que adopta la reacción de la sociedad contemporánea ante la conciencia de pérdida de continuidad cultural» (Ballart, 1997). Lowenthal considera que el pasado no sólo es un escudo ante las numerosas transformaciones experimentadas, sino que también se constituye en un instrumento fundamental para la construcción de identidades. El pasado da sentido al presente, dotándolo de una suerte de continuidad espacio-temporal que permite tanto situar nuestros orígenes, como generarnos un sentimiento de pertenencia a un grupo.*

*Giddens ha señalado que en las sociedades premodernas el tiempo y el espacio estaban vinculados: «el "cuando" estaba casi universalmente conectado al "donde" o identificado por los regulares acontecimientos naturales» (1991:29). En la modernidad se ha producido un «vaciado temporal» que ha dado lugar a un «vaciado espacial». Numerosos autores han puesto de manifiesto que una de las rupturas más importantes que hemos experimentado ha sido la referida a la concepción del tiempo y el espacio (entre otros Thompson, 1985; Giddens, 1991; Augé, 1995; García Canclini 1999). La aceleración de nuestro mundo, la velocidad a la que experimentamos nuestra realidad, ha venido provocada por la salida de un tiempo y espacio determinado. Jamás se ha vivido en un mundo tan acelerado, donde el espacio y el tiempo, el nosotros y el otro, la naturaleza y la cultura, han dejado de ser vínculos coherentes para convertirse en paradojas, riesgos e incertidumbres. La sensación de pérdida de referentes y la degradación del entorno han generado una respuesta social que se ha articulado en torno a la construcción del patrimonio cultural y natural. Según Giddens (1991), las sociedades modernas sufren un proceso de «desanclaje», caracterizado por la contracción espacio-temporal del mundo que hace que vivamos, en sus palabras, en un «mundo desbocado» (2000). Otros autores consideran que las transformaciones sufridas nos sitúan en un nuevo «espacio de flujos» (Castells, 1997). Mientras que otros prefieren hablar de una «sociedad de riesgo», por los peligros e incertidumbres generados en las últimas décadas por los avances tecno-científicos (Beck, 1998).*

*Hoy en día, a partir sobre todo de la década de los ochenta, con la entrada de la segunda modernidad o la modernidad avanzada, con la celeridad de los cambios históricos y el proceso de globalización hemos asistido a una segunda ola intensiva de patrimonialización de la cultura. El peligro de la homogeneización provocada por la globalización y el riesgo de perder la memoria por la sucesión vertiginosa de acontecimientos ha tenido como respuesta la activación tanto de nuevos patrimonios locales como mundiales.*

## 1.3. La formación del patrimonio: del monumento al bien

*El patrimonio nace con el Romanticismo y se desarrolla con la Revolución Industrial y la creación del Estado-Nación. En ese contexto, es precisamente donde se produce el despertar de los nacionalismos, pannacionalismos y colonialismos, lo que se traduce en la necesidad de reforzar y construir-reconstruir identidades. El romanticismo proporcionara criterios de legitimación extracultural: la naturaleza (ideal inalterado), la historia (atemporalidad) y la inspiración creativa (genio: transciende y transgrede) (Prats, 1997).*

*En las postrimerías del siglo XIX encontramos la primera denominación de patrimonio, que en este periodo va a ser definido como patrimonio histórico y representado bajo la fórmula de «monumento nacional», una expresión propiamente decimonónica. El monumento histórico-artístico nacional será impulsado por el romanticismo, con su nostalgia del pasado y su crítica a la modernidad, y por el nacionalismo, con el estado-nación burgués y el capitalismo.*

*El culto a los monumentos tiene que ver con la añoranza del pasado y de lo tradicional, que se vive y percibe como algo perdido y lejano, ante las rápidas transformaciones sociales acaecidas (revolución burguesa, industrial, demográfica y urbana, capitalismo, etc). Junto a esto, y paradójicamente, el Estado-Nación necesitará reedificar el pasado, reinventar la tradición y apelar a un patrimonio nacional para poder legitimar su proyecto político y su construcción identitaria. El siglo XIX se mueve entre la creencia en el progreso (conocimiento científico y razón burguesa), la crítica al pasado y la necesidad de conservar y preservar el patrimonio histórico-artístico. Esta paradoja entre la creación de una cultura del progreso junto a la formación de una cultura de conservación es visible en las celebraciones de la Exposiciones Universales, donde se exhiben las últimas novedades junto con elementos característicos del pasado[3]. Además, como veremos más adelante, es a finales*

---

[3] *Una característica de la Exposiciones Universales que todavía podemos observar. No hay más que pensar en la Exposición Universal de Sevilla de 1992, en aquella ocasión el Pabellón Valenciano vendía al exterior toda*

*del siglo XIX, sobre todo, a partir de las décadas de los 70 y 80, cuando se multiplican y consolidan los museos. Estos últimos serán ideados como templos para exhibir el patrimonio nacional, metáfora y metonimia de una esencia cultural idealizada.*

*La construcción del concepto moderno de monumento estará cimentada sobre el movimiento romántico que transformará las relaciones con el pasado y buscará vínculos emotivos con la historia. La atención romántica se centrara en los monumentos medievales y su redescubrimiento marcara la definición moderna del concepto de patrimonio. Dicha restitución se realizó a partir de tres cauces según González-Varas (2003):*

1. *El monumento histórico y su construcción ideológica. Durante el siglo XIX se producirá una instrumentalización del patrimonio de contenido simbólico-político para el presente, con una fuerte carga espiritual y con el germen de la idea de nación.*

2. *Los libros de viajes y el monumento. El monumento histórico aparece como objeto literario e iconográfico del romanticismo y tendrá una importante repercusión al favorecer un interés por los monumentos.*

3. *El valor histórico. Junto con el valor artístico y estético se enfatizará el valor histórico, apareciendo el conocimiento histórico como forma una forma reconocida de conocimiento científico. Los monumentos se leerán como testimonios significativos de un periodo histórico.*

*A partir de esta noción moderna del monumento histórico-artístico se desarrollara el concepto de patrimonio cultural*

---

*su innovación pero en la puerta del mismo estaban expuestas una serie de campanas que fueron reclamo para llamar tanto la atención de los visitantes (poniéndolas en funcionamiento) como para resaltar la tradición oral valenciana (el toque de campanas era un instrumento de comunicación eficaz y fundamental en las sociedades tradicionales).*

*pero convirtiéndose, en un concepto más flexible y abarcador. Durante el siglo XIX el patrimonio cultural tiene una formulación básicamente de carácter histórico y no será hasta mitad del siglo pasado cuando esta concepción se amplíe transformándose en el concepto moderno de patrimonio cultural y de* **bien cultural***. A lo largo del siglo XX veremos como el acento y el énfasis en recuperar objetos con cualidades artísticas e históricas del siglo XVIII y XIX se desplazará a favor de recuperar objetos significativos de la práctica cultural. Es decir, se pasará a considerar que existen elementos que proporcionan información fundamental sobre la cultura que deben ser del mismo modo protegidos. Desde esta consideración, un molino de viento o un castillo medieval deben despertar el mismo interés como manifestaciones o testimonios singulares de una cultura.*

*El bien cultural será definido como cualquier manifestación significativa de una práctica cultural, siendo sinónimo de patrimonio histórico y patrimonio cultural. El giro experimentado de la vieja noción de monumento al de bien cultural se inserta en la progresiva conciencia de la dimensión simbólica (constitución cultural) de la sociedad y en la importancia, cada vez mayor, de su función social. La amplitud de la definición permite englobar y superar las limitaciones anteriores del patrimonio intentando superar o completar el concepto restringido de monumento (como obra de arte, documento histórico o antigüedades). Además, la nueva concepción del bien cultural no sólo contemplará a los bienes materiales sino también irá progresivamente atendiendo a los bienes inmateriales.*

*Como veremos en el capítulo siguiente, a principios del siglo XX se inicia un proceso de patrimonialización de la cultura, con una mayor sensibilización y una incipiente legislación proteccionista. La Gran Guerra jugará un importante papel como motor de sensibilización patrimonial, por la devastación y la pérdida de numerosos bienes culturales que se sufrió en la contienda. De manera que despertará el interés por proteger el patrimonio y se iniciará un movimiento internacional para su conservación. En este sentido, se aprecian una serie de cambios fundamentales: se extiende un mayor uso social del patrimonio, mejoran los servicios del patrimonio, se produce una mayor especialización y profesionalización, se consolida y se extiende la disciplina de la restauración, etcétera. Pero será, sobre todo, después de la Segunda Guerra Mundial cuando surja la necesidad de contar con un concepto abarcador de patrimonio. Los cambios históricos (con la descolonización y los procesos de construcción de la identidad cultural) y las aportaciones de la antropología sociocultural junto con la renovación de la historiografía tradicional (con el énfasis en la producción cultural) potenciarán la aparición y definición del bien cultural y del patrimonio cultural. A partir de ahora se considerará que la identidad cultural se articula a través de otros tipos de objetos culturales.*

*La primera aparición y definición del concepto de bien cultural lo encontramos en la Convención para la protección de los bienes culturales, muebles e inmuebles, en caso de conflicto bélico, organizada por la UNESCO y más conocida como la Convención de La Haya de 1954. Desde ese momento veremos cómo los distintos encuentros y documentos internacionales han adoptado su definición y han ido precisando su contenido. Cabe señalar que en la definición de bien cultural ha tenido mucha relevancia internacional la normativa italiana desarrollada en la década de los sesenta. La Ley del 26 de abril de 1964 instituía una comisión para la valoración del patrimonio histórico, artístico y del paisaje. La Comisión Franceschini (1964-1967), como se le denominó por su presidente, definió el bien cultural como todo el testimonio material dotado de valor de civilización, refiriéndose de manera implícita a los bienes inmateriales. Además, la Comisión estableció un esquema para clasificar los objetos de los bienes culturales (bienes arqueológicos, bienes artísticos e históricos, bienes ambientales, bienes archivísticos y bienes librarios).*

*De todas formas, la extensión internacional del uso del bien cultural ha sido promovido por la UNESCO a través de sus convenciones y documentos, ampliándolo, redefiniéndolo y dotándolo de categorías. Así, en la Convención sobre la Protección del Patrimonio Mundial, Cultural y Natural en 1972, encontramos dos importantes novedades con respecto a los bienes culturales: por un lado, se instituye y define el patrimonio mundial y, por otro, se fusionan las nociones de cultura y naturaleza al reconocerse no sólo los bienes culturales sino también los sitios naturales (volveremos a ello en el siguiente punto).*

*En definitiva, el concepto de bien cultural encapsula la patrimonialización de la cultura, supone la integración y extensión de los distintos elementos culturales. A través de su definición y aceptación internacional, hoy en día, ocupa una gran importancia en la activación, conservación y restauración patrimonial. Por último, es interesante tener presente que la entrada en España del concepto de bien cultural es tardía y se desarrolla a partir de la Ley del Patrimonio Histórico Español (1985). En el caso valenciano vendrá recogido en la ley del 1998.*

## 1.4. Transformación y patrimonialización de la cultura

*Como venimos apuntando, el concepto de patrimonio cultural se ha ido produciendo y modificando en el tiempo. A lo largo del siglo XIX y XX podemos observar cómo se ha ido consolidando una tendencia firme hacia la patrimonialización de la cultura. Dicho movimiento ha supuesto la selección, clasificación e interpretación de elementos significativos que se estiman son merecedores de conservarse y protegerse para el presente y el futuro. En esa transformación es posible observar como el patrimonio cultural no sólo se ha universalizado sino también ha ampliado su significación. Siguiendo a Ariño podemos observar como el patrimonio ha sufrido una constante expansión: «desde el concepto clásico de monumento hasta el de bien cultural; desde los bienes tangibles a los intangibles y a los testimonios vivos; y desde una visión insularista hasta la confluencia entre el patrimonio natural y patrimonio cultural en el marco de la sociedad de riesgo» (2002:131).*

*Entre los cambios que pueden observarse, a partir de la segunda mitad del siglo XX, podemos señalar los siguientes. En primer lugar, se ha producido una transición de un patrimonio «culto» y restrictivo a uno amplio y abarcador que incluye cualquier expresión significativa, o lo que es lo mismo, de una «alta cultura» susceptible de ser patrimonializada a una concepción abierta y negociable sobre posibilidad de patrimonializar cualquier aspecto de la práctica cultural. O dicho de otro modo, que la totalidad de los rasgos culturales son potencialmente portadores de patrimonio. Se ha pasado de considerar el patrimonio arqueológico, artístico o histórico como formas de expresión testimonial de las clases dominantes (lo que se entendía por alta cultura) a una concepción donde se incluye desde las formas de creencias populares hasta las tecnologías tradicionales. Dicha transformación puede verse sintetizada de forma gráfica en el paso del monumento al bien cultural.*

*En segundo lugar, hemos asistido a un cambio en las formas culturales susceptibles de ser patrimonializables. De un patrimomio tradicional, rural y localizable hemos pasado a un patrimonio moderno, urbano y desterritorializado. Pensemos, por un momento, en la vieja concepción del patrimonio caracterizada por la valoración de los aspectos artísticos e históricos frente a los nuevos patrimonios que surgen cómo el patrimonio audiovisual, el cinematográfico o el virtual, entre otros ejemplos.*

*En tercer lugar, podemos observar cómo los recursos patrimoniales han dejado de ser sólo tangibles y materiales para pasar a considerarse, de igual modo, recursos intangibles e inmateriales. Este movimiento, que reconoce otras formas patrimoniales, puede verse plasmado en la declaración de nuevos bienes culturales bajo el título Obras maestras del Patrimonio Oral e Intangible de la Humanidad. La distinción de patrimonio inmaterial fue creada en 1999 tras la Conferencia*

*Internacional sobre el Patrimonio Inmaterial. En ella se reconocía que «aunque frecuentemente asociado a los sitios, monumentos y museos, el patrimonio cultural comprende también el patrimonio inmaterial, que se puede definir como el conjunto de las expresiones culturales y sociales que, heredadas de sus tradiciones, caracterizan a las comunidades. Estas formas de patrimonio inmaterial, transmitidas por la palabra y por el ejemplo de generación en generación, están sometidas a un proceso de recreación colectiva. Son efímeras y, por ende, particularmente vulnerables». Las primeras obras de patrimonio inmaterial se declararon en marzo del 2001, fueron 19 espacios o formas de expresión relevantes, a los que se sumaron, en 2003, 28 obras. Asimismo ese último año se aprobó un texto para la Salvaguarda del Patrimonio Oral e Intangible de la Humanidad. Hoy se cuenta con 47 obras maestras de patrimonio inmaterial[4] frente a las 730 de patrimonio material, lo que nos indica todavía la desigualdad que existe entre ambos patrimonios. Entre las distintas prácticas culturales declaradas como patrimonio inmaterial de la humanidad la Comunidad Valenciana cuenta, desde 2001, con la representación del Misteri d'Elx.*

*En cuarto lugar, hemos asistido a un cambio en los agentes e intereses tradicionales de activación del patrimonio. De la patrimonialización impulsada por los procesos de construcción del Estado-Nación hemos pasado a una pluralidad de agentes e intereses. Desde la sociedad civil, a través de asociaciones que promueven la activación de recursos patrimoniales, a las empresas, sobre todo turísticas, que ven en el patrimonio una fuente de ingresos, pasando por organizaciones internacionales, como la ya comentada UNESCO que vela por el patrimonio, y los expertos, con la entrada de distintas disciplinas en la investigación del patrimonio. De este modo se ha*

---

[4]  *En julio del 2005 se producirá la tercera declaración de obras de patrimonio inmaterial.*

*enriquecido su visión y su estudio. La pluralidad de agentes ha hecho que la activación del patrimonio haya caminado hacia su democratización.*

*En quinto lugar, hemos presenciado un doble giro en la concepción del patrimonio, del clásico patrimonio nacional hemos pasado al patrimonio local y universal. Por un lado, se han activado formas globalizadas de patrimonio que responden a nuevos agentes e intereses. Por otro lado, y en relación dialéctica con la constitución de un patrimonio global, se impulsan y activan nuevas formas de patrimonio local. Por poner dos ejemplos ilustrativos, la propia formulación de «patrimonio de la humanidad» condensa y contiene lo referido a la universalización (mundalización) patrimonial, como decíamos más arriba su formulación aparece en la década de los 70 del siglo pasado, con la celebración de la Convención de París. Y los numerosos movimientos asociativos, bajo el significativo y genérico «salvar a», que se vienen activando, sobre todo a partir de 1990, responden a las nuevas formas de reactivación local del patrimonio. Pensemos, por un momento, en los movimientos desarrollados, durante los últimos años, en la ciudad de Valencia como respuesta a los conflictos originados por la política urbanística municipal: Salvem el Cabanyal, Salvem La Punta, Salvem El Pouet, Salvem El Botanic, etcétera (Volveremos a ellos con detalle en el capítulo 6).*

*En sexto lugar, se ha pasado del patrimonio cultural a la consideración del patrimonio cultural-natural. Esta transformación tiene que ver no sólo con el reconocimiento de que las representaciones de la naturaleza responden a una construcción sociocultural sino también con la degradación ecológica actual. Además, no está de más señalar que en nuestra práctica cultural la naturaleza y la cultura se edifican de forma parecida a través de polaridades y sentidos excluyentes. En este sentido, los procesos de patrimonialización de la cultura y de patrimonialización de la naturaleza han sido similares y ambos son producto de nuestra modernidad. De hecho, la normalización e institucionalización de ambos procesos corre de manera paralela en el tiempo. Así, los primeros movimientos conservacionistas, filántropos y naturistas los podemos encontrar en el siglo XIX y el primer parque nacional del mundo, el Parque Yellowstone, se declara en 1872 en Estados Unidos, iniciándose con él un movimiento mundial de protección de espacios naturales. Pero no será hasta la segunda mitad del XX cuando asistamos a la institucionalización de lo ecológico con la movilización ecologista, la producción de numerosos informes sobre el medio ambiente, las primeras normativas conservacionistas y la celebración de las primeras Cumbres de la Tierra (Estocolmo 1972, Río de Janeiro 1992). La patrimonialización de la cultura y de patrimonialización de la naturaleza confluyen, en la década de los setenta, con el reconocimiento de la necesidad de protección de ambos espacios. Desde 1972 la Convención de París reconoció la necesidad de proteger los sitios naturales. Fruto de ello es la aparición, de la declaración de parajes naturales, «con valor universal excepcional» como Patrimonio Mundial por parte de la UNESCO. Hoy en día existen declarados como patrimonio natural 128 bienes naturales (a parte de ellos 23 son catalogados como mixtos) con un claro predominio en su constitución de los parques nacionales y naturales.*

*Y, por último, es necesario tener presente que también hemos pasado de una concepción estática y aproblemática del patrimonio, como un conjunto de objetos caracterizados por su estética, a una visión dinámica y problemática del mismo, definida a partir de su carácter social y donde interesan más los procesos de elaboración, circulación y asignación de significados. Esta nueva concepción ha permitido examinar los conflictos y negociaciones entre grupos y clases sociales, señalar los procesos de clasificación y legitimación de los recursos patrimoniales y poner de manifiesto cómo el patrimonio supone un ejercicio de distinción, o lo que es lo mismo, cómo a través de él podemos observar mecanismos de exclusión o inclusión a partir de la jerarquización de ciertos valores. Ya que, en definitiva, el patrimonio cultural aparece como el legado a salvaguardar para las generaciones futuras, lo que implica poner en funcionamiento una lógica de la selección (qué, quién, porqué y cómo conservar).*

*Del mismo modo, las nuevas lecturas que se realizan sobre el patrimonio han permitido sacar a la luz las relaciones de dominación que existen tras la conformación histórica del patrimonio (la patrimonialización de ciertos recursos y su utilización). Las condiciones de desigualdad, en su producción, han hecho que las clases dominantes hayan sido las encargadas de seleccionar los bienes patrimoniales en armonía con sus criterios e intereses. Pero, no sólo eso, también hay que tener en cuenta que existe una distinta forma de situarse o relacionarse frente al patrimonio. Como ha puesto de manifiesto García Canclini, siguiendo la teoría de Bourdieu sobre la reproducción cultural, si atendemos a las formas en qué cada sociedad transmite el saber a través de la institución escolar o los museos, podemos ver cómo «diversos grupos se apropian en formas diferentes y desiguales de la herencia cultural». Además, «a medida que descendamos en la escala económica y educacional, disminuye la capacidad de apropiarse del capital cultural transmitido por estas instituciones» (1993:43).*

*De hecho, la desigualdad social está implícita en la concepción del patrimonio cultural: pese a que en la legislación de la mayoría de países podemos encontrar un reconocimiento explícito de la concepción antropológica de la cultura, también es cierto que existe una jerarquía no sólo entre los diversos bienes patrimoniales (distinta asignación de valor, ¿vale lo mismo el arte que la artesanía?) sino también entre las diferentes prácticas culturales, ya que aquellas que son dependientes acaban presentándose como secundarias (García Canclini, 1993).*

*En resumen, la concepción del patrimonio ha ido reformulándose a lo largo del tiempo. Desde hace algunos años la noción se ha ido ampliando, incluyendo en el patrimonio distintas expresiones de la práctica cultural. Esta cambio, además de haber supuesto la democratización del propio enunciado de patrimonio cultural, ha supuesto dejar de definir el patrimonio en términos artísticos o históricos para dar paso a una noción, mucho más abierta, definida como legado cultural colectivo.*

## 1.5. Dimensiones del patrimonio

*Dada la complejidad del patrimonio cultural vamos a partir de considerarlo como un fenómeno de carácter moderno que presenta múltiples dimensiones interrelacionadas. Es decir, todas las dimensiones se presentan de forma conjunta y la división que practicamos tan sólo es un ejercicio analítico para desgranar y comprender mejor la riqueza de la construcción sociocultural del patrimonio. Aquí nos vamos a referir a su dimensión simbólica, política y económica.*

### 1.5.1. Dimensión simbólico-identitaria

*Como ya hemos apuntado, un rasgo fundamental del patrimonio cultural reside en su capacidad simbólica de encapsular una identidad mediante el manejo de un sistema de símbolos. En este sentido, la eficacia simbólica del discurso y la práctica patrimonial debe ser su capacidad de movilizar y provocar adhesiones. El patrimonio funciona como un esqueleto sobre el que se edifican las diferentes versiones de las distintas identidades (Prats, 1997). De esta manera se produce una dinámica de inclusión o exclusión de recursos patrimoniales (potenciales) que no son tales hasta que no se activan los mecanismos simbólicos que permiten la activación de alguna versión de la identidad. Y dicha construcción se realiza a través de la percepción, conceptualización y categorización de representaciones simbólicas que están dentro de un sistema más amplio de cognición.*

*Siguiendo a Prats (1997), podemos entender que existen dos procesos de construcción patrimonial de la identidad: el primero se correspondería con la activación clásica del patrimonio y se trataría del «nosotros del nosotros», mientras que el segundo respondería a la activación de la demanda turística y se definiría como el «nosotros de los otros». En esta línea, podemos decir que el patrimonio tiene un carácter conflictivo en tanto persigue representar una identidad, es decir, se constituye en un campo de disputa simbólica (resta decir que la identidad colectiva no se reduce sólo a su representación simbólica en el patrimonio, de hecho, la identidad adopta múltiples formas de representación cultural como son los símbolos políticos, religiosos, etcétera).*

## 1.5.2. Dimensión política

*El patrimonio cultural sólo se edifica como tal cuando se propone y activa una determinada concepción de la identidad a través de la cual se clasifican, categorizan e interpreten ciertos referentes. Dichas propuestas parten tanto del poder político (gobiernos y administraciones) como de la sociedad civil (siempre que esté respaldada) (Prats, 1997). No podemos concebir el patrimonio sin una alusión directa al poder (el poder en su sentido más pragmático, como forma tradicional de imponer definiciones del mundo), ya que sino hay una definición y activación del mismo éste simplemente no existe. El problema del sujeto y objeto patrimonial es político porque supone la legitimación de ciertas demarcaciones a través de relaciones de poder asimétricas; lo que está en juego es la producción y distribución de bienes. El patrimonio tiene un carácter conflictivo y desigualitario, en tanto persigue representar una identidad y una imagen idealizada de una práctica cultural. Así, se constituye en un campo de disputa simbólica al codificar, normalizar, institucionalizar e interpretar ciertos objetos, lugares o prácticas a través de un trabajo de mediación y negociación. De hecho, el trabajo de mediación permite que los potenciales recursos se constituyan en artefactos patrimoniales. A este respecto Cruces señala que «las colecciones museísticas son artefactos mediados y las monografías etnográficas, culturas mediadas» (1998:78). Entre los media-*

*dores culturales están el mercado (constituye el patrimonio como conjunto bienes escasos y de consumo), el Estado (instituye el patrimonio a través de legislar, regular y administrar), la ciencia (conforma el patrimonio en base al conocimiento) y el tercer sector (impulsa, activa y reivindica otras formas patrimoniales).*

*Además, podemos observar, como es lógico, que lo problemático no sólo es el objeto patrimonial. Cuando nos referimos al sujeto portador del patrimonio nos encontramos de nuevo frente a tensiones y disputas por acotar y delimitar cualquier forma de patrimonio. Lo que está en juego no sólo es el sistema de representaciones, qué simboliza y a quién representa, sino también los intereses económicos. En este sentido, el patrimonio sirve a menudo como fuente de litigios simbólicos y reales.*

*En suma, el patrimonio es un campo de disputa material y simbólica entre clases, grupos y etnias. Los grupos dominantes imponen qué bienes son admirables y deben ser conservados y a través de sus recursos económicos, materiales e intelectuales consiguen presentarlos con un mayor refinamiento. Las posibilidades de legitimación de los saberes o sectores populares son más complejas porque carecen de las herramientas para acumularlos históricamente, objetivarlos como saber para transmitirlos en instituciones educativas y difundirlos a través de la investigación. De tal forma que las desigualdades estructurales pueden ser observadas en las formas de apropiación y formación del patrimonio (García Canclini, 1993).*

## 1.5.3. Dimensión económica

*El patrimonio se ha convertido o transformado bajo la lógica del mercado en un importante potencial económico. De hecho, como mercancía el patrimonio puede ser leído en término de bienes (tasables). Ahora bien, podemos realizar dos lecturas desde la lógica capitalista. En primer lugar, los bienes patrimoniales se presentan como bienes escasos, limitados e irrepetibles a los que se les confiere un valor añadido, «la asimilación economista se basa en introducir en ellos el concepto de escasez, que es el principio soberano de cualquier práctica económica y naturalmente, la base en que se funda la ley de la oferta y la demanda que rige nuestro concepto de economía de mercado» (Limón Delgado, 1999:10). Y en segundo lugar, la lógica del consumo, muchas veces acompañada por la distinción social, construye el patrimonio como espectáculo (Cruces, 1998). A mayor abundamiento, cabría hablar del fenómeno turístico, que implica la mercantilización del patrimonio cultural. El turismo ofrece el patrimonio cultural como producto atractivo y los bienes patrimoniales son considerados como una fuente fundamental en la industria turística. El turismo entiende la cultura como consumo, de tal forma que los bienes y recursos patrimoniales son leídos en términos de mercancías.*

*Por último, hay que destacar que la concepción capitalista del patrimonio, con su acento en los intereses y el consumo, ha provocado un fuerte impacto medio ambiental. En muchos casos, los intereses turísticos e inmobiliarios han primado sobre otro tipo de intereses sociales y han hecho una lectura y un uso del patrimonio a su medida, ocasionado una grave degradación ecológica y patrimonial.*

## 1.6. Propuestas para definir el patrimonio cultural

*Iniciamos el capítulo viendo cómo el concepto de patrimonio cultural presenta grandes dificultades para su definición, en tanto que con él entablamos un diálogo directo y explícito con el poder. Es cierto, que si prestamos atención a su definición etimológica (y, por supuesto, la abstraemos de todas sus connotaciones e implicaciones ideológicas), en principio, el objeto no opone tantas resistencias. Pensemos, por un momento, en dichos términos. El patrimonio es referido a la propiedad de los bienes recibidos de nuestros antepasados. Así, el concepto de patrimonio (con raíz latina pater) referido a su larga tradición jurídica, hace mención al conjunto de bienes poseídos. Desde esta simple perspectiva se puede entender que el patrimonio puede mantenerse, aumentarse o disminuirse. Di-cha definición no entraña muchas dificultades en su lectura, el problema aparece en cuanto se trata de catalogar, jerarquizar, ordenar y tasar que bienes tienen más valor, simbólico o económico, cuales de ellos son intransferibles, por cuanto suponen una pérdida patrimonial considerable, y cuales de ellos son prescindibles, por cuanto apenas modifican el patri-monio[5]. Y, como ya hemos apuntado, cuando hablamos de sistemas de discriminación, clasificación y orden estamos refiriéndonos a sistemas arbitrarios, que a través de un proceso de legitimación justifican las razones, los modos y los usos de los recursos que pueden ser potencialmente patrimonializables. Pero, quizás, lo más importante es que tras esa patri-monialización existe un modo de entender e interpretar el mundo, una propuesta para otorgar significados y una forma de plasmar los rasgos identitarios de un grupo.*

*No es fácil, por tanto, definir el patrimonio cultural, ya que su mismo enunciado implica fuertes connotaciones ideológi-cas. De todas formas podemos acercarnos a diferentes propues-tas para definirlo, en un intento de recoger aquellas que se acercan más a lo que hoy en día viene interpretándose desde diferentes campos como patrimonio cultural. Podemos optar por una definición sintética y breve, que pese a que no describe toda la complejidad del enunciado nos sitúa al menos en una pista de salida, «(referido al patrimonio cultural) utilizamos el término metafóricamente para referirnos a un conjunto espe-cífico de bienes que conforman el acervo social» (Ariño, 2002:131). También podemos inclinarnos por otra más amplia que recoja más explícitamente lo que se persigue: «Cuando hablamos del patrimonio cultural de un pueblo, a lo que nos estamos refiriendo es, precisamente, a ese acervo de elementos*

---

[5]    *Todo ello sin añadir otras cuestiones más complejas y que envuelven el patrimonio cultural como ya hemos visto que son la invención de la tradición, la mitificación del pasado, etcétera.*

*culturales —tangibles unos, intangibles otros— que una socie-
dad determinada considera suyos y de los que echa mano para
enfrentar sus problemas (cualquier tipo de problemas, desde
las grandes crisis hasta los aparentemente nimios de la vida
cotidiana); para formular e intentar realizar sus aspiraciones y
sus proyectos; para imaginar, gozar y expresarse» (Bonfil
Batalla, 1993:21). O podemos apostar por reconocer la necesidad de una reformulación del patrimonio cultural con una
visión más crítica del mismo: «La reformulación del patrimonio en términos de capital cultural tiene la ventaja de no
presentarlo como un conjunto de bienes estables neutros, con
valores y sentidos fijos, sino como un proceso social que, como
el otro capital se acumula, se renueva, produce rendimientos
que los diversos sectores se apropian en forma desigual»
(García Canclini, 1993:43).*

*Desde nuestra perspectiva, apostamos por la reformulación
del patrimonio y lo definimos a partir de las distintas propuestas. Podemos apuntar que el patrimonio cultural se construye
en los procesos culturales a través de diversas técnicas, instituciones, prácticas y discursos como un campo de disputa (sobre
bienes simbólicos y materiales) y un espacio de poder (construcción de hegemonías); representa una forma y modo de
concebir y vivir el mundo a partir de la selección y construcción
simbólica (subjetiva y reflexiva, y fundamentalmente política)
de ciertos recursos o acervos culturales (del pasado o del
presente) a través de procesos de negociación, conflicto y
mediación (donde participan tanto distintas lógicas como
distintos agentes sociales) con el fin de legarlos para el futuro;
encapsula una pretendida forma de identidad socio-histórica
(idealizada, reinventada y interpretada como esencia fundamental) de una comunidad. En cualquier caso la definición de
patrimonio cultural es siempre abierta, negociable, dialógica,
transformable y reflexiva. Y en la misma participan distintos
operadores sociales que van desde organismos internacionales, responsables políticos e institucionales, empresas, expertos y científicos, hasta asociaciones, grupos o individuos.*

## 1.6. Hacia nuevas políticas patrimoniales

*Las concepciones acerca del patrimonio cultural y las políticas dedicadas a preservarlo, estudiarlo y difundirlo nos permiten ver en funcionamiento ciertas lógicas hegemónicas. Para entender las políticas patrimoniales hay que atender a los modos particulares en que se han ido tejiendo la elección y legitimación de los recursos patrimoniales en cada lugar. El contexto permite reflexionar sobre las diferentes construcciones que han consagrado ciertos acervos culturales como patrimonio culturales únicos y uniformadores. Desde está perspectiva, cabe tener presente dos fenómenos que han condicionado la construcción sociohistórica del patrimonio cultural y que deben tenerse presente para las futuras políticas patrimoniales.*

- *En primer lugar, la selección y activación de los recursos patrimoniales las han venido realizado las clases dominantes con criterios excluyentes que dejan de lado los valores y creencias de la mayoría. Además, si la selección ha ocurrido cuando se construye un Estado-Nación, los intereses nacionales han coincidido con el Estado pero eso no significa que hayan coincidido con los intereses reales de la nación. El problema radica en que ha acabado imponiéndose una concepción única del patrimonio cultural desde el Estado nacional (Florescano, 1993).*

- → *En segundo lugar, la «cultura occidental» ha impuesto sus criterios en la elección y legitimación de ciertos bienes patrimoniales universales, con el objeto de crear un «patrimonio cultural universal». Pero no sólo eso, sino que además podemos decir que también ha llevado a cabo una colonización cognitiva al haber exportado sus esquemas interpretativos de selección, jerarquización y activación para aplicarlos al patrimonio de culturas no occidentales (Bonfil Batalla, 1993).*

*Dicho esto, el reto del siglo XXI, en lo referente al patrimonio cultural, pasa por nuevas políticas patrimoniales que tengan en cuenta diversos aspectos. Lo más importante es, como señala*

*García Canclini, empezar a comprender que las políticas cultu-
rales no deben considerar su trabajo como la salvaguardia de
objetos «auténticos» sino deben centrarse en aquellos que son
«culturalmente representativos». Por otro lado, si hacemos un
esfuerzo por no reducir el patrimonio a especialistas del pasado
y lo reinterpretamos encontraremos que «un patrimonio
reformulado que considere sus usos sociales, no desde una
mera actitud defensiva, de simple rescate, sino como una visión
más compleja de cómo la sociedad se apropia de su historia,
puede involucrar a nuevos sectores sociales» (1993:60).*

*Las políticas de restitución patrimonial deben tener presen-
te la perspectiva de los protagonistas e incorporarla en los
procesos de restitución. Es necesario la implicación y la
interacción con los distintos agentes sociales para que se lleve
a cabo una restitución real. Todo ello desde un nuevo contexto
cultural que obliga a tener en cuenta los cambios sociopolíticos
(la globalización y desterritorialización) y los procesos asociados de hibridación, diferenciación y homogeneización que
complejizan aún más la tarea de la restitución del patrimonio.*

*El futuro del patrimonio cultural pasa por el diálogo, la
coexistencia y la legitimación de la diversidad. El reconocimiento de la diferencia debe ser el camino hacia la construcción de un patrimonio de la humanidad pluralista que supere
tanto las divisiones del pasado como la imposición de la lógica
occidentalista que impone su hegemonía cultural.*

## Lecturas recomendadas para trabajar en clase:

PRATS, Ll (1998): «El concepto de patrimonio cultural» en *Política y Sociedad*, 27. Madrid, Universidad Complutense.

GARCÍA CANCLINI, N. (1993): «Los usos sociales del patrimonio cultural»
en Florescano, E (comp.): *El patrimonio cultural de México*. México,
Fondo de Cultura Económica o en VV.AA: *Patrimonio Etnológico. Nuevas
perspectivas de estudio*. Granada, Instituto Andaluz de Patrimonio Histórico.

## Práctica para realizar en clase:

*Visionar y trabajar en clase alguna de las películas que se reseñan en la filmografía final del libro.*

## CAPÍTULO 2
# INSTITUCIONES, NORMATIVAS Y CATEGORÍAS DEL PATRIMONIO CULTURAL

BEATRIZ SANTAMARINA CAMPOS

«La restitución del patrimonio aparece como una cuestión inequívocamente práctica, que conlleva normativas legales, tomas de decisión política, reglamentos, procedimientos administrativos (…) y todo el entramado de recursos institucionales susceptibles de involucrar a los ciudadanos. Ellos son, idealmente, los titulares últimos. Pero, como toda cuestión práctica, su ejercicio encierra también modos de poder y control. No parece factible practicar una restitución digna de ese nombre sin que las instituciones responsables reconozcan en algún grado la coautoría del proceso, compartiendo cuotas de ese poder» (Cruces, 1998).

## 2.1. Normalización e institucionalización del patrimonio cultural

La institucionalización y normalización del patrimonio, su aparición como patrimonio o bien cultural, susceptible de tratamiento político y jurídico para su conservación como legado para el futuro, no comienza hasta la era moderna. En este sentido, es interesante rastrear cómo, a lo largo del tiempo, el patrimonio ha ido configurándose y transformándose, produciéndose una lenta transición del patrimonio privado al patrimonio público, consolidándose este último con la aparición del Estado Nación. De hecho, el desarrollo y la evolución de la propia noción de patrimonio obliga a comprender cómo, *en distintos momentos y contextos, se privilegian ciertos espacios, lógicas y discursos, y cómo su desarrollo está vinculado a procesos de construcción hegemónica (el estado-nación y el capitalismo) que conducen a una sociedad marcada por la dualidad en el pensamiento (naturaleza/cultura, objeto/sujeto, etc.) y en el discurso (científico/sentido común, «Cultura»/ popular), por una racionalidad política (Estado-Nación/liberalismo), económica (capitalismo) y social (clases sociales). En suma, podemos considerar que el patrimonio se construye en los procesos culturales a través de diversas técnicas, instituciones, prácticas y discursos. Y que es necesario atender a los mismos para llegar a una comprensión mayor de lo que representa el patrimonio cultural en nuestras sociedades.*

*Podemos decir que el proceso de normalización e institucionalización del patrimonio responde a un largo periodo de gestación que se inicia en el siglo XIX con la definición del concepto (patrimonio histórico artístico y monumental), se desarrolla a principios del XX con la aparición de las primeras legislaciones que reconocen el uso y disfrute del patrimonio para todos (patrimonio social) y culmina a mediados del siglo XX con la redefinición del concepto (bien cultural) y la creación de numerosas instituciones especializadas. La institucionalización y normalización patrimonial se articula a través de la producción y regulación de normas, del establecimiento de convenciones, declaraciones y recomendaciones, de instituciones y organismos especializados, etcétera. En definitiva, con estos mecanismos nos estamos refiriendo al complejo proceso mediante el cual se define una nueva realidad como objetiva, que adopta, tanto un contenido explícito para su uso (sentido performativo y normativo), como una forma externa para su regulación y control (institución, cuerpo jurídico). Se trata de un proceso cultural dinámico mediante el cual se regulariza un fenómeno a través de estructuras sociales que son el producto de procesos históricos, culturales y políticos, y cuya representación más clara se constata en la aparición de instituciones y normativas reguladoras (Santamarina, 2003).*

El inicio de la institucionalización del patrimonio lo podemos situar durante el siglo XIX en Europa y América. En ese periodo nos encontramos una incipiente sensibilización social con respecto al patrimonio y vemos su concreción en la construcción del monumento histórico. De tal forma que aparecen los primeros intentos de ordenación política y jurídica del patrimonio y las primeras categorías, inventarios y elementos que intentan definir su objeto. A partir de la Revolución Francesa es cuando, por primera vez, los poderes públicos se hacen cargo de los bienes de carácter cultural, que hasta entonces estaban en manos de la Iglesia, la monarquía y la aristocracia (Hernández Hernández, 2002). La voluntad de conservar y proteger los bienes culturales, por parte del Estado, chocará de frente con el derecho a la propiedad privada, lo que dificultará, en muchos casos, la aplicación y el cumplimiento de la normativa. Asimismo, la falta de medios y personal para implementar las leyes restó eficacia a los primeros intentos de ordenación jurídica. Todo ello frenó la legislación y hasta 1882 no encontramos en Gran Bretaña una ley para la conservación de los monumentos. En Alemania será en 1904 cuando veamos el primer organismo protector y en Francia habrá que esperar a 1913 para hallar una regulación de su patrimonio cultural. Tras la primera Guerra Mundial se produce el cambio del Estado liberal al Estado social o intervencionista, va a ser entonces cuando surja tanto una legislación sistemática del patrimonio como un reconocimiento de su titularidad social (Ballart, 1997). Durante la primera mitad del siglo XX en Europa, encontramos como las propias constituciones reconocen el derecho al patrimonio y, por tanto, el deber de protegerlo, lo que favorece la aparición de numerosa legislación.

En cuanto a España, al igual que los países europeos, es posible rastrear los primeros intentos conservacionistas en el siglo XIX, aunque en dicho siglo no hallemos todavía una legislación sistemática para proteger el patrimonio. Esto provocó la pérdida de muchos bienes patrimoniales producida por el saqueo, las leyes desamortizadoras y la invasión napoleónica.

Durante ese periodo la ley más significativa, en cuanto a la conservación del patrimonio, es la de 1844 que crea las comisiones de monumentos. La tarea asignada a las mismas fue la de catalogar los monumentos y patrimonio mueble, denunciar la destrucción de patrimonio y fomentar la creación de los museos provinciales. Además, cabe señalar, como motor para la creación de una nueva sensibilidad social frente al patrimonio, la labor de las revistas románticas españolas que impulsaron la conservación del patrimonio y la recuperación de la memoria histórica (Hernández Hernández, 2002).

A partir de principios del siglo XX, es cuando encontramos el desarrollo de una primera política patrimonial con la elaboración y aprobación de una normativa sobre la protección y conservación del patrimonio. De hecho, las dos primeras leyes sobre la protección del patrimonio son de 1911 y 1915, la Ley de Excavaciones arqueológicas y la Ley de Monumentos Históricos y Artísticos respectivamente. Más tarde se verán completadas con el Decreto-ley de 1926 sobre la Protección y Conservación de la Riqueza Artística. Con todo no será hasta la Segunda República cuando descubramos un verdadero salto cualitativo. La propia Constitución de 1931 es la que recoge el derecho y la protección patrimonial, en sintonía con lo que viene ocurriendo en Europa, al reconocerse la titularidad social del patrimonio. La ley de 1933, Ley del Tesoro Artístico, fue una normativa enormemente progresista y estuvo en vigor más de cincuenta años. Establecía como patrimonio los inmuebles y objetos muebles de interés histórico, artístico, etcétera, que tuvieran más de cien años. Además, en sintonía con lo proclamado en la Constitución republicana, en dicha norma se reconocía el derecho a disfrutar por todos del patrimonio legado del pasado que conformaba, en última instancia, el patrimonio nacional.

Por último, decir que nuestros referentes más inmediatos para la conservación del patrimonio cultural están recogidos en el artículo 46 de la Constitución del 1978 y desarrollados en la Ley del Patrimonio Histórico Español de 1985. A partir de ella, las distintas comunidades autónomas han adaptado su norma-

*tiva a su propio contexto cultural. En el caso valenciano, como tendremos ocasión de ver más adelante, nuestro marco regulador viene definido por la Ley del Patrimonio Cultural Valenciano de 1998.*

*En la esfera internacional podemos ver cómo ese proceso de institucionalización va cuajando a lo largo del siglo XX, sobre todo, a partir de su segunda mitad. Las primeras tentativas surgen después de la Primera Guerra Mundial. La necesidad de proteger y conservar el patrimonio cultural, tras los desastres de la guerra, se hacen patentes y se organizan a partir de la Comisión Internacional para la Cooperación Intelectual dentro de la recién creada Sociedad de Naciones. Dicha comisión estaba integrada por el Instituto de Cooperación Internacional y la Oficina Internacional de Museos. Está última intentó establecer criterios de protección de patrimonio en caso de conflicto bélico y sus esfuerzos se vieron plasmados en el Pacto Roerich (1935). Un pacto sobre la necesidad de evitar el expolio y saqueo en estado de guerra pero que de poco sirvió visto lo ocurrido en la Segunda Guerra Mundial.*

*Pese a todo, quizás, la tarea más sobresaliente de la Oficina Internacional de Museos fue la organización de la Conferencia de Atenas en 1931, a la que podemos considerar como el arranque de la normalización e institucionalización patrimonial. La Conferencia de Atenas supuso, por primera vez, el intento de establecer las bases de qué se debía proteger y de qué criterios aplicar para la conservación y la restauración. En este sentido, la Carta de Restauro de Atenas, es «el inicio de un amplio movimiento internacional para la conservación del patrimonio» (González-Varas, 2003:469), convirtiéndose en el primer documento internacional sobre la protección y restauración del patrimonio cultural. De ahí su importancia.*

*La labor iniciada por estos primeros organismos fue paralizada por la Segunda Guerra Mundial y, como ya avanzábamos, sirvió para poner en evidencia el incumplimiento de los pactos. La Sociedad de Naciones desapareció tras la guerra, naciendo en 1945 la Organización de las Naciones Unidas (ONU). El nuevo organismo internacional creó en 1946 la Organización de las Naciones Unidas para la Educación, la Ciencia y la Cultura (UNESCO) con sede en París. La UNESCO surgió como una agencia especializada en todo lo relacionado con la cultura, la educación y la ciencia. A partir de su creación asumió la labor iniciada por la antigua Comisión Internacional para la Cooperación Intelectual en la protección y conservación del patrimonio.*

*Desde su creación la UNESCO ha jugado un destacado papel como impulsora de convenios, tratados, normas, cartas y recomendaciones internacionales para la protección del patrimonio cultural y natural. Dentro de la UNESCO han surgido distintos organismos especializados para el conocimiento, la protección y la difusión del patrimonio. Entre ellos:*

*a) El Consejo Internacional de Museos (ICOM), recoge el legado de la Oficina Internacional de Museos de la antigua Sociedad de Naciones, y su labor está consagrada a la promoción y el desarrollo de los museos en todo el mundo.*

*b) El Consejo Internacional de Museos y Sitios (ICOMOS), se fundó durante el II Congreso Internacional de Arquitectos y Técnicos de los Monumentos Históricos en Venecia (1964). Su primera medida fue la elaboración de la Carta Restauro de Venecia que está reconocida internacionalmente como el principal documento doctrinal en materia de restauración y conservación de bienes. El ICOMOS es el principal asesor de la UNESCO en cuanto a la conservación y restauración de bienes.*

*c) El Centro Internacional de Estudios para la Conservación y Restauración de Objetos de Museos (ICCROM) fue creado por la UNESCO en 1959, como una organización intergubernamental autónoma. Su labor principal consiste en elaborar criterios y normas para las intervenciones, fomentar encuentros internacionales e intercambios entre expertos, además de desarrollar una importante tarea formativa para los profesionales del campo de la restauración y conservación.*

*d) La Organización de Ciudades Patrimonio Mundial (OCPM), es la institución más joven y funciona desde 1993. El organismo está formado por todas las ciudades que han sido declaradas Patrimonio Cultural de la Humanidad. Su labor se centra en la colaboración, información y cooperación de conocimientos, en el seguimiento para el cumplimiento e implantación de los convenios, en la contribución a la formación de gestores municipales y a la definición de estrategias para la conservación urbana, en la difusión, sensibilización y divulgación del patrimonio urbano y, por último, actuando ante las autoridades competentes para que las ciudades declaradas patrimonio no sean objetivos militares en caso de conflictos armados.*

*La enorme tarea normativa realizada por la UNESCO, en lo referente al patrimonio, queda muy bien sintetizada en las numerosas Conferencias y documentos que han ido cometiendo para establecer criterios internacionales sobre la conservación y protección de los bienes patrimoniales. Entre las distintas Convenciones y Recomendaciones celebradas destacamos, a modo de ejemplo, las siguientes: Convención para la protección de los bienes culturales en caso de conflicto armado (Haya, 1954), Recomendación sobre los medios más eficaces para hacer accesibles los museos a todo el mundo (París, 1960), Recomendación sobre las medidas que se han de tomar para prohibir e impedir la exportación, importación y transferencia de propiedad ilícita de bienes culturales (París, 1964), Recomendación sobre el intercambio internacional de bienes culturales y Recomendación sobre la salvaguardia de conjuntos históricos o tradicionales (Nairobi, 1976). Hay que tener en cuenta que las convenciones son tratados multilaterales, con carácter vinculante para los estados firmantes tanto en periodo de paz como de guerra, frente a las recomendaciones que son documentos jurídicos no vinculantes por lo que tan sólo tienen un carácter orientativo para los países. Por último, las declaraciones son documentos que aluden a un compromiso político o moral de los países firmante en virtud del principio de buena fe.*

*El objetivo primordial de las recomendaciones y las convenciones es perseguir la conservación y protección de la diversidad cultural y natural del mundo. Para ello la UNESCO realiza básicamente dos tipos de acciones: la salvaguardia y las intervenciones. La salvaguardia son disposiciones tomadas sobre un bien patrimonial para evitar su degradación o su desaparición, sin que implique una intervención. Por su lado, las intervenciones son actuaciones físicas sobre el bien cultural. Dentro de ellas están las restauraciones que pueden ser de consolidación, rehabilitación o simplemente de restauración con el objeto de preservar el bien.*

*La aparición de la declaración del* **Patrimonio de la Humanidad** *es quizás el legado más significativo de esta institución, en cuanto representa una transformación de la concepción patrimonial clásica (la globalización del patrimonio) y en cuanto encapsula su política de custodia (concienciación y salvaguardia). La Convención sobre la Protección del Patrimonio Mundial, Cultural y Natural de París de 1972 estableció que existían bienes que debían ser protegidos y conservados porque eran patrimonio común de la humanidad y se debía velar por ellos pese a que los países que los tuvieran no se hicieran cargo de ellos. A tal efecto se creó el Comité del Patrimonio Mundial que se encargaría de examinar las candidaturas presentadas por los diversos estados firmantes asesorados por el ICOMOS, el ICCROM y la UICN. Los bienes incluidos en la lista serían seleccionados en función de unos criterios. Para los bienes culturales se contemplaban seis criterios: que el bien fuera una obra maestra del genio creativo humano; que fuera la manifestación de un intercambio considerable de valores humanos durante un determinado periodo o en un área cultural específica; que aportara un testimonio único o excepcional de una tradición cultural o de una civilización viva o desaparecida; que destacara como un ejemplo sobresaliente de un tipo de edificio o de conjunto arquitectónico o tecnológico o de paisaje significativo; que constituyera un ejemplo excelente de hábitat o establecimiento humano tradicional o del uso de la tierra, especialmente si se hubiese vuelto vulnerable; y que estuviera asociado directa o tangiblemente con acontecimientos o creencias, o con obras artísticas o literarias de significado universal* *excepcional. Como vemos, en los criterios se seguían primando los elementos materialistas y monumentalistas, aunque la declaración comenzó a expresar su interés por los bienes tangibles o intangibles, asociados en gran medida a las diversas formas y expresiones de la cultura popular tradicional[6]. Para los bienes naturales los criterios fueron cuatro: que fueran ejemplos sobresalientes y representativos de los diferentes períodos de la historia de la Tierra; que fueran representativos de la evolución biológica; que contuvieran fenómenos naturales extraordinarios o áreas de una belleza o estética excepcional; y que albergaran hábitats naturales representativos para la conservación in situ de la diversidad biológica, incluyendo las especies amenazadas[7].*

*Igualmente se creará, de forma paralela, una Lista del Patrimonio Mundial en Peligro para llamar la atención mundial sobre los serios riesgos que sufren algunos bienes. Detrás de estas declaraciones se buscaba, en principio, salvaguardar bienes que estaban en peligro de desaparición. De facto, la puesta en marcha de la categoría de patrimonio de la humanidad se debió a la experiencia de la presa de Assúan que puso en riesgo parte del patrimonio de la antigua civilización egipcia. La construcción de la presa suponía la inundación y la pérdida de monumentos considerados de gran valor artístico-histórico, lo que provocó la movilización internacional y la creación de dicha categoría para salvaguardar el patrimonio que se consideraba único y en peligro[8].*

---

[6]  *De hecho, en 1972 se lanzón un programa de la UNESCO para el estudio de las tradiciones orales y de las culturas lingüísticas de África (Audrerie-Souchier-Vilar, 1998)*

[7]  *En 1978 se activará la Lista del Patrimonio Mundial Cultural y Natural con la declaración de doce bienes patrimonio de la humanidad de todo el mundo.*

[8]  *Hoy en día, podemos decir que su activación responde, en gran medida, a los intereses económico-turísticos, ya que la declaración de un bien como patrimonio de la humanidad se convierte en un polo de atracción turística.*

*En el capítulo cuarto expondremos cómo la globalización del patrimonio se puede interpretar en términos de respuesta reflexiva ante los riesgos derivados del propio desarrollo de la modernidad. En este sentido, adelantamos que en la Convención de 1972 este hecho queda claramente expresado, ya que en el Preámbulo donde se exponen los motivos de la Convención se constata que: «el patrimonio cultural y el patrimonio natural están cada vez más amenazados de destrucción, no sólo por las causas tradicionales de deterioro sino también por la evolución de la vida social y económica que las agrava con fenómenos de alteración o de destrucción aún más temibles». En el mismo Preámbulo se repite que es muy preocupante «el deterioro o la desaparición de un bien del patrimonio cultural y natural», y que ante «la amplitud y la gravedad de los nuevos peligros que les amenazan (a los bienes patrimoniales), incumbe a la colectividad internacional entera participar en la protección del patrimonio cultural y natural de valor universal excepcional». Como acabamos de ver, al efecto se crearon la Lista de Patrimonio Mundial y la Lista de Patrimonio Mundial en Peligro, instrumentos a los que se añadieron la creación de un Fondo del Patrimonio Mundial, destinado a sufragar la acción conservacionista y generado con recursos procedentes de los países miembros de la UNESCO, la activación de la Promoción del Patrimonio Mundial (informes, investigaciones, libros), o las campañas internacionales de salvaguarda, pensadas para concienciar globalmente a la población sobre la percepción de los riesgos y la necesidad de evitarlos.*

*En 1980, con la celebración de la Convención de Belgrado, la protección patrimonial de carácter mundial se amplió a las imágenes en movimiento y, en 1982, con la celebración en México de la Conferencia Mundial sobre Política Cultural, se reconoció de una manera explícita la necesidad de incorporar el matrimonio inmaterial al patrimonio mundial. Pero será la Recomendación sobre la Salvaguarda de la Cultura Tradicional y Popular adoptada en París en 1989 la que supuso el pleno reconocimiento como patrimonio de unos bienes inmateriales o intangibles que hasta la fecha se mantenían oficialmente fuera del alcance del concepto de patrimonio mundial pero que también corrían riesgos dada su especial fragilidad. La definición de cultura tradicional y popular significó, por una lado, la efectiva ampliación del patrimonio a prácticamente todos los elementos constitutivos de la cultura y, por otro, la superación teórica del materialismo y monumentalismo del concepto de patrimonio hasta entonces todavía predominante. La distinción de patrimonio oral e inmaterial, como patrimonio de la humanidad, fue impulsada en la Consulta Internacional de Expertos sobre la preservación de Espacios Culturales Populares celebrada en Marraquech en 1997. En dicha reunión se expresó la necesidad de crear una distinción, homologable a la Lista del Patrimonio Mundial, y aplicada al patrimonio intangible.*

*Finalmente, cabe añadir dentro del patrimonio cultural mundial, el hecho de que desde el principio se declararon ciudades históricas como Patrimonio de la Humanidad, siendo más tarde, en el Coloquio de Québec de 1991, cuando se consideró también la posibilidad de declarar como patrimonio de la humanidad conjuntos históricos urbanos dentro de una ciudad. Además, de la Declaración sobre la protección de los conjuntos históricos urbanos nace la idea de constituir una red de ciudades del Patrimonio Mundial que dará lugar en 1993 al ya comentado OCPM.*

*La profundización en la conservación mundial del patrimonio ha tenido su continuación en los últimos años con una serie de acciones, tendentes a reforzar tanto la institucionalización del esfuerzo globalizador del patrimonio como la ampliación del mismo*[9]. *Debe recordarse, al efecto, que en la nueva genera-*

---

[9]   *Dicha ampliación cualitativa del patrimonio la pone de manifiesto la vigente definición de patrimonio, que lo entiende como «el conjunto de todos los bienes culturales, tanto si se exteriorizan en forma de un (cultura material) o muchos soportes corpóreos (obras literarias, etc.), en forma de actividad (folklore, tradiciones y manifestaciones etnográficas*

*ción de Derechos Humanos aprobados por la ONU entre 1992
y 1994 se contempla como nuevo derecho el derecho a la
memoria histórica y al respeto a ésta. También deben mencionarse las diversas y reiteradas recomendaciones que sobre la
preservación del patrimonio aparecen recogidas en el Informe
Mundial sobre la Cultura de 1998 y 2002. Asimismo, en 1995
tuvo lugar el primer Foro de Jóvenes sobre el Patrimonio
Cultural, patrocinado por la UNESCO, encuentro que entre
1996 y 2004 ha dado lugar no sólo a diversos foros regionales
y subregionales orientados a lograr el apoyo de los estados en
este programa educativo, sino a la creación en 1997 de un
Voluntariado del Patrimonio Cultural, también auspiciado por
la UNESCO. En la misma vertiente educativa y de investigación
está la fundación en 1996 del Foro Universidad y Patrimonio,
con sede en Valencia, con la finalidad de promover el
conservacionismo patrimonial entre la comunidad universita-
ria, especialmente entre los estudiantes, y que ha propiciado
diversas reuniones mundiales posteriores. A partir de 1998 la
UNESCO también ha definido una Estrategia global del patrimonio mundial para mejorar la aplicación de la Convención de
1972, consistente en diversas líneas de trabajo como: elaborar
una Lista Mundial más equilibrada y representativa, flexibilizar
la definición de patrimonio mundial a fin de reflejar mejor la
diversidad cultural y natural del patrimonio de valor universal
excepcional, e instar a los Estados miembros a preparar listas
de bienes declarables, especialmente si se trata de bienes y
categorías actualmente subrepresentados en la Lista.*

*En síntesis, este es el despliegue y la consolidación de la
institucionalización patrimonial en la esfera internacional,
pero volveremos con detalle a ella en los siguientes capítulos.
Por último, no hay que olvidar que el contexto español viene*

---

*en general) o en forma difusa a través de todos ellos indistintamente
(lenguas), que conforman el acervo de un pueblo, y son conservados para
transmitirlos a las generaciones futuras» (Vaquer, 1998).*

*determinado no sólo por las recomendaciones y convenciones marcadas por la UNESCO sino también por la propia legislación desarrollada en Europa. Los países miembros de la Unión Europea tienen obligación de adaptar sus normas a la legislación europea y no pueden contradecirla en ningún caso. El Consejo de Europa[10] estableció una comisión, integrada por los ministros de cultura y dependiente de la asamblea parlamentaria, con el fin de establecer y coordinar una política común en cuanto a la protección y conservación del patrimonio.*

*Desde un primer momento, el Consejo Europeo se preocupó por la gestión del patrimonio, como se refleja en la primera Conferencia de Ministros Responsables de la Salvaguarda y Rehabilitación del Patrimonio Cultural Inmobiliario que se celebró en Bruselas en 1969. En la misma se enfatizó el valor social del patrimonio, se decidió crear un comité de expertos internacionales, naciendo en 1971, el Comité de los Monumentos y Sitios del Consejo de Europa, y se estableció que 1975 estuviera dedicado a la conservación del patrimonio cultural declarándose el Año Europeo del Patrimonio Arquitectónico. De dicha celebración nacerá la Carta Europea del Patrimonio Arquitectónico y la Declaración de Ámsterdam, ambas podrán el énfasis en los sistemas de financiación y reglamentación necesarios para la conservación del patrimonio. Aunque será, a partir de la década de los ochenta, cuando se ponga de manifiesto la importancia de la dimensión económica del patrimonio, como fuente de riqueza y de desarrollo económico (Hernández Hernández, 2002).*

*Entre las distintas reuniones europeas destacamos el Convenio para la Salvaguardia del Patrimonio Arquitectónico de Europa (Granada, 1985) sobre la gestión y promoción del patrimonio; el Coloquio de York (1986), en la que se debatió la situación y financiación del patrimonio arquitectónico; la reunión de*

---

[10]     *Se creó en 1949 y España formó parte de él a partir de 1977.*

*Sintra (1987) que buscó sentar las bases económicas para la conservación del patrimonio; el Coloquio de Messina (1987) que trató el problema de la degradación de los centros históricos; el Coloquio de Halifax (1988), que continuó la discusión sobre la conservación y las ciudades y, por último, destacar, la Recomendación sobre las Medidas Susceptibles de Favorecer la financiación de la Conservación del Patrimonio Arquitectónico Europeo (1991), un documento en el que se pone el énfasis en los beneficios económicos que genera una política conservacionista del patrimonio y la Declaración de Helsinki (1996) que enfatiza la necesidad de actualizar las políticas patrimoniales.*

## 2.2. Las categorías de los bienes culturales

*Acabamos de otear cómo empieza a institucionalizarse y normalizarse el patrimonio cultural. Hemos prestado atención a este proceso porque a través de él podemos observar cómo se va dando sentido y contenido al patrimonio. Pero aún nos queda por descubrir cómo se activan las diferentes categorías de bienes culturales y las distintas clasificaciones patrimoniales mediante la aparición de instituciones especializadas y de la regulación normativa. Ya hemos avanzado como los criterios y formas de clasificación son construcciones sociohistóricas, por lo que veremos a continuación como van apareciendo clasificaciones que intentan regular y ordenar los distintos bienes patrimoniales. El sistema de clasificación patrimonial es moderno, por cuanto implica una especialización conceptual y tipológica sin precedentes, con voluntad universalista, abarcativa y hasta cierto punto, positivista. Las clasificaciones tienen especial relevancia cuando se emanan desde instancias institucionalizadas que son las que, en definitiva, contribuyen a la legitimación de los patrimonios. Desde este punto de vista, las Administraciones públicas y la Ciencia son las que marcan con mayor rotundidad unos criterios clasificatorios.*

*La clasificación de bienes culturales se realiza atendiendo a dos criterios: el jurídico (que diferencia bienes muebles e inmuebles) y el disciplinar (que se refiere a bienes de naturaleza arqueológica, artística, documental, bibliográfica o etnográfica). El segundo conlleva que les competa a ciertos profesionales cada tipo de bien (Gómez Pellón, 1999:25). Sin embargo, antes de pasar a estudiar las distintas clasificaciones, es necesario tener presente no sólo las dificultades que entraña establecer los límites del patrimonio cultural sino también considerar que las normativas suelen ir por detrás de las nuevas sensibilidades sociales.*

## 2.2.1. Categorías según criterio jurídico

*El patrimonio cultural se regula a partir de una normativización plasmada en la legislación, que establece categorías tipológicas que se han ido ampliando a lo largo de la historia. Se trata de un sistema de normas con mayor o menor peso vinculante, según los casos, pero que comparten el criterio de la definición de ámbitos de acción de protección y difusión. En este sentido, se trata de definir un objeto sobre el que se debe estructurar el desarrollo legislativo de la norma y todas las consecuencias sancionadoras que se puedan desprender de ella. En la esfera internacional, como ya señalábamos, se debían distinguir entre convenciones (tratados multilaterales entre estados, que requieren un compromiso por parte de cada uno de ellos) y recomendaciones (documentos orientativos de políticas particulares para distintos estados). En la esfera nacional, es Ley del Patrimonio Histórico Español de 1985 la que establece la normativa reguladora, sobre la base de la cual han ido surgiendo leyes autonómicas.*

*Dentro de la clasificación legislativa podemos distinguir dos sistemas de clasificación: por un lado, se puede partir de la enumeración con el objeto de determinar de forma completa el contenido y, por otro, se puede seguir la elaboración de categorías clasificatorias teóricas lo más inclusivas posible.*

## a) Sistema de enumeración

El sistema de enumeración permite tener una descripción detallada a partir de una enumeración más o menos extensa de los bienes patrimoniales. Ejemplo de este procedimiento lo representa la convención de la UNESCO de 1970, que es quizás la clasificación más extensa y útil. Además, ha tenido gran influencia en la legislación española. En dicha convención se distinguía entre:

- Colecciones y ejemplares raros (zoología, botánica, anatomía, mineralogía, etc.)

- Bienes relacionados con la historia (técnica, social, militar, etc.)

- Bienes arqueológicos (productos de las excavaciones)

- Bienes procedentes de la desmembración de monumentos históricos y artísticos

- Antigüedades de más de cien años (inscripciones, monedas, etc.)

- Material etnológico

- Bienes de interés artístico

- Manuscritos raros e incunables (libros, documentos, publicaciones, códex, etc.)

- Sellos diversos

- Archivos diversos (fotográficos, cinematográficos, etc.)

- Objetos de mobiliario de más de cien años e instrumentos de música antigua.

## b) Sistema de categorías

El sistema de categorías permite, a partir de la definición de bien cultural, delimitar las diversas categorías de objetos que lo integran, con cierta claridad y precisión. De tal forma que el concepto de bien cultural aparece como articulador de la normativa.

La Convención de la Haya (1954), fue la primera en introducir el concepto de bien cultural y diferenciaba tres categorías:

1. Bienes muebles e inmuebles de gran importancia para el patrimonio cultural de los pueblos (monumentos, sitios arqueológicos, colecciones archivístico-bibliográficas).

2. Edificios destinados principalmente a conservar y exponer los bienes muebles anteriormente definidos (museos, archivos, bibliotecas o edificios destinados en periodo de conflicto armado a la protección de bienes).

3. Los centros que cuentan con un número considerable de bienes culturales, denominados centros monumentales.

La Convención sobre la Protección del Patrimonio Mundial, Cultural y Natural de la UNESCO de 1972 siguió un patrón similar. Aunque, como señalábamos en el capítulo anterior, la importancia de esta convención se halla en que clasifica, por primera vez, el patrimonio mundial a partir de la diferenciación entre bienes culturales y bienes naturales. La novedad reside en el hecho de que encontramos en un solo documento el concepto de conservación de la naturaleza y el de preservación de los bienes culturales. Al estar ambos tipos de bienes (naturales y culturales) seriamente amenazados por todo tipo de degradaciones asociadas al mundo moderno, se consideraba necesario adoptar una estructura de protección integrada. Con ello se pretendía salvaguardar y conservar tanto la etnodiversidad como la biodiversidad.

En dicha convención los **bienes culturales**, que componen el patrimonio cultural, se dividen en tres grandes categorías:

1. Monumentos. Obras arquitectónicas, de escultura o pintura monumental, elementos arqueológicos, cavernas y grupos de elementos que tengan un valor universal desde el punto de vista científico, histórico o artístico.

2. *Conjuntos. Grupos arquitectónicos o monumentales que tengan un valor universal desde el punto de vista científico, histórico o artístico.*

3. *Lugares. Obras del hombre y obras conjuntas del hombre y la naturaleza, incluidos lugares arqueológicos, que tengan un valor universal desde el punto de vista científico, histórico o artístico.*

*Y los **bienes naturales**, que integran el patrimonio natural, se clasifican asimismo a partir de tres categorías:*

1. *Monumentos naturales. Formaciones físicas y biológicas con valor universal estético o científico (volcanes, cataratas, barrancos, etc.).*

2. *Formaciones geológicas y fisiográficas que constituyan el hábitat de especies amenazadas (formaciones marinas, albuferas, selvas, desiertos, etc.).*

3. *Lugares naturales o zonas naturales delimitadas, que tengan un valor universal excepcional desde el punto de vista científico y estético (Amazonas, Antártida, parques naturales, etc.).*

*Durante décadas, la convención de 1972 ha sido el principal referente jurídico en la esfera internacional, pero hoy día no es el único. La Recomendación sobre la Salvaguarda de la Cultura Tradicional y Popular (1989) y la Convención para la Salvaguarda del Patrimonio Cultural Inmaterial (2003) merecen un capítulo aparte por cuanto incorporan a la clasificación patrimonial categorías anteriormente no incluidas. En el primer caso, como señalamos más arriba, su importancia reside en determinar y reconocer el patrimonio inmaterial como parte fundamental del patrimonio de la humanidad. La cultura tradicional se define como «conjunto de creaciones que emanan de una comunidad cultural, fundadas en la tradición, expresadas por un grupo o por individuos y que reconocidamente responden a las expectativas de la comunidad en cuanto expresión de su identidad cultural y social». Ello incluye normas y valores que «se transmiten oralmente, por imitación o de otras maneras». Esta nueva categoría amplía las reconocidas hasta el momento, para incluir lengua, literatura, música, danza, juegos, mitología, ritos, artesanía, arquitectura y «otras artes».*

*Por su parte, la convención de 2003, como ya vimos, incorpora la categoría «Patrimonio Inmaterial», que incluye «los usos, representaciones, expresiones, conocimientos y técnicas —junto con los instrumentos, objetos, artefactos y espacios culturales que les son inherentes— que las comunidades, los grupos y en algunos casos los individuos reconozcan como parte integrante de su patrimonio cultural. Este patrimonio cultural, que se transmite de generación en generación, es recreado constantemente por las comunidades y grupos en función de su entorno, su interacción con la naturaleza y su historia, infundiéndoles un sentimiento de identidad y continuidad y contribuyendo así a promover el respeto de la diversidad cultural y de la creatividad humana». En el mismo párrafo se subraya que la ley sólo se refiere a «patrimonio cultural inmaterial que sea compatible con los instrumentos internacionales de derechos humanos existentes y con los imperativos de respeto mutuo entre comunidades, grupos e individuos y de desarrollo sostenible». Con ello, el texto incorpora un matiz que responde al debate al uso sobre las consecuencias del relativismo cultural. A saber, el cuestionamiento de las premisas normativas y éticas inherentes a la perspectiva cultural de cada grupo humano particular, en su confrontación con otras que le son ajenas y que pueden llegar a contradecirlas. Más adelante, la ley pasa a la enumeración de lo que incluye la categoría[11]:*

• *Tradiciones y expresiones orales (incluida la lengua)*

• *Artes de espectáculo*

---

[11] *La inclusión de esta categoría, en realidad, acaba incluyendo elementos especificados en la recomendación de 1989.*

- *Usos sociales, rituales y actos festivos*
- *Conocimientos y usos relacionados con la naturaleza y el universo*
- *Técnicas artesanales tradicionales*

*En el ámbito español, el marco legislativo vigente surge a partir de la Ley del Patrimonio Histórico de 1985, que ha sido el modelo y referente del desarrollo posterior de las distintas legislaciones autonómicas. Sus referentes han sido las normativas internacionales y ha partido de hacer suyo el concepto de «bien cultural» identificándose el mismo con el de patrimonio histórico y constituyéndose como el concepto articulador de dicha ley. Se trata de una normativa que adopta una definición amplia e integradora del patrimonio, contemplando como Patrimonio Histórico Español cualquier manifestación o testimonio de la cultura «significativo». Es decir, no todos los objetos del pasado son considerados de entrada patrimonio, sino aquellos bienes u objetos que responden a dos criterios: el del interés o el del valor. Tal y como se recoge en el artículo 1.2: «integran el patrimonio histórico español los inmuebles y objetos muebles de interés artístico, histórico, paleontológico, arqueológico, arqueológico, etnográfico, científico o técnico. También forman parte del mismo el patrimonio documental y bibliográfico, los yacimientos y zonas arqueológicas, así como los sitios naturales, jardines y parques que tengan valor artístico, histórico o antropológico».*

*La ley de 1985 diferencia, siguiendo el patrón marcado por la Convención de la Haya, entre bienes culturales muebles e inmuebles. Estos últimos incluyen:*

1. *Monumentos. Son determinados como «aquellos bienes inmuebles que constituyen realizaciones arquitectónicas o de ingeniería y obras de escultura colosal, siempre que tengan interés histórico, artístico, científico o social» (art. 15.1)*

2. *Jardines históricos. Son definidos como «el espacio delimitado producto de la ordenación por el hombre de elementos naturales, a veces complementado con estructuras de fábrica y estimado en función de su origen o pasado histórico o de sus valores estéticos, sensoriales o botánicos» (art. 15.2)*

3. *Conjuntos históricos. Son entendidos como «la agrupación de bienes inmuebles que forman una unidad de asentamiento continua y dispersa, condicionada por una estructura física representativa de la evolución de una comunidad humana, por ser testimonio de su cultura o constituir valor de uso o disfrute de la colectividad» (art. 15.3)*

4. *Sitios o lugares históricos. Son considerados como «el lugar o paraje natural vinculado a acontecimientos o recuerdos del pasado, a tradiciones populares, creaciones de la cultura o de la naturaleza y a obras del hombre, que posean con valor histórico, etnográfico, paleontológico o antropológico» (art. 15.4)*

5. *Zona arqueológica. Son delimitados como «el lugar o paraje natural donde existan bienes muebles o inmuebles susceptibles de ser estudiados con metodología arqueológica, hayan sido o no extraídos y tanto si se encuentran en la superficie, en el subsuelo o bajo las aguas territoriales españolas» (art. 15.5)*

*Además, la ley estatal de 1985 presenta una importante novedad con respecto a las anteriores legislaciones al jerarquizar los niveles de protección de los bienes. El propio preámbulo de la ley recoge la categoría de* **Bien de Interés Cultural** *al que le otorga un valor singular. Así, aparecen las siguientes categorías en orden de importancia patrimonial:*

- *Bien de Interés Cultural (BIC), implica una mayor protección o tutela pública de ciertos bienes culturales y pueden incluir bienes de cualquiera de las categorías de los bienes muebles e inmuebles especificadas en la ley. Disponen de un registro específico, el Registro de Bienes de Interés Cultural*

* *Bienes Muebles inscritos en el Inventario General de Bienes Muebles*

* *Bien Mueble o Inmueble integrante del Patrimonio Histórico Español*

*A grandes rasgos, la legislación autonómica española continúa el espíritu de la Ley de Patrimonio Histórico Español del 1985, ajustándolo a sus propias peculiaridades. Hoy en día, trece comunidades autónomas cuentan con su propia ley. Las primeras comunidades en promulgar sus leyes de patrimonio fueron Castilla-La Mancha y el País Vasco en 1990, Andalucía en 1991, Cataluña en 1993 y Galicia en 1995. Más tarde, en 1998, aparecen en Cantabria, Aragón, Baleares, Madrid y la Comunidad Valenciana y en 1999 en Canarias y Extremadura. Finalmente, en el 2001, aparece la regulación de Asturias.*

*Las normativas autonómicas mantienen el patrón estatal, asumiendo la declaración de BIC. De hecho, como veremos en el capítulo último con más detalle, la ley valenciana de 1998, sigue con el modelo BIC pero redefiniéndolo. De este modo, distingue entre Bienes de interés cultural, Bienes inventariados no declarados de interés cultural y Bienes inventariados no declarados del patrimonio cultural. Lo más novedoso de las legislaciones autonómicas es que, en algunos casos, se incorporan nuevas categorías como «parques etnográficos», «sitios etnológicos» o «cultura popular y tradicional», para recoger aquellos aspectos que hemos visto que incluían, en la esfera internacional, la recomendación de 1989 y la convención de 2003, de la UNESCO. Incluso en algunas comunidades autónomas recogen explícitamente la categoría de patrimonio inmaterial (Cataluña, Galicia y Canarias).*

## 2.2.2. Categorías según criterio disciplinar

*Dentro de las categorías, según el criterio disciplinar, encontramos las grandes divisiones establecidas entre los distintos patrimonios: patrimonio artístico, patrimonio arquitectónico, patrimonio natural o ambiental, patrimonio arqueológico, patrimonio etnográfico o etnológico y patrimonio documental y bibliográfico. Dichas divisiones responden, en gran medida, al desarrollo de las distintas disciplinas, a la integración multidisciplinar en el ámbito del patrimonio y al propio proceso de patrimonialización de la cultura.*

*En muchos casos, los marcos jurídicos como la ley Patrimonio Histórico Español o las distintas normativas autonómicas, también recogen este tipo de clasificación, reconociendo así los distintos patrimonios que integran el patrimonio histórico o cultural. En la ley del 1985 (títulos V, VI y VII) se reconocen como patrimonios especiales: el patrimonio arqueológico, el patrimonio etnográfico y patrimonio documental y bibliográfico. Cabe señalar que, por primera vez, en nuestra legislación aparece el reconocimiento del patrimonio etnográfico explícitamente (como «expresión relevante de la cultura tradicional del pueblo español en sus aspectos materiales, sociales y espirituales»), aunque sólo se le dediquen al mismo dos artículos. En el caso del patrimonio arqueológico y del patrimonio documental y bibliográfico habían sido tratados con anterioridad en otras normativas, como la ley del 11 y 33 y la ley específica de 1972, respectivamente (Hernández Hernández, 2002). Pero, veamos a continuación la especificidad de cada uno de ellos teniendo presente de nuevo las dificultades intrínsecas para delimitarlos.*

## a) El patrimonio artístico

*Podemos decir que el patrimonio artístico es el patrimonio por antonomasia, siendo el más representativo en el patrimonio cultural. Cuando nos referimos a él estamos hablando en realidad del patrimonio artístico-histórico y no debemos olvidar que su concepción ha estado vinculada a la visión humanista de la cultura y a la construcción del patrimonio nacional.*

*Hoy en día, el concepto de monumento tradicional, como obra de arte realizada con intención de perdurabilidad, sigue estando vigente en las políticas de conservación patrimonial. Existe una tendencia a identificar los monumentos como obras singulares y de valor excepcional, ya sean arquitectónicos, pictóricos o escultóricos. Sin embargo, existen numerosos bienes culturales que tienen valor artístico y no son monumentos, objetos a los que se les reconoce una cualidad artística, como son las artesanías o los bienes incluidos en el patrimonio inmaterial. Asimismo, dentro del patrimonio artístico también debemos tener presente que se incluyen otros tipos de patrimonio como el patrimonio musical (las obras musicales y los patrimonios asociados a las mismas: operas, palacios de música, colecciones de instrumentos o partituras musicales, etc.). De este modo, el patrimonio musical tendría una doble vertiente, material y inmaterial.*

*Las obras de arte son los bienes culturales por excelencia al ser entendidos como productos y testimonios de la capacidad creativa del ser humano. Ahora bien, como señala González-Varas (2003), las obras de arte poseen una naturaleza dual:*

*a) La obra de arte como documento. La obra de arte puede verse como un documento histórico en cuanto tiene un valor histórico como testimonio del pasado.*

*b) La obra de arte como unidad de imagen. La obra de arte tiene unas cualidades propias por ser un objeto artístico. Ya que los objetos son realizados para ser contemplados estéticamente y poseen valores sensoriales, formales y expresivos.*

*Esta doble naturaleza, como documentos y objetos artísticos, es lo que las dotaría de un «doble valor» como bienes culturales. Pero, al mismo tiempo, esta peculiaridad complica la tarea de su restauración-conservación dado que, por una parte, se debe conservar su valor histórico a través de los signos del tiempo sobre el objeto y, por otra, se debe conseguir mantener sus valores artísticos.*

*Finalmente, cabría añadir que muchos objetos artísticos tienen una trascendencia religiosa, lo que les confiere un valor añadido como objetos de culto y de identidad. De hecho, una gran parte del patrimonio artístico lo conforma el patrimonio religioso.*

## b) El patrimonio arqueológico

*El patrimonio arqueológico se conforma como una de las categorías más importantes dentro del patrimonio cultural. Dentro de la legislación es la única que se delimita a partir de su metodología de estudio (método arqueológico) y de su reconocimiento como disciplina científica. Podemos decir que la arqueología se define a partir de su método y es la ciencia que se encarga del estudio de las culturas del pasado a través del descubrimiento, análisis y conservación de sus restos materiales.*

*Durante mucho tiempo se le ha concedido un valor significativo a los objetos arqueológicos que eran considerados como la esencia del patrimonio arqueológico. La vieja concepción de la metodología arqueológica veía los yacimientos como meros depositarios de objetos arqueológicos. Pero las últimas tendencias en la arqueología dan al contexto donde se encuentra el objeto, un papel relevante. Ahora los objetos arqueológicos son contextualizados y tratados como parte de un conjunto de datos que ayudan a reconstruir las culturas del pasado. De tal forma que los yacimientos arqueológicos han cobrado una nueva importancia siendo reconocidos como los espacios o territorios donde se desarrolla la interacción existente entre los habitantes, el ecosistema, la producción, etcétera, es decir, como marcos interpretativos. Así, no sólo se considera patrimonio arqueológico los bienes muebles e inmuebles arqueológicos sino también la zona arqueológica. Dentro del patrimonio arqueológico podemos distinguir dos categorías:*

*a) Yacimiento o zona arqueológica, que es lugar o el escenario geográfico donde se encuentran bienes muebles o inmuebles estudiados con metodología arqueológica.*

*Pueden estar en la superficie, en el subsuelo o en el fondo marino.*

*b) Parque arqueológico: son yacimientos arqueológicos de gran importancia que se encuentran plenamente integrados en su entorno. Ejemplo de esta categoría es el complejo de la ciudad arqueológica de Teotihuacán (México).*

*Los bienes arqueológicos incluyen todos los bienes que estudian las diferentes ramas de la arqueología (prehistoria, clásica, medieval, etc.) y los bienes paleontológicos (patrimonio paleontológico), siempre que tengan un carácter histórico. Asimismo, la arqueología no sólo estudia las antiguas culturas ágrafas desaparecidas sino también investiga diferentes culturas a partir de los restos materiales. En función de la cronología podemos distinguir entre la arqueología prehistórica y la arqueología histórica. Y, en este sentido, cabe hacer una mención especial a una nueva especialidad, surgida a mitad del siglo XX, la arqueología industrial que estudia los vestigios de la industria o de la cultura industrial fruto de la Revolución Industrial y se ocupa de la conservación del patrimonio industrial (monumentos industriales y parques arqueológicos-industriales).*

## c) El patrimonio arquitectónico

*El patrimonio arquitectónico forma una parte importante del patrimonio histórico-artístico y entraña una concepción entre las construcciones, el entorno histórico y el entorno natural. Hoy en día merece una atención especial por parte de las instituciones encargadas de la conservación y restauración del patrimonio cultural, ante la problemática específica de restauración, reutilización e integración funcional de los bienes arquitectónicos. Se trata de un patrimonio básicamente inmueble que aparece inscrito en un contexto social, cultural, histórico y físico.*

*Dentro del patrimonio arquitectónico podemos señalar dos grandes subcategorías:*

a) *Patrimonio arquitectónico rural. Dentro de la misma estarían los conjuntos o edificios históricos como los castillos, murallas, palacios o iglesias y las edificaciones típicamente rurales, la llamada arquitectura tradicional, como las casas de campo, los molinos, las ermitas, las alquerías, las acequias y un largo etcétera.*

b) *Conjuntos históricos urbanos. En esta categoría estarían los centros urbanos, los núcleos históricos, los barrios monumentales, los conjuntos monumentales, las tramas urbanas, las ciudades patrimonio de la humanidad, etc. Junto con los parques y jardines históricos.*

*Por último, hay que tener presente, de nuevo, que la mayor parte del patrimonio arquitectónico es patrimonio religioso o eclesiástico. Esto hace que la Iglesia dé más importancia a su valor religioso, como edificios de culto, que a su protección como patrimonio. Además, el proceso de secularización ha provocado el abandono de muchos edificios y conjuntos arquitectónicos lo que supone un serio problema para su conservación.*

## d) Patrimonio etnográfico o etnológico

*Frente al patrimonio arqueológico o arquitectónico, el patrimonio etnológico o etnográfico presenta grandes resistencias para su definición, no existiendo límites precisos para su enunciación o para sus manifestaciones (Agudo Torrico, 1999). Las dificultades vienen, en primer lugar, porque existen diversas maneras de entenderlo (plasmadas en las distintas denominaciones que recibe como patrimonio etnológico, etnográfico o antropológico). En segundo lugar, porque su ramificación es fruto del pensamiento folklorista decimonónico (García, 1998; Prat, 1999). En tercer lugar, porque su definición viene enmarcada por dos discursos enfrentados: el de la práctica de la disciplina antropológica y el de la práctica de las instituciones normativas. Dicha confrontación se traduce en su falta de concreción (Iniesta, 1994). Y en último lugar, porque detrás de esta denominación se esconde una manera exclusiva y jerárqui-*

*ca de entender la «cultura» (la «verdadera cultura» frente a la «cultura popular o tradicional»).*

*Con todo podemos decir que la definición normalizada del patrimonio etnológico o etnográfico se sustenta sobre dos pilares: su carácter tradicional (con todo lo que comporta: popular, folklórico, iletrado, tópico...) y su capacidad de encapsular rasgos identitarios propios de un lugar. En este sentido, institucionalmente, el patrimonio etnológico o etnográfico viene siendo entendido como el conjunto de las manifestaciones y formas de vida tradicionales, materiales o inmateriales, que definen las características propias de los distintos grupos que conforman una colectividad. La Ley española de 1985 señala que el patrimonio etnográfico está conformado por: los bienes etnográficos muebles, los bienes etnográficos inmuebles y los bienes etnográficos inmateriales.*

*Dada la importancia que ha adquirido el patrimonio etnográfico, con el proceso de patrimonialización de la cultura experimentado en la últimas décadas, dedicamos al mismo un capítulo integro (ver capítulo siete). Tan sólo recordamos que al extenderse el uso restringido y exclusivo del patrimonio artístico-histórico hacia una concepción abierta que entiende el patrimonio cultural como cualquier manifestación significativa de la práctica cultural, dicho patrimonio se convierte hoy en centro de debate. Además, el reconocimiento del patrimonio inmaterial y la incorporación de los debates de la antropología sociocultural a la concepción del patrimonio cultural, con la aparición de la especialidad de antropología patrimonial o antropología del patrimonio, resitúan el carácter y el valor del patrimonio etnográfico. En este sentido, es posible observar como va ganando un espacio y un reconocimiento muy significativo tanto en la esfera internacional y como local.*

## *e) El patrimonio documental y bibliográfico*

*Los documentos tienen un importante valor socio-histórico al ser testimonios fundamentales que nos brindan información valiosa sobre el desarrollo de las actividades y de los acontecimientos de la historia. Los documentos constituyen expresiones en lenguaje convencional y en cualquier tipo de expresión gráfica, sonora o en imagen, recogidos en cualquier soporte material (incluso en soporte informático). Así, se contempla como patrimonio documental películas cinematográficas, materiales audiovisuales, fotografías, discos, etcétera. Junto a los documentos, forman parte del patrimonio bibliográfico las bibliotecas y las colecciones bibliográficas publicadas.*

*Los espacios reservados para la conservación y custodia del patrimonio documental y bibliográfico son dos:*

- *Los archivos, que son tanto los conjuntos de documentos reunidos por personas jurídicas (privadas o públicas) al servicio de la investigación, información y gestión, como las instituciones culturales que se dedican a la conservación, ordenación y difusión de documentos.*

- *Las bibliotecas son las instituciones culturales donde se inventarían, catalogan, clasifican y difunden conjuntos o colecciones de libros, manuscritos y materiales bibliográficos, para su lectura en sala pública o mediante préstamo, todo ello al servicio de la educación, la investigación, la información y la cultura.*

*Los archivos y bibliotecas son considerados patrimonio cultural al ser depositarios del patrimonio documental y bibliográfico. Además, en muchos casos, observaremos que los edificios que los albergan son en sí mismos patrimonio artístico o monumental. Cabría hablar también de los museos como depositarios y agentes de la conservación patrimonial documental pero dada su importancia como institución cultural y como contenedor patrimonial le dedicamos un espacio específico en el capítulo siguiente.*

*Para finalizar, se debe tener en cuenta que en los últimos años se ha empezado a reconocer el patrimonio informático y el patrimonio virtual como creaciones intelectuales y artísticas que también forman parte del patrimonio documental como testimonios significativos.*

## f) El patrimonio natural

*El patrimonio natural o ambiental adquiere una importancia cada vez mayor, por lo que le dedicamos el siguiente apartado. En cualquier caso, adelantamos que su reconocimiento como patrimonio natural busca la conservación y protección de un patrimonio que se encuentra hoy especialmente amenazado por la degradación ecológica que sufre el planeta. Los efectos perniciosos de la industrialización, los nuevos contaminantes y el agotamiento de los recursos naturales han hecho tomar conciencia sobre los peligros y riesgos que conllevan nuestro sistema socioeconómico. De hecho, la patrimonialización de la naturaleza ha sufrido en los últimos años un crecimiento espectacular, en gran medida, provocado por la conciencia de riesgo y por el aumento de los desequilibrios medioambientales (el cambio climático, la reducción de la capa de ozono, la lluvia ácida, la pérdida de la biodiversidad, la contaminación, la acumulación de residuos, y un largo etcétera). Se trata, por tanto, de un patrimonio ligado a la destrucción visible del entorno.*

*La elaboración del patrimonio cultural ha implicado la constatación de la relación entre la naturaleza y la cultura como dos ámbitos interrelacionados. Por tanto, el acento se debe poner ahora en los procesos dinámicos de interacción que se producen entre los procesos sociales y los procesos ecológicos. Aparece, así, la definición del patrimonio natural y de los bienes naturales como parte fundamental para alcanzar una sostenibilidad entre la utilización y conservación de los recursos naturales. Antes del reconocimiento de las categorías de los bienes naturales por parte de la UNESCO, la Comisión Franceschini (1964/1967) había contemplado la interrelación entre los bienes culturales y los bienes naturales estableciendo, bajo la denominación de bienes ambientales, la siguiente clasi-*

*ficación: bienes paisajísticos (áreas naturales, áreas ecológicas y paisajes artificiales) y bienes urbanísticos (centros históricos).*

## 2.3. La patrimonialización de la naturaleza

*Como adelantábamos en el capítulo anterior, la patrimonialización de la cultura y de la naturaleza son dos procesos paralelos que se encuentran en el último tercio del siglo XX al reconocerse la necesidad de conservar y proteger ambos patrimonios. La declaración de la UNESCO de parajes naturales como Patrimonio de la Humanidad ejemplifica bien dicho paso. Como ya señalamos el pensamiento decimonónico, la configuración de los estados nacionales, la industrialización y el capitalismo son procesos necesarios para comprender la puesta en circulación de la patrimonialización natural/cultural.*

*Desde una perspectiva socio-histórica, la génesis y desarrollo del conservacionismo ambiental es deudor del pensamiento decimonónico. El proteccionismo aristocrático y el naturalismo decimonónico, junto con el desarrollo de la ecología como ciencia y la influencia de algunas ideas del movimiento romántico del XIX impulsarán los primeros movimientos conservacionistas (Vincent, 1992). De hecho, los románticos iniciarán una censura contra la Ilustración que tiene una continuidad en el ecologismo actual. El sentimiento romántico de la naturaleza generó una idealización de lo natural, frente a lo urbano e industrial. No es extraño, entonces, descubrir que el primer espacio natural del mundo, una pequeña reserva en el bosque de Fontainebleau, fuera impulsado por iniciativa de un grupo de pintores románticos a mediados del diecinueve.*

*Los procesos de industrialización, las luchas de los obreros por medidas higienistas, las preocupaciones naturalistas de las clases acomodadas, el desarrollo de la ecología, etcétera, hicieron posible que a lo largo del siglo XIX y principios del XX, nos encontremos con los primeros encuentros internacionales so-*

*bre la protección de la naturaleza, con asociaciones de defensa de la naturaleza y con la creación de diferentes sociedades y centros de estudio. En este contexto aparece en EEUU, por primera vez, la necesidad de conservar grandes espacios naturales con el objetivo de preservar paisajes como «santuarios» de la vida. El primer Parque Nacional del mundo, el Parque Yellowstone, se crea en Estados Unidos en 1872 y le siguen Yosemite (1890), Sequioa (1890), General Grant (1890) y Mount Rainier (1899). La filosofía seguida para crear estos parques era: conservar sitios de especial belleza natural, promover la silvicultura, controlar la explotación forestal y contar con espacios para el estudio científico. Además, destaca una nueva actividad, la función recreativa. Con ellos, podemos decir que se inicia un movimiento internacional de protección de espacios naturales (Riechmann y Fernández Buey, 1994).*

*En el caso español, será la Ley de creación de Parques Nacionales, sancionada el 7 diciembre de 1916 por Alfonso XIII, la que iniciará el movimiento proteccionista en nuestro país. Dicha ley, tan breve como fundamental, se asentaba, apelando a la belleza intrínseca de la naturaleza, sobre dos pilares: la protección de especies en peligro de extinción y la destrucción de la masa forestal. Los primeros espacios naturales declarados fueron el Parque Nacional de la Montaña de Covadonga y el del Valle de Ordesa en 1918; ambos reunían los requisitos conservacionistas que guiaron su constitución al contar con especies cinegéticas y masas boscosas. No obstante, a estas dos consideraciones, se unían argumentos políticos (mítico-religiosos). Si en Covadonga había empezado la reconquista, allí debía iniciarse, de nuevo, la reconquista de la naturaleza. De esta forma, se situaba a la naturaleza y la cultura como objetos conquistables y, sobre todo, como fuente nacionalista e identitaria a través de la reinvención del pasado. En realidad, podemos concluir que bajo la lógica de acotar santuarios naturales se movían tanto intereses elitistas (estéticos, cinegéticos, recreativos) como una cierta voluntad, al estilo del viejo coleccionista, de crear museos naturales en la «naturale-*

*za». En este sentido, podemos argumentar que este primer movimiento conservacionista representa la inicial patrimonialización de la naturaleza, al impulsar espacios acotados como fuente de «contemplación y cultura».*

*Desde un punto de vista internacional es a comienzos del siglo XX cuando va cuajando la necesidad de una coordinación de los países para la protección de la naturaleza. Tras la Primera Guerra Mundial se celebra el I Congreso Internacional para la Protección de la Naturaleza (1923), que representa verdaderamente el comienzo institucional del movimiento conservacionista. Después de la Segunda Guerra Mundial, en 1947, la ONU promocionará la Unión Internacional para la Protección de la Naturaleza (International Union for the Protection of Nature, IUPN). La organización cambiará de nombre, en 1956, para adoptar el definitivo Unión Internacional para la Conservación de la Naturaleza (International Union for Conservation of Nature and Natural Resources, IUCN).*

*A partir del desarrollo y crecimiento acelerado experimentado en las sociedades avanzadas tras la Segunda Guerra Mundial, será cuando encontremos una degradación ecológica sin precedentes que activará la preocupación social por el entorno. Junto a ella asistiremos a la aparición de numerosa legislación y a la proliferación de encuentros internacionales. En las décadas de los sesenta y setenta del siglo XX es cuando hallamos el impulso definitivo en la protección y conservación del medio ambiente. Este periodo vendrá marcado por el crecimiento y demandas de los nuevos movimientos ecologistas, la aparición de numerosas investigaciones científicas sobre el deterioro del medio ambiente, los continuos desastres ecológicos y la presión de la opinión pública. Además, va a ser en esos años cuando se produzca el inicio de un continuado y sostenido crecimiento de los espacios naturales protegidos en el mundo.*

*El comienzo del aumento de espacios protegidos coincide con una multiplicidad de organismos, comisiones y convenciones (cabe destacar las Conferencias de Naciones Unidas sobre el Medio: Estocolmo, 1972; Río, 1992; Johannesburgo, 2002) que se dedican a la promoción y conservación de la naturaleza. La UICN se nos presenta hoy como el organismo internacional más importante para la conservación de la naturaleza. Desde su origen ha intentado definir unas categorías para el manejo de los espacios protegidos, así en 1978 publicó un informe donde se proponían los criterios y categorías[12] para las áreas, estas se han ido modificando y finalmente, en 1992, las diez iniciales se han reducido a seis:*

- *Reserva Natural Estricta/Área Natural Silvestre: Protección estricta con fines científicos y fines de protección de la naturaleza salvaje*

- *Parque Nacional: Ecosistema para conservación y recreo*

- *Monumento Natural: Conservación de características naturales específicas*

- *Área Ordenación de Hábitat y Especies: Conservación y gestión a través de una ordenación activa*

- *Paisaje marítimo-terrestre protegido: conservación y recreo*

- *Área protegida de Ordenación de Recursos: Ecosistemas naturales para uso sostenible*

*Junto a la UICN, encontramos el programa MAB (Hombre y Biosfera), promovido por la UNESCO para fomentar una relación equilibrada entre la humanidad y el medio ambiente. El MAB se creó en 1971, como resultado de la Conferencia Intergubernamental de Expertos sobre las Bases Científicas para*

---

[12]   *Reserva Científica/Reserva Natural Estricta, Parque Nacional, Monumento Natural/Elemento Natural Destacado, Reserva de Conservación de la Naturaleza/Reserva Natural Manejada/Santuario de Vida Silvestre, Paisaje Protegido, Reserva de Recursos Naturales, Area Biótica Natural/ Reserva Antropológica, Area Natural Manejada con Fines de Utilización Múltiple/Area de Manejo de los Recursos Naturales, Reserva de la Biosfera, Sitio (Natural) de Patrimonio Mundial.*

*un Uso Racional y Conservación de los Recursos de la Biosfera, celebrada en París en 1968. Su mayor logró ha sido la creación de una red internacional de espacios protegidos denominados Reservas de la Biosfera cuya filosofía persigue conciliar la conservación de la biodiversidad, el desarrollo y el mantenimiento de los valores culturales. Además, la propia UNESCO, como venimos señalando, a través de su programa de protección del Patrimonio de la Humanidad y apoyada por la UICN, en la Convención sobre la protección del patrimonio mundial, cultural y natural de París en 1972, consideró la necesidad de incorporar al Patrimonio Cultural el Natural. Fruto de ello son la aparición de los primeros espacios naturales declarados como Patrimonio Mundial en 1978, y el reconocimiento y definición de bienes naturales. Los bienes naturales fueron catalogados, como ya vimos, bajo tres criterios: monumentos naturales, formaciones geológicas y fisiográficas y lugares o zonas naturales.*

*Por otro lado, dentro de la política internacional conservacionista, cabe destacar la importancia del Convenio de Ramsar (Irán, 1971) que entró en vigor en 1975[13]. Esta convención perseguía proteger zonas de humedales de importancia internacional. Tras su firma se ha establecido una amplia tipología de humedales (en algunos casos, coinciden con otras figuras de protección como parque natural, reserva natural, etc.).*

*A todas estas figuras proteccionistas internacionales cabe sumar la Directiva Hábitats (1992) de los Estados miembros de la Unión Europea. El objetivo de la directiva era favorecer el mantenimiento de la diversidad biológica y crear una red de espacios naturales protegidos europeos (Natura 2000). En ella se distinguen las Zonas de Especial Conservación (ZEC) y las Zonas de Especial Protección para las Aves (ZEPA), ambas*

---

[13] *España ratificó el Convenio en 1982 (BOE de 20 de agosto).*

*formaran la Red Natura 2000. La Directiva Hábitat ha obligado a todos los Estados miembros a entregar una Lista Nacional de Lugares, que, en sucesivas fases, se transformara en la Lista de Lugares de Importancia Comunitaria (LIC).*

*Por lo que respecta a nuestro país, encontramos el mismo movimiento proteccionista observado en el ámbito mundial. La protección aumenta considerablemente a partir de la mitad de la década de los noventa, coincidiendo con la creación de ministerios, consejerías, concejalías y distintos departamentos de Medio Ambiente y Ordenación Territorial. Desde la ley de 1916 sobre Parques nacionales hemos contado en nuestra legislación con sucesivos cambios normativos siendo los más importantes, la Ley de Espacios Protegidos de 1975 y la Ley de Conservación de los Espacios Naturales y de la Flora y Fauna silvestre de 1989. Pero, quizás esta última es la más significativa siendo considerada por algunos como la «Constitución Conservacionista» porque contempla, para la planificación y gestión de las áreas protegidas, los Planes de Ordenación de los Recursos Naturales (PORN) y los Planes Rectores de Uso y Gestión (PRUG).*

*En la esfera estatal, contamos actualmente con cuatro figuras de protección nacional: Parques, reservas naturales, monumentos naturales y paisajes protegidos. En las diferentes comunidades autónomas, donde se cuenta con legislación propia sobre espacios protegidos, se han creado distintas figuras de protección. Hoy en día existen más de 20 denominaciones distintas en la legislación autonómica. Así, la Comunidad Valenciana en la Ley de Espacios Naturales Protegidos de 1994, sumaba a las cuatro nacionales, tres más, los parajes naturales, los parajes naturales municipales y los sitios de interés; dando entrada al municipio como un nivel más a tomar en cuenta para la protección.*

*Por último, es importante tener presenta que la patrimonialización de la naturaleza ha llevado pareja la construcción del discurso del desarrollo sostenible como fórmula política para frenar la degradación ecológica. La Comisión*

*Mundial del Medio Ambiente y del Desarrollo, lo definía en 1987 como: «el desarrollo que satisface las necesidades de la generación presente sin comprometer la capacidad de las generaciones futuras para satisfacer sus propias necesidades». Y después, la Cumbre de la Tierra celebrada en Río (1992), hacía suya la propuesta: «El derecho al desarrollo debe ejercerse en forma tal que responda equitativamente a las necesidades de desarrollo y ambientales de las generaciones presentes y futuras» (principio 3), convirtiéndose en el paradigma oficial de la política ambientalista.*

*Su éxito ha sido tal que el desarrollo sostenible ha sido traspasado al patrimonio cultural. El Consejo de Europa aplicaba su formulación en su recomendación de 1995 sobre la Conservación de los Sitios Culturales Integrada en las Políticas de Paisaje. Pero, en la Conferencia de Helsinki (1996), es donde por primera vez aparece de forma explícita el modelo de desarrollo sostenible en relación con el patrimonio cultural: «la utilización del patrimonio cultural como recurso debe integrarse en el proceso de planificación de un desarrollo sostenible, respetando aquellas restricciones que se aplican al uso de los bienes renovables». De esta forma el desarrollo sostenible comienza a aplicarse al patrimonio cultural como eje vertebrador de la política patrimonial.*

**Lecturas recomendadas para trabajar en clase:**

*ARIÑO VILLARROYA, A., (2002): «La expansión del patrimonio cultural» en Revista de Occidente n° 250. Madrid.*

*GÓMEZ PELLÓN, E., (1999): «Patrimonio cultural, patrimonio etnográfico y antropología social» en Agudo Torrico y Fernández de Paz, (coord.): Patrimonio cultural y museología: significados y contenidos. FAAEE/AGA, Santiago de Compostela.*

**Práctica para realizar en clase:**

*A partir de las distintas clasificaciones sobre los bienes patrimoniales, realiza un esquema que integre las diferentes categorías. Asimismo define las categorías y señala los bienes incluidos en cada una de ellas.*

## CAPÍTULO 3

# LA ACTIVACIÓN PATRIMONIAL Y LA IDENTIDAD

ALBERT MONCUSÍ FERRÉ

> «*Aunque parecen invocar un origen en un pasado histórico con el cual continúan en correspondencia, en realidad las identidades tienen que ver con cuestiones referidas al uso de los recursos en la historia, la lengua y la cultura en el proceso de devenir y no de ser; no «quiénes somos» o «de dónde venimos» sino en qué podríamos convertirnos, cómo nos han representado y cómo atañe ello al modo como podríamos representarnos*» *(Hall, 2003)*

## 3.1. El concepto de cultura y la construcción de identidades

*Decíamos, en el capítulo primero, que el concepto de patrimonio cultural es difícil de definir por las connotaciones de los dos términos que lo componen: patrimonio y cultura. Este último es fundamental, tanto para entender la dimensión simbólico-identitaria del patrimonio, como para poder explicar la activación de este. Por ello debemos empezar este capítulo, dedicado a la relación entre identidad y activación patrimonial, definiendo el concepto de cultura.*

*A partir de Ariño (1997), podemos establecer dos concepciones socio-históricas de cultura: humanista y antropológica[14].*

---

[14] *El autor propone una tercera definición, que denomina sociológica o multidimensional, cuya particularidad (además del establecimiento de*

*Etimológicamente, «cultura» proviene del latín colo, cultivar. En la Roma clásica, se asoció con el perfeccionamiento de las capacidades del ser humano, mediante la educación. Una noción que se amplió posteriormente en el Renacimiento, cuando se entendió la cultura como un bien poseído por la mente (sabiduría o conocimiento), como el resultado de un proceso (obras de arte) y como el estado de desarrollo de una sociedad (civilización o civilidad). Ya por entonces se concibió la cultura como algo que distinguía a las elites cultas de las masas ignorantes. La misma connotación la encontramos en la Alemania del XVIII, en los intelectuales que consideraban que tener cultura (virtud y educación) les diferenciaba del pueblo y también de los cortesanos. Por su parte, los ilustrados franceses usaban más bien el concepto de civilización con un sentido también de distinción entre los seres humanos que habían progresado en el conocimiento y la perfección y los que no. En algunos de sus contenidos la noción humanista de cultura sigue esa pauta de distinción social, pero su surgimiento tuvo lugar con la Revolución Industrial. El escritor británico Mathew Arnold fue quien más claramente la definió, en 1869.*

*Arnold consideraba que la cultura era el desarrollo de las cualidades y facultades que mejor caracterizaban al ser humano: la literatura, el arte, el pensamiento y, en general, los extraordinarios conocimientos que sólo algunos humanos poseían. La industrialización suponía, a los ojos de este autor, un obstáculo a aquel desarrollo y, por lo tanto, al perfeccionamiento de la humanidad. La cultura, así definida, es procesal (se aprende), jerárquica (la posee una elite), selectiva (sólo incluye algunas actividades.humanas), normativa (sólo los resultados*

---

*varias dimensiones analíticas) sería la consideración de un campo de producción cultural especializado que incluiría arte, medios de comunicación e ideologías como contenidos significativos producidos en contextos de dominación y desigualdad. Nosotros incluiremos dentro de la noción antropológica una síntesis de lo que comprendería esta tercera concepción.*

*de algunas actividades merecen ser consideradas «cultura»), frágil (puede resultar degradada o desaparecer) y carismática (algunos de sus productos se relacionan con las cualidades de genios y particularmente artistas). La cultura en el sentido humanista distingue, pues, a grupos y personas dentro de una escala jerárquica. Quienes tienen cultura son los que se encuentran más cerca de la perfección humana, como meta a alcanzar, a través del adiestramiento y/o la creatividad. Este concepto de cultura excluye la mayor parte de productos humanos y también a muchos seres humanos, con lo que acaba siendo altamente restringido. Si aplicáramos al patrimonio semejante concepción, la noción de «patrimonio cultural» se limitaría a las obras de arte y los monumentos históricos. La primera ola patrimonializadora, desde finales del siglo XVIII, a mediados del XX, sigue este patrón.*

*La concepción antropológica de cultura surge con el desarrollo del pensamiento antropológico, en el siglo XIX, en Inglaterra. En 1871, Edward B. Tylor buscó una definición que permitiera dar cuenta de la diversidad cultural, como un hecho puesto de manifiesto por el contacto con sociedades colonizadas, denominadas por entonces primitivas. Tylor diferenciaba entre pueblos civilizados y primitivos. Los primeros eran los occidentales, que habían accedido a un progreso no alcanzado por los segundos, que eran los pueblos colonizados desde occidente. Sin embargo, este autor consideró a unos y otros humanos por igual y creyó que sus creaciones debían ser recogidas en una misma definición de cultura. Por ello definió la cultura como un conjunto complejo que incluía el conocimiento, las creencias, el arte, la moral, el derecho, las costumbres y cualesquiera hábitos y capacidades adquiridos por el hombre como miembro de una (cualquier) sociedad. De este modo, el concepto acababa incluyendo el modo de vida de todo grupo humano, sin restringir su alcance sólo a unas pocas prácticas y a un grupo escaso de practicantes y conocedores de las mismas. Actualmente existe cierto consenso en entender la cultura como algo que incluye todo lo formulado por Tylor, pero de forma particular, en cada sociedad y siempre en acción. Antropológicamente hablando, se entiende por cultura un sistema integrado de símbolos, ideas y valores en continua construcción o, como resaltábamos ya en nuestro primer capítulo, a partir de Geertz (1973), una fábrica de significados.*

*Esta definición antropológica de cultura la presenta como algo universal (de todos los seres humanos), que conlleva códigos y símbolos (información), que es aprendida (no genética), compartida (común a más de un individuo), colectiva (transmitida públicamente), práctica (cotidiana), plural (hay más de una) y relativa (de un grupo concreto y particular). Desde esta concepción, el patrimonio cultural puede incluir cualquier producto humano. De hecho, esta es la noción que ha guiado durante la segunda mitad del siglo XX la ampliación del concepto de patrimonio, que hemos sintetizado en el capítulo anterior, hacia la definición institucionalizada de Bien Cultural y hasta incorporar al patrimonio oral e inmaterial.*

*La cultura consiste, antropológicamente hablando, en un proceso de construcción de sentido en el que no todos los que participan ocupan la misma posición, pero que en cualquier caso siempre se produce en un contexto socio-histórico concreto. Además, puede ser concebida en un sentido manifiesto y en otro latente. En* **sentido latente***, la cultura es un sistema significante que abarca toda producción humana. Es decir que, aunque no nos demos cuenta, absolutamente todo lo que hacemos es cultural. Son prácticas culturales, por ejemplo, identificar con el luto el color negro, practicar deporte, tomar el sol en la playa, tener persianas que cerrar por la noche, llevar sombrero, realizar tres comidas al día, conmemorar un cumpleaños, contar el tiempo en segundos, minutos u horas, tener vacaciones, visitar un museo, tener abuelos paternos, dibujar un mapa, tirar una bomba... y, en fin, todas cuantas actividades y sus correspondientes conocimientos, creencias y valores podamos imaginar. En lo latente, lo cultural se refiere al ejercicio de dar sentido al mundo y significado a sus componentes. Con respecto al patrimonio, nos encontramos ante el* *despliegue de una gramática particular que incluye, entre otras cosas, la definición de nosotros y de los otros. Es decir, que el propio concepto de patrimonio, una vez institucionalizado, es en realidad algo cultural, creado en parte como una forma histórica (aunque no la única) de mostrarnos a nosotros mismos y a los otros. Y es algo que se produce en un sentido latente, porque en buena medida podemos no ser conscientes de ello.*

*Pero además, en* **sentido manifiesto** *la cultura es algo reconocido en forma de rasgos o productos calificados explícitamente como culturales. Entran en este campo dos tipos de elementos. Por una parte, estarían el arte, los conocimientos sobre historia, geografía, la artesanía local, los souvenirs etc..., como productos en cuya creación intervienen instancias especializadas (artistas, museos, tour operadores, gobiernos e instituciones internacionales, asociaciones culturales, etc.). Por otra parte, tendríamos aspectos que reconocemos como «cultura» después del contacto con los otros. Elementos como los horarios y los ritmos cotidianos (puntualidad...) o la alimentación los consideramos aspectos culturales que compartimos con miembros de un grupo del que formamos parte, cuando sabemos que existen otros elementos distintos, practicados por otros grupos. Así, a través de la diferencia y la identidad, consideramos entonces que son culturales nuestras prácticas y las de otros.*

*Cuando se hace referencia a costumbres, tradiciones, relatos míticos o históricos, creencias u otros elementos que se atribuyen a un colectivo, se está aplicando una concepción de lo cultural, en su sentido manifiesto. Es decir, se están produciendo símbolos para hacer alusión a un colectivo, con la etiqueta de «cultura». En el sentido manifiesto, la cultura es un instrumento para el proceso de reificación, tal y como lo han definido Berger y Luckmann (1988). Es decir, permite hacer referencia a grupos humanos como entidades eminentemente reales, por rasgos que se considera que son inherentes a ellos, como si fueran naturales. La reificación consiste, por ejemplo, en creer que es propio de los valencianos un carácter festero y con gusto por la experiencia inmediata, sintetizado en la expresión «pensat i fet». Puede pasar, también, por creer que las fallas y los Moros i Cristians han sido tradiciones valencianas siempre y, de hecho, que los valencianos siempre han existido como tales.*

*En definitiva, la construcción de la realidad en la que vivimos tiene una dimensión cultural con doble vertiente. Por un lado está la enarbolación de «cultura» como conjunto de símbolos que, en algunos casos, son representativos de «nosotros» y «los otros» (cocina, banderas, bailes, canciones, ceremonias y folklore en general y también imágenes estereotipadas del comportamiento y actitudes del grupo para con sus propios miembros y los demás y con todo lo que les rodea). Por otro lado, encontramos la práctica más o menos inconsciente de darnos significado a nosotros mismos y a todo lo que nos envuelve. La vertiente manifiesta de lo cultural está, entonces, directamente relacionada con la construcción de identidades. Aunque debemos hacer una advertencia sobre ello: tanto lo que reconocemos como cultura, como las identidades no son algo inmutable y natural, sino todo lo contrario. Y es imprescinbible que abordemos esta consideración, antes de entrar en la activación patrimonial y los valores del patrimonio. Lo haremos a partir de seis premisas:*

*1) La construcción de nuestra identidad, compartida con otros (identidad colectiva), se lleva a cabo en un doble proceso de adscripción externa (categorización) y autoadscripción (identificación) (Jenkins, 1997). Con la primera, otros nos asignan desde fuera un nombre y asocian con él unos contenidos. La segunda permite que hablemos propiamente de «grupo», a través de la experiencia subjetiva de formar parte de él. Es decir, que hablamos de identificación cuando alguien se reconoce miembro del grupo que se designa con una categoría. Tanto la categorización como la identificación las llevamos a cabo en nuestro contacto con otros seres humanos. De modo que las identidades y las culturas (y el patrimonio) que se asocian con ellas tienen sentido cuando pensamos en socieda-*

*des concretas, con agentes concretos. Efectivamente, estados, asociaciones, ayuntamientos, intelectuales, etc. promueven una selección simbólica de elementos que se agrupan como «cultura» de un grupo que recibe cierto nombre y con la que hay personas que se identifican.*

*2) En el sentido común, la identificación colectiva se construye sobre el reconocimiento de algún origen o unas características compartidas con otra persona o grupo, que lo diferencian de otros (Hall, 2003). De modo que la diferencia es constitutiva de identidad. En el terreno del patrimonio, ello se traduce en definir un nosotros del nosotros o un nosotros de los otros (Prats, 1997). En el primer caso, los monumentos, fiestas, parajes naturales, etc. se convierten en símbolos que nos representan a nosotros mismos y con los que nos identificamos y ante los cuales mostramos cierta emotividad. En el segundo caso, los elementos que seleccionamos como patrimonio nos representan simbólicamente ante visitantes y turistas. Es lo que ocurrió, por ejemplo, cuando se solicitó que el Misteri d'Elx se convirtiera en Obra Maestra del Patrimonio Mundial. Ello facilitó la identificación de una ciudad, por parte de sus propios integrantes. En cambio, construir el nosotros de los otros pasa por una selección y puesta en escena de elementos patrimonializados para la demostración del colectivo, de cara al turista. El propio Misteri d'Elx puede servir como ejemplo, cuando se presenta como un símbolo para que los turistas y visitantes reconozcan la ciudad y la Comunidad Valenciana.*

*3) Según Pujadas, la identidad es el resultado de «una confrontación dialéctica constante entre el bagaje sociocultural-simbólico identificado por el grupo como genuino y las circunstancias globales «objetivas» que enmarcan, constriñen o delimitan la reproducción del propio grupo» (1993:63). Es decir, que la identidad se construye buscando su propia reproducción en un contexto que puede dificultarla. El patrimonio cultural entendido en el amplio sentido en el que lo hemos definido en el primer capítulo, es, justamente, un ejemplo de ello. El riesgo de desaparición de tradiciones o de destrucción de bienes materiales (monumentos, parajes naturales...) a manos de procesos de industrialización, urbanización, o de la violencia de otros seres humanos se puede percibir como una amenaza a la continuidad de la existencia del grupo y de su identidad. De modo que la construcción y conservación del patrimonio entra dentro del intento de mantener la identidad.*

*4) El patrimonio representa simbólicamente una identidad con la rotundidad que conlleva un pasado percibido como inmemorial e inmutable y unos elementos revestidos de verdadera autenticidad. Construir patrimonio o destruirlo se convierte en un ejercicio de construir identidad o destruirla. La selección de elementos como símbolo del colectivo, tanto si se trata de emblemas políticos (banderas, himnos, monumentos nacionales...) como de otro tipo (obras de arte, discursos museográficos, estereotipos...), es tanto más efectiva cuanto más se consigue «reificar» esos símbolos. Es decir, presentarlos como algo cuya existencia es sumamente real. A través de estos bienes simbólicos, el grupo toma también una especie de existencia absolutamente real. Piénsese, por ejemplo, en la destrucción de bienes culturales como forma de aniquilación de la identidad de un grupo y, por tanto, de su existencia simbólica. Es lo que ocurrió en la antigua Yugoslavia, cuando se destruyeron en los conflictos bélicos de los años noventa del siglo XX numerosas iglesias, mezquitas, monasterios y cementerios, para destruir con ellos la existencia de quienes los reconocían como propios. Un caso similar es el de la devastación de los Budas de Bamiyán, en Afganistán, en el año 2001.*

*5) Hay varios niveles grupales de integración marcados por la inclusión potencial de más o menos individuos en el grupo y por el mayor o menor alcance territorial. La identidad colectiva puede ser familiar, de comunidad religiosa, de asociación, nacional, regional, local, etc. El patrimonio, como representación identitaria, es un campo de confrontación simbólica entre versiones concurrentes de identidad o entre grupos sociales. Versiones distintas no suelen contradecirse cuando se trata de «niveles de integración distintos», pero no siempre es así. Las fallas de Valencia, por ejemplo, se reconocen públicamente como patrimonio valenciano y al mismo tiempo español, remitiendo a un nivel estatal o regional. Por otra parte, la participación en una falla puede poner de manifiesto una identificación de barrio, de cuadrilla de amigos o asociativa. Los distintos niveles citados (regional, estatal, de barrio, de cuadrilla y asociativo) no son excluyentes entre sí y por lo tanto suponen versiones de la identidad no contradictorias. No obstante, cuando la ubicación territorial de una identidad entra en conflicto con otras definiciones, se hace difícil poner de acuerdo distintas versiones de ella. Si un discurso identitario regionalista percibe un determinado territorio como dependiente de e incorporado a la nación española, un planteamiento nacionalista sostendría lo contrario. El caso de las corridas de toros ilustra este conflicto de definición, en el caso de Cataluña. Allí quienes se consideran nacionalistas catalanistas ven la fiesta representativa de España. En cambio, quienes reconocen unas raíces andaluzas y se consideran integrantes de España, desde una definición regionalista de la identidad catalana, consideran que se trata de una fiesta en cierto modo catalana. La fiesta como patrimonio define, entonces, dos versiones contrapuestas de una misma identidad.*

*6) De todos los niveles de identidad, el nacional es el que implica mayor abstracción y, en consecuencia, mayor esfuerzo en su definición (Cohen, 1982). Es un tipo de grupo étnico que surge a finales del siglo XVIII, con la definición de un modelo (el Estado-Nación) que incluye la delimitación de un territorio cuyas fronteras enmarcan el espacio de soberanía de un Estado que se identifica con un pueblo. Desde entonces, el mundo es percibido como si estuviera compuesto por múltiples identidades nacionales que han logrado o buscan su máxima expresión política en forma de estado soberano (Smith, 1991; Guibernau, 1997). El éxito de la identificación entre Estado y Nación dependió en buena medida de su reconocimiento por parte de quienes debían ser sus miembros. Algo logrado, principalmente, a partir del sistema de instrucción que intentaba que coincidieran fronteras culturales y territoriales (Gellner, 1988). Dicho de otro modo, los ciudadanos debían ser socializados en los valores y las normas de la Nación que se identificaba con un estado y un territorio, imaginados como si una mutua vinculación entre ellos estuviera predestinada. En ello ha tenido también un papel particular el patrimonio. Baste, por ejemplo, recordar que los primeros museos (entendidos como una colección pública, para uso y disfrute del pueblo) nacen en Francia vinculados al sistema educativo estatal (Iniesta, 1994). Este modelo de Estado-Nación es una de las bases principales del actual proceso de normalización e institucionalización del patrimonio que hemos analizado en el capítulo dos y se encuentra detrás de las formas de activación patrimonial tal y como las vamos a definir.*

## 3.2. La activación patrimonial y los valores del patrimonio

*Como sugeríamos en el capítulo primero, el patrimonio tiene una dimensión simbólico-identitaria que se refiere al proceso de construcción de una representación, basada en la puesta en acción de lo reconocido como patrimonio para definir el nosotros del nosotros y el nosotros de los otros. Activar un repertorio patrimonial significa escoger referentes y exponerlos de algún modo, sacralizándolos. Según Prats (1997), de hecho, la activación patrimonial se puede definir en analogía a la religión[15], en la medida en que implica la puesta en marcha de un sistema de símbolos cuya acción: 1) suscita poderosas, penetrantes y perpetuas motivaciones y disposiciones entre los miembros de una determinada comunidad (local, regional, nacional...); 2) conlleva la formulación de concepciones de orden general sobre la identidad de esa comunidad; y 3)*

---

[15]   *El autor parte de la definición de religión propuesta por Geertz (1973).*

aporta a esas concepciones una realidad tal que sus motivaciones y disposiciones parecen surgir de la realidad más estricta.

La activación patrimonial está vinculada a una valoración del patrimonio que es posible precisamente por la capacidad que tiene la representación simbólica patrimonial para expresar sintéticamente y con una elevada carga emocional (de forma análoga a las religiones) una relación entre ideas y valores, en virtud de la facultad de todo símbolo para convertir las ideas y creencias en emociones, de condensarlas e intensificarlas (Prats, 1997). La significación atribuida a los bienes patrimonializados y los argumentos para su preservación proviene directamente de unos valores que se les atribuyen (Agudo y Fernández de Paz, 1999).

### 3.2.1. La activación patrimonial

La activación patrimonial es resultado de la acción de distintos agentes que pueden actuar en mayor o menor interacción entre ellos, siguiendo ciertas operaciones lógicas que relacionan patrimonio e identidad. A partir de una reflexión de Iniesta (1999), consideraremos que hay cuatro tipos de estas **operaciones lógicas**: 1) Desarrollo de políticas del pasado, legitimadoras de una comunidad nacional o de otro tipo; 2) Constitución de discursos de nivelación colectiva, desde la lógica de asimilación; 3) Problematización de la restitución de elementos patrimoniales, con manifestación de pluralismo de legitimidades; 4) Desesencialización de patrimonios locales.

1) Políticas del pasado: muchos museos nacionales podrían ilustrar esta operación. En Grecia, por ejemplo, en este tipo de museos predomina un discurso prohelénico que elude cualquier referencia que pueda poner en duda el pasado mítico de la nación. En el siglo XIX encontramos en aquel país discursos museográficos que dejan de lado la dominación política turca (1458-1820), considerada ajena, tratándola como una mera intermitencia sin que resulte de ella poso cultural alguno. Por

*otra parte, se enalteció el período clásico hasta el punto de buscar referencias folklóricas con el objetivo de conectar el presente con él. Es decir, que determinadas expresiones consideradas populares, como danzas o formas de teatro, se asociaron directamente con aquel pasado mitificado, que les otorgaba valor y autenticidad.*

*2) Constitución de discursos de nivelación colectiva: esta operación es prácticamente una consecuencia de la anterior y suele pasar por formas de asimilación. Es decir, por un proceso cultural que consiste en la sustitución de elementos y prácticas culturales constitutivas de la identidad de un grupo, por las de otro, con la consiguiente pérdida de identidad. En la mayor parte de los casos va ligada a un discurso sobre la existencia de la nación, planteando la referencia a una diversidad cultural que la ha constituido, pero enfatizando un resultado histórico final en forma de colectivo unitario. Es el caso, por ejemplo, del Museo de Nacional de México. A pesar de que abrió sus puertas en 1964, su historia se remonta a la Independencia de México, en el siglo XIX, con propuestas de museo que fueron apareciendo desde entonces y cuyo discurso era acorde con el proyecto de definición de un Estado nacional en un marco postcolonial. Es decir, que se trató de construir un Estado-Nación legitimándolo en la búsqueda de un pasado histórico una parte del cual debía ser radicalmente ignorada, porque de algún modo se rompió con ella. Concretamente, el museo da suma importancia a todo lo acontecido durante y después de la Independencia, como grandes hitos de la historia nacional y deja más de lado todo lo relacionado con la dominación colonial española. Por otra parte, en el tratamiento de los grupos indígenas, exalta a los aztecas o mexicas como si fueran el único grupo indígena cuya existencia hubiera supuesto aportaciones constitutivas a la historia de la nación. En el discurso global del museo, lo indígena se incluye en una concepción unívoca de la historia, con una finalidad última: construir la nación como algo único, cuya existencia se debe a una sola historia, en la que se funde la diversidad. Lo indígena queda así relegado al rol de un pasado que legitima el presente (Florescano, 1993b; Bonfil, 1993).*

*Otra versión de la lógica asimilacionista aparece cuando se pretende corregir el trato discriminatorio de ciertos patrimonios. En Francia, por ejemplo, en los inicios del Louvre, los objetos egipcios fueron valorados como arte, mientras el resto de bienes africanos se exhibían en museos de antropología. Se creyó que semejante selección quitaba valor a aquellos bienes que no se definían como arte, por lo que se creó un espacio para arte oceánico y africano en el mismo museo. Con ello, se produjo una asimilación de prácticas culturales al concepto de arte europeo. Es decir, que se aplicó el concepto francés (y occidental) de arte, a bienes que no habían sido definidos como tales en unas sociedades que, de hecho, no disponían de ese concepto.*

*3) Problematización de las restituciones: hablamos aquí de la multiplicidad de legitimidades, cuando se discute sobre la posibilidad de patrimonializar elementos, con discursos que pueden divergir entre sí. Ocurre, por ejemplo, con la reivindicación de Grecia del retorno de su matrimonio monumental y documental, disperso en museos de otros lugares de Europa y, especialmente, en el British Museum de Londres. Mientras desde aquel país se considera ilegítima una apropiación por parte de estados ajenos y imperialistas, en estos últimos (por ejemplo, Gran Bretaña) se percibe como una patrimonialización legítima de bienes procedentes de la Antigüedad Griega, período emblemático de la civilización occidental. El caso de los «papeles de Salamanca» nos sitúa en esta misma operación. El ejemplo gira en torno a unos documentos que forman parte del Archivo Histórico de la Guerra Civil, en Salamanca y que fueron incautados a la Generalitat de Catalunya a partidos políticos y a particulares, a raíz del conflicto bélico. El gobierno autonómico catalán ha solicitado al estado español la devolución de los documentos que le fueron confiscados por el Régimen Franquista y que se encuentran depositados en aquel archivo. Pese a que recientemente se ha acordado restituir los documentos a la Generalitat catalana, el Ayuntamiento de Salamanca y una parte de la población, así como el Partido Popular, se han opuesto a lo que consideran una enajenación de algo que es patrimonio histórico de la ciudad, para disfrute de sus ciudadanos y que consideran perteneciente a todos los españoles.*

*El debate no se refiere a documentos de archivo como materiales cuyos contenidos puedan consultar historiadores y otros expertos. Tampoco se trata de documentos que la Generalitat reclame con finalidades administrativas. En la problemática sobre la restitución, los papeles simbolizan otra cosa. La Generalitat de Catalunya pide la restitución de unos documentos que representan la pérdida de autonomía por parte de los catalanes, con la Guerra Civil y la usurpación de libertades que representó el régimen dictatorial que siguió a ésta. Consideran, de hecho, que los documentos que piden pertenecen al pueblo catalán. Los detractores de la restitución, por su parte, argumentan que el archivo debe seguir intacto, como hasta el momento, por su condición de patrimonio histórico español, que nacería, precisamente, del argumento de que los fondos represivos serían patrimonio de todo un pueblo. En este caso, el español. Por ese valor simbólico de los documentos, ni la Generalitat ni el Ayuntamiento de Salamanca se conforman con copias de ellos, sino que quieren los documentos originales y, por lo tanto, auténticos. Es más, la obtención de los papeles auténticos supondría, para cada parte, una legitimación de sus posiciones y argumentos, que ganarían con ello, autenticidad.*

*4) Desesencialización de patrimonios locales: esta operación es llevada a cabo por la intervención de expertos desde las ciencias humanas o sociales. En este caso se aplica la norma sugerida por Prats (1993), según la cual se debe huir del patrimonio como representación simbólica de la identidad, para verlo en un sentido semántico, de construcción de significado, realizada por varios agentes cuya acción debe ser orientada hacia la finalidad patrimonializadora. El experto*

colabora potenciando agencias y buscando puntos de confluencia, evitando toda asociación esencialista entre la selección patrimonial y una determinada noción de identidad. Esta
cuarta operación lógica tomaría cuerpo en el proyecto de
Museo de la Frontera (Musée de Cerdagne) en la comarca
hispano-francesa de la Cerdanya. Tanto las infraestructuras
como los entes que promueven el proyecto se hallan en el lado
francés del territorio.

La idea se basa en la constatación de que la frontera territorial que divide la comarca ha unido durante siglos a la población, que aparentemente separaba, a través de: a) cruces
constantes y formas de intercambio económico (especialmente
contrabando) y lazos sociales como recurso activado en contexto de crisis (guerras, crisis económica, epidemias...); b) una
continuidad cultural en cuanto al uso de la relación con los
estados y las etiquetas nacionales y elementos compartidos
como la lengua o las pautas de parentesco (Sahlins 1993). Con
este punto de partida, el proyecto se define como transfronterizo.
La frontera se presenta como cambiante y subjetiva, como lo
son los diversos universos colectivos de referencia (casa, pueblo, valle, campo, ermita, monumento, estado...) y la Cerdanya
deviene lugar de paso y encuentro de múltiples visiones. El
Musée de Cerdagne quiere ser un museo donde se encuentre la
multiplicidad de identidades.

El reto no es fácil de afrontar por dos razones. En primer lugar,
el museo de la frontera remite a un espacio de soberanía francés
con expectativas generadas por administraciones que operan en
él. A pesar de que existen líneas de colaboración con el principal
museo sito al otro lado de la línea divisoria territorial, no han
llegado, por el momento, al proyecto. Cuando se presenta el
museo como una contribución al desarrollo de una población y
como muestra de su patrimonio, o cuando se pide la colaboración
de alguien ofreciendo piezas o información, las referencias remiten por lo general, a los habitantes que ocupan el territorio francés
de la comarca. En segundo lugar, la elección del tema de la
frontera corre el riesgo de contribuir a la reificación de ésta. Es

*decir, que se puede llegar a presentar la frontera como un patrimonio, convirtiéndola así en algo sumamente real y remitiendo simbólicamente a la vinculación entre Estado y Nación, con su reflejo en el territorio, que permite delimitar hasta dónde llegan Francia y España (Moncusí, 2005).*

*En las cuatro operaciones lógicas presentadas se refleja una dialéctica entre cultura nacional y culturas locales, cultura hegemónica y culturas subalternas y definiciones académicas y definiciones políticas de identidades. Las encontramos como oposiciones que interactúan, por ejemplo, en debates sobre el espacio que deben tener las culturas indígenas en un museo nacional, o sobre cómo definen políticos y científicos las fronteras territoriales en un proyecto de museo o qué significado dan a los documentos de un archivo, como patrimonio.*

*Por lo que se refiere a los* **agentes de activación**, *tal y como sugerimos ya en el capítulo primero, encontramos el sector académico, el Estado, el mercado y el tercer sector (García Canclini, 1993). Entre estos agentes ocupan un lugar privilegiado los gobiernos de distinto alcance territorial, por su posición hegemónica (entre otras cosas) respecto de los discursos y las prácticas sobre el patrimonio. Es decir, por la posibilidad que tienen de activar patrimonios y, en cualquier caso, de institucionalizarlos, pero también por las resistencias que puede generar su poder, en forma de activación patrimonial o de valoración alternativa de patrimonio. Por ejemplo, la definición del Tribunal de las Aguas de Valencia, como Bien de Interés Cultural, por parte de la Generalitat Valenciana ilustraría el caso de la institucionalización desde un gobierno, en este caso, autonómico. Un ejemplo de lo contrario sería la patrimonialización popular del Gernika, durante el Franquismo, en forma de réplicas de distinto tipo, como un símbolo de oposición al régimen dictatorial.*

*La activación patrimonial representa una intervención decidida de los agentes que la protagonizan, que se produce especialmente en circunstancias catalizadoras. En España, por ejemplo, la Transición democrática conllevó un deseo de museo, funda-*

*mentado en una eclosión identitaria regional. Más tarde, los proyectos surgen en contextos conflictivos, como la crisis industrial o la despoblación (Prats, 1997), cuyas repercusiones negativas se intentan superar con estrategias que inviertan tendencias socioeconómicas negativas para la población de referencia. La propia institucionalización del patrimonio puede potenciar también la activación. Concretamente, el etiquetaje oficial de un bien como patrimonio reconocido le da valor para su venta en el mercado y alimenta políticas de conservación y muestra de bienes. En todas estas circunstancias, en definitiva, ciertos bienes reciben una valoración especial para convertirse en patrimonio. Pero, ¿cuáles serían los valores que entran en juego en la activación patrimonial?*

### 3.2.2. Los valores del patrimonio

*La valoración del patrimonio responde a distintos valores de referencia. Es decir, a concepciones que dan cierta importancia a determinados bienes. Ante todo se trata de una redefinición simbólica de éstos y de su significado, pero que puede ser más o menos explícita. En este sentido, podemos definir dos tipos de valores del patrimonio:* **Valor material y Valor simbólico (expresivo o referencial).**

*El* **valor material** *concede interés a los bienes porque alcanzan una finalidad material como, por ejemplo, su consumo o utilización directa o la obtención de beneficios por su puesta en circulación o venta. Es el caso de una silla Luis XV, usada para sentarse o que puede ser vendida, o de un museo que atrae a público que paga una entrada, compra souvenirs, etc. Este valor material convierte al patrimonio en un recurso económico. El mercado suele ser el más interesado en este valor, con la intervención de empresas y consorcios turísticos e, indirectamente, todo el sector privado o público de servicios de atención a visitantes y turistas. Artistas y profesionales de distintos campos científicos pueden estar también interesados en este mismo valor material, en la medida en que sacan del* *patrimonio un rendimiento económico que hace posible que exista su labor profesional. Asociaciones locales y, de hecho, todo el entramado social de una localidad o de un valle de montaña, por ejemplo, pueden estar interesados en este valor de cara al desarrollo local.*

*El valor de uso material es considerablemente oscilante y está sujeto a una lectura mercantilista de la realidad y, por lo tanto, a una lógica de oferta y demanda y de acumulación de beneficios fundamentalmente financieros. Este tipo de valor, en el caso del patrimonio cultural, a menudo conlleva una espectacularización de demostraciones. El caso de las fallas sirve aquí, de nuevo, como ejemplo. Pero podríamos citar también grandes proyectos como el Museo de las Artes y de las Ciencias, en Valencia, o el Guggenheim, en Bilbao. No obstante, cuando algo reconocido como patrimonio se considera un obstáculo para obtener beneficios de otros bienes muy valorados materialmente, se piensa que el patrimonio se convierte en una traba para dicha obtención. Desde los poderes públicos y desde el sector privado, se dice que entonces el patrimonio dificulta el progreso. El contencioso generado por el proyecto de prolongación de la Avenida de Blasco Ibáñez hasta el mar, en Valencia, es un buen ejemplo de ello. El valor material (de mercado) del suelo urbano y la construcción, con todo lo que lleva asociado, es considerado por el gobierno municipal superior a cualquier valor del barrio del Cabanyal, como declarado Bien de Interés Cultural, a lo que ha respondido la población del barrio y una parte de la sociedad civil valenciana con una movilización social que contrapone, al valor material de uso de los terrenos, justamente un valor simbólico del barrio, como patrimonio cultural.*

*El **valor simbólico** tiene dos vertientes. Aplicamos aquí la noción de símbolo como una representación arbitraria y convencional de cualquier objeto o acción, que condensa significados que se le atribuyen sin que necesariamente tenga una relación material con aquel objeto o acción (Beattie, 1986). La característica principal del símbolo es, en síntesis, que representa a otra cosa. En este caso, el valor de lo patrimonializado* *reside en su carácter figurativo, lo que se manifiesta de dos grandes formas.*

*1) El patrimonio puede tener un* **valor simbólico expresivo**, *al ser asociado a la producción de emociones por parte de un sujeto creador y con un prestigio o excelencia, ligados a esa forma de expresión particular. La valoración simbólica tiene, entonces, un carácter formal o estético que responde a la atracción y emotividad que despierta el bien cultural en los sujetos. Es el caso de las obras de arte, en las que este valor prima por encima de cualquier otro. Todos los agentes que hemos mencionado pueden participar de este valor, si bien en este caso el mercado (con productores, distribuidores y compradores) puede tener un papel particular, por cuanto el valor estético del arte puede ser fuente de un alto prestigio que contribuye al incremento del valor material de los bienes activados.*

*2) El patrimonio puede tener un* **valor simbólico referencial**. *Es decir, como representación de un contexto que le da sentido de algún modo. En este caso tenemos dos posibilidades. En primer lugar, los bienes pueden tener* **un valor científico**. *Es decir, para estudiosos de un contexto del que se considera que aquellos forman parte y el cual quieren conocer lo mejor posible. Sería el caso, por ejemplo, de los restos arqueológicos para arqueólogos, o de la memoria biográfica para antropólogos y psicoanalistas, o de los monumentos para historiadores e historiadores del arte. En todos estos casos, los bienes se consideran integrantes de un contexto general que hay que conocer. Pongamos por caso el Tribunal de las Aguas de Valencia, declarado recientemente Bien de Interés Cultural. Para un científico social forma parte del contexto de la regulación consuetudinaria del agua, existente desde hace algo más de mil años, pero cuya forma y significado ha experimentado algunos cambios. Su estudio permite aproximarse a ellos y conocer mejor aquel contexto. Pero no acaba ahí la cosa. La propia declaración como Bien de Interés Cultural justamente hoy, se puede relacionar con el actual debate sobre la derogación del Plan Hidrológico Nacional, de modo que el Tribunal* *simbolizaría, como patrimonio, la importancia del agua para los valencianos y mostraría una experiencia en la regulación del uso del agua por consenso, con lo que podría legitimar los argumentos políticos a favor del trasvase. De este modo, la regulación consuetudinaria del agua en la huerta valenciana y el proceso mismo de patrimonialización de un bien se convierten en contextos a los que éste hace referencia.*

*En segundo lugar, el patrimonio puede tener un* **valor identitario** *refiriéndose a una identidad colectiva, por la evocación de los usuarios o creadores del bien cultural. Lo que hacen en este caso los distintos agentes con sus discursos patrimonializadores es asociar ciertos bienes tangibles (edificios, monumentos, objetos...) o intangibles (fiestas, rituales, ceremonias...) a un grupo o comunidad. El patrimonio obtiene valor porque representa a un colectivo rememorando un pasado o unos valores y prácticas sociales asociadas con él. En realidad, toda afirmación de identidad se fundamenta precisamente en desplazar al pasado el origen de unos referentes simbólicos (Sanmartín, 1997). Como veremos en el capítulo cinco, el concepto de patrimonio etnológico responde a este tipo de valor.*

*Como ejemplo serviría el ya citado del Misteri d'Elx que se erige, con su reconocimiento como patrimonio, en referencia simbólica de una identidad ilicitana o valenciana. Otro caso es el de la Semana Santa Marinera, de Valencia. Como ha mostrado García Pilán (2004), a partir de finales de los años veinte del siglo XX empieza a representar la identidad de los barrios marítimos de Valencia (Grau, Canyameral y Cabanyal, conjuntamente y por separado), de cara a los mismos habitantes, pero sobre todo para la promoción turística del ritual. Según el mismo autor, el ritual condensa también la identidad de otros grupos de referencia constituyentes (pueblo valenciano, ciudad, cofradías y cuadrillas de amigos[16]). En este caso intervie-*

---

[16]    *Semejante condensación simbólica, lógicamente, no es específica de este caso. La encontramos en todo el ámbito de la sociabilidad festiva y, de*

*nen los medios de comunicación e Internet como amplificadores del nivel de identificación. En buena medida gracias a estos medios la fiesta trasciende el nivel de los tres barrios, hacia la ciudad entera e incluso la Comunidad Valenciana.*

*El valor identitario del patrimonio contribuye, pues, a integrar en él niveles distintos, presentándolos como referencias a grupos cohesionados. Ello conlleva, por una parte, que se diluya toda heterogeneidad, particularidad y conflicto interno, al representar el grupo con una versión unitaria (García Canclini, 1993). Pero al mismo tiempo, puede reflejar conflictos entre grupos o niveles de integración, como hemos expuesto antes para el caso de los toros en Catalunya. Las referencias simbólicas a la identidad suelen combinar, en los discursos de los agentes activadores, dos figuras retóricas: metonimia y metáfora. La primera sugiere que el contacto con un bien «auténtico» otorga valor a un bien cultural, por esa misma autenticidad. La segunda, por su parte, se refiere a la representación simbólica de algo y particularmente de la identidad. Así pues, la creencia en su autenticidad le atribuye valor al patrimonio y, por la vía de la metonimia, a la propia identidad, que se llena así de realismo.*

*Todavía sobre el valor identitario, debemos añadir que, como ha sugerido Hall (2003), los sujetos también pueden identificarse con un ideal. Como veremos en el capítulo seis, la participación del tercer sector en los procesos de activación patrimonial a menudo va, precisamente, en ese sentido. Este agente interviene exigiendo una implicación de los gobiernos en la recuperación de un patrimonio para toda la población. Esta forma de referencia simbólica identitaria del patrimonio responde a un propósito participacionista, que propugna la preservación del patrimonio por las necesidades globales de la sociedad y para el que tienen un peso esencial las demandas de*

---

*hecho, del asociacionismo valenciano, como han mostrado, entre otros, Cucó (1992 y, en especial, 1995) y Cucó y otros (1993).*

*los usuarios. En ocasiones, sin embargo, las reclamaciones condensan ideales como el ecologismo, la antiglobalización o la oposición al mercado y la privatización y la defensa de los derechos civiles. Por ello, patrimonio se refiere simbólicamente, más que una identidad colectiva, a unos ideales compartidos. La selección patrimonial incluye aquí desde todo tipo de objeto y arquitectura, a las costumbres y creencias (García Canclini, 1993). Como veremos en el capítulo seis, las plataformas Salvem son un ejemplo de este tipo de activación por la movilización del tercer sector y por la valoración simbólica del patrimonio, en oposición a la aplicación de valores materiales.*

*El valor simbólico identitario tiene especial relevancia en la modernidad avanzada, como forma de afrontar el desarraigo y de responder a la secularización, con la generación de sentido. La creación de museos es una de las formas predilectas para activar el patrimonio partiendo del valor simbólico referencial.*

## 3.3. El museo

*En 1990, el Consejo Internacional de Museos (ICOM) definió el museo como «una institución permanente, sin ánimo de lucro, al servicio de la sociedad y su desarrollo, abierta al público y que realiza investigaciones sobre los testimonios materiales del hombre y de su entorno que adquiere, conserva y comunica y particularmente expone para su estudio, educación y disfrute» (ICOM, 1990:3 citado en Iniesta, 1994:26). Esta definición se ajusta a lo que es hoy un museo, en cuanto a continente (edificio o instalaciones), contenido (colección) y actividades (investigación y, particularmente, difusión). Sin embargo, desde el punto de vista de los procesos de activación y valoración del patrimonio, la existencia del museo tiene un significado más amplio, como contenedor de patrimonio y como representación metafórica de identidades. Cerraremos este capítulo profundizando en este significado del museo y para ello empezaremos con algunas notas sobre su historia.*

## 3.3.1. Un breve recorrido histórico

El museo como institución pública parte del siglo XVIII[17]. El British Museum, inaugurado en 1753, es el primero abierto al público profano. En ese mismo siglo, con la Revolución francesa el museo se convirtió en un espacio para rendir homenaje a la nación y para que los ciudadanos celebraran el arte patrio y percibieran la grandeza de la nación, a través de un patrimonio que se consideraba una representación de ella. El patrimonio empezaba así a devenir instrumento de legitimación de un estado que acabó constituyendo origen y modelo del moderno Estado-Nación.

En el siglo XIX, los museos siguieron con ese mismo uso del patrimonio para la búsqueda de identidad. Hasta entonces había sido una labor protagonizada por el Estado, pero la institucionalización de diversas disciplinas científicas contribuyó al creciente protagonismo de la ciencia, cuya irrupción conllevó una voluntad de clasificación sistemática y de reflexión teórica sobre la humanidad. Los museos de historia natural y los de antropología realizaron este esfuerzo incorporando en su discurso elementos que representaban a los pueblos colonizados fuera de Europa o a los pueblos rurales europeos. De este modo, la alteridad devenía fundamental en la definición del nosotros en negativo (por el exotismo) o en positivo (por la tradición).

A mediados del siglo XIX, a la luz del evolucionismo y de la institucionalización de las ciencias naturales y de las sociales, surgieron en toda Europa numerosos museos de historia natural que incluían elementos procedentes de las colonias, e identificados como restos de un pasado prehistórico. Entre 1880 y 1920 Europa experimentó una edad de oro del museo

---

[17] Para una aproximación más específica a la historia de los museos, se puede consultar Iniesta (1994) y, particularmente para el caso de los museos de antropología, Fernández de Paz (2003a). La mayor parte de lo que expondremos en este punto procede de estas dos fuentes.

*antropológico, iniciada con el museo Pitt Rivers, en 1861. Paralelamente, las preocupaciones asociadas al desarrollo del modelo de Estado-Nación y al avance industrial contribuyeron a la creación del museo folklórico, que buscaba reproducir la cultura tradicional y popular, asociándola con lo rural, como origen de un carácter o forma de vida original común a un colectivo nacional (Fernández de Paz, 2003). Son exponentes de este tipo de museo, en Francia, los de Quimper (1874) y Trocadéro (1879) y en España, el museo de Ripoll (1919). Una lógica parecida a la folklorista animó el modelo de Museo al Aire Libre, nacido en Suecia con el Museo de Skasen (1891). En este caso, se reproducían construcciones arquitectónicas consideradas tradicionales, recreando en ellas escenas diversas de la vida rural cotidiana. El escenario incluía maniquíes equipados que simulaban a los habitantes del lugar.*

*Con un objeto parecido nació, en 1937, el Musée d'arts et traditions populaires (ATP). Concretamente trataba de caracterizar la sociedad francesa e impulsar su estudio. Su fundador, Georges-Henri Rivière, acabaría introduciendo nuevas tendencias en la concepción del museo, durante su cargo como director del ICOM (1948-1966). Esa nueva línea museológica se denominó* **Nueva Museología** *y se plasmó, a nivel internacional, en la Mesa Redonda de Chile (1972), donde se definió la noción de museo integral como «institución al servicio de la sociedad, que adquiere, comunica y sobre todo expone con finalidades de estudio, de conservación, de educación y de cultura, testimonios representativos de la evolución de la naturaleza y del hombre» (Iniesta, 1994:66). Esta visión se consolidó con la creación de la asociación de conservadores «Nueva Museología y Experimentación Social» y con la Declaración de Québec (1984) (Romero de Tejada, 2002).*

*El nuevo paradigma sostenía que el museo debía reconocer la multiplicidad de voces en la activación patrimonial y, particularmente, las de la población cuyos objetos, tradiciones, creencias y conocimientos habían sido definidas como objeto de patrimonialización, en cierto territorio. Por ello se incorpo-*

raron a las iniciativas museográficas propuestas provenientes del asociacionismo popular y cultural que, además, se intentó animar. El museo debía convertirse en centro de documentación multidisciplinar para la investigación y la interpretación y tenía que gestionarse desde los principios ideológicos de la democracia participativa, la acción comunitaria, el igualitarismo y el compromiso con el Tercer Mundo y con las culturas minoritarias.

Donde el museo había enfatizado como conceptos guía de su práctica y discurso los de edificio, colección y público, el nuevo discurso museológico establecía, respectivamente, el dominio de los conceptos de territorio, patrimonio y público. Por una parte, el patrimonio se transformaba en una herramienta para el desarrollo de una comunidad reconocida como agente activador de patrimonio y, por otra, el museo: 1) se convertía en un servicio para los habitantes del territorio en el que se encontraba, entendido como el resultado de las acciones del hombre y de la naturaleza; y 2) comunicaba información sobre una sociedad que se expresaba a través de él, sobre su pasado, presente y futuro.

Varios tipos de museo siguen estos principios. Los **museos de vecindario o barrio** abordan temas que afectan directamente a la población de zonas urbanas concretas y promueven actividades culturales en ellas, como ocurre por ejemplo en el barrio de Anacostia, con la comunidad negra de Washington. Otro ejemplo son los **museos comunitarios**, locales, con los que una comunidad reivindica su propio patrimonio y, en algunos casos, la restitución de algo que le fue sustraído, como forma de buscar su reconocimiento colectivo. Es el caso, por ejemplo, del Kwakitutl Museum o del U'mista Cultural Centre, ambos en Canadá. En México, el programa de desarrollo de museos del Instituto Nacional de Antropología e Historia (INAH), entre 1983 y 1992, fue otro ejemplo de Nueva Museología, al promover la apertura de pequeños museos de comunidades indígenas y campesinas en diversos estados mexicanos, para contribuir a la revalorización de su propia cultura, *con su participación activa. También son ejemplos de este nuevo movimiento los* **museos polifónicos** *como el Musée de la Civilisation de Québec o el Musée d'Ethnografie de Neuchâtel que intentan generar un discurso postcolonial. Se trata de colaborar con los pueblos nativos para proteger e impulsar sus culturas, con la incorporación de arte indígena a las exposiciones, el compromiso de restitución de patrimonio enajenado que se encuentre en fondos ajenos y la reproducción en las exposiciones de perspectivas interpretativas occidentales y no occidentales (Iniesta, 1994; Romero de Tejada, 2002).*

*Pero el producto emblemático de la Nueva Museología es el* **ecomuseo**. *De nuevo encontramos a Rivière, quien fundó este tipo de museo para revelar identidades y conservar patrimonio, en un territorio, con la participación activa de su población en la gestión y para el desarrollo local. La activación patrimonial se convirtió, además, en una tarea de resistencia a fenómenos que podían afectar a la humanidad entera, como el agotamiento de los recursos naturales y minerales, la contaminación y el crecimiento industrial o demográfico permanente. El ecomuseo ponía al servicio de poblaciones locales el esfuerzo patrimonializador para devenir «un espejo en el que esa población se mira, en el que busca una explicación al territorio en el que está anclada, junto a las poblaciones que la precedieron... un espejo que esa población ofrece a sus invitados para ser mejor comprendida» (Segalen 2003:51, citando a Rivière y De Varine 1989:149). De este modo, el museo se convertía en laboratorio, conservatorio y escuela, con especial protagonismo de la población local y de los investigadores.*

*Los primeros ecomuseos surgieron en Francia, entre 1968 y 1971, con la gestión de parques naturales regionales. En ellos Rivière intentó aplicar patrones ya existentes en los museos al aire libre o de los Heimatmuseen[18], tratando de reconstruir*

---

[18]  *Museos alemanes de los años treinta del siglo XX que pretendían reproducir hábitos con los que se podía identificar una comunidad.*

*hábitos propios de un lugar concreto, para caracterizar la identidad en la relación hombre/medio. Pero el término ecomuseo no se acuñó hasta 1971 y se usó para referirse a un proyecto museológico disperso por un territorio, con antenas o radiales[19]. Es el caso del museo de Le Cresot; Montonceau-les-Mines, centrado en una comunidad urbana de antigua industrialización. Es entonces cuando se incorpora la participación de la población local en la concepción, gestión y evaluación del museo.*

*Según Iniesta (1994), la sombra de la idealización de un pasado glorioso y de un futuro utópico es, quizá, el principal problema que presenta este tipo de museo que, además, puede acabar inhibiendo otras iniciativas. Para Fernández de Paz (2003a), sin embargo, tiene la virtud de acercar el museo al mundo donde vive y trabaja la gente.*

*A finales del siglo XX y en los albores del XXI, el museo se ha convertido en una herramienta útil desde el ámbito local y regional para vincular la construcción de identidad local y los proyectos económicos, aunque con un énfasis creciente en el público, más que en el propio referente colectivo (Segalen, 2003). Por otra parte, han proliferado los* **museos de sociedad**, *que sintetizan el debate generado con la Nueva Museología, añadiendo a la definición que ya hemos visto de «museo integral» una estrategia de comunicación de carácter multivocal, con discursos abiertos y lenguaje interactivo y una descentralización y diversificación de la gestión (Iniesta, 1994).*

*Cabe decir que la Nueva Museología es más una tendencia manifiesta en prácticas museográficas concretas, que una línea para establecer museos ad hoc. Las tareas de visita guiada por medio de programas de educación participativa de visitantes*

---

[19]  *Las antenas consisten en diversos focos de interés patrimonial (monumentos, antiguas fábricas, exposiciones, etc...) distribuidos por un territorio, alrededor de un punto central de información y gestión.*

*adultos o infantiles seguirían este patrón. Otra posibilidad es la desarrollada en el Museum of Anthropology de la Univeridad de British Columbia, que mantiene una postura restitucionista, al ofrecer servicios profesionales a los indios a cambio de obtener información o material para exposiciones.*

### 3.3.2. El museo como metáfora y como contenedor patrimonial

*En el museo se escenifica la mirada ante el doble espejo de la representación del nosotros y de los otros. Para la primera, seleccionamos, conservamos, estudiamos y mostramos en el museo historia, tradición o arte, como referentes con los que nos identificamos. Para la segunda, hacemos lo propio con lo bienes ajenos, que percibimos como exóticos y lejanos. El museo se convierte, entonces, en una metáfora de la construcción de la identidad, por la diferencia. En este ejercicio metafórico entran en juego las distintas operaciones lógicas de construcción de la identidad que citábamos más arriba. Es decir que el museo puede, como ya hemos sugerido con el ejemplo griego, servir para condensar una referencia simbólica a un pasado único o, como en el caso mexicano, legitimar la dominación política por parte de un grupo, imponiendo su concepción de la ciudadanía y, sobre todo, de la nacionalidad y de la nación e impulsando la asimilación de la diferencia.*

*Aunque el museo pueda ser un instrumento para tratar de referirse a la desesencialización de la identidad —como vimos con el museo de la frontera— en la mayor parte de los casos es un espacio para condensar representaciones hegemónicas o subalternas de identidades. En el caso mexicano, por ejemplo, el debate sobre los nuevos modelos museológicos evidencia que el Museo Nacional de Antropología fue resultado de una cultura hegemónica, mientras la mayor parte de indígenas formaban parte de un estrato subalterno, que debía reclamar el derecho a hacer oír su voz. Fruto de una óptica alternativa es el Museo Nacional de las Culturas Populares (1982), que pretende recupe-*

*rar aquella voz y darle iniciativa, aunque sin dejar de ser un proyecto de elite. En otros casos, sin embargo, se sigue reproduciendo la imagen de lo indígena como fundamentalmente asociado a un pasado precolonial ya perdido, más que al presente. Sería el caso del museo arqueológico de Chapultepec. Sin embargo, museos que reproducen esa posición hegemónica pueden ser reconocidos por los propios indígenas como escenario de representación de su identificación colectiva y con los valores y expectativas del indigenismo. Sólo así se puede entender que los protagonistas de un revival Azteca pidan respaldo para la causa indígena de Chiapas a las puertas del museo arqueológico de Chapultepec. De esta manera, como explica Segalen (2003:57), «el museo se esfuerza por crear una identidad nacional y brinda una escena legítima a los que encarnan otras identidades, en su mayoría reconstruidas».*

*Una manifestación de la misma tendencia la encontramos en el caso de Québec, cuando el Museo de la Civilización consulta a los indígenas antes de exhibir ciertos objetos, e incluso impulsa la representación de rituales cuando aquellos son sagrados, en un esfuerzo de reconocimiento de su pluralismo constitutivo. En Canadá, de hecho, la construcción misma de un estado reconocidamente plurinacional ha marcado un modelo museológico que intenta aglutinar el bagaje cultural de colonizadores y colonizados. En 1989 se creó el Museum for the global village como una metáfora del reencuentro de civilizaciones, ideal de la imagen de Canadá como nación. Este museo acoge diversos tipos de patrimonio, entre los que destaca el etnológico, denominado allí «patrimonio vivo» y que consiste en «manifestaciones aún vigentes de cultura popular, desde el folklore a las artesanías, con un papel central de los conocimientos orales» (Iniesta, 1994:210-5).*

*Procesos similares al que se ha experimentado en Canadá podrían observarse, probablemente, en otras antiguas colonias, aunque no necesariamente siempre es así. Algunos estados africanos están llevando a cabo su propia política museística evitando toda representación de la diversidad étnica que cons-*

*tituye su sociedad, en la medida en que podría contradecir un discurso que representa al colectivo nacional armónicamente unido alrededor de unos mismos referentes colectivos y particularmente, en torno a la historia de las relaciones con la antigua metrópoli europea (Segalen, 2003).*

*En cualquier caso, el museo sigue jugando un papel como metáfora del proceso constante de construcción y reproducción de identidades. Y ello es posible por su capacidad como contenedor patrimonial, que es lo mismo que decir como almacén de significado y recursos simbólicos en constante actualización y uso. El museo es «el continente de un valioso contenido que no se mide por lo que éste comporta en sí mismo, sino por su potencialidad para comunicar a los usuarios el significado que lleva aparejado» (Gómez Pellón, 1993:137-8). Como contenedor patrimonial, pues, el museo alberga un significado que comunica a través de la museografía, es decir, por medio de recursos técnicos (instalaciones, arquitectura, administración, infraestructuras...).*

*Con un discurso estructurado, el museo trata de transmitir o provocar alguna interpretación cultural de la realidad que permita al visitante comprender el presente cultural y conocer algo del pasado de una sociedad que se representa a través de unos bienes patrimoniales. Los itinerarios culturales o las rutas promovidas desde la sede central de un ecomuseo hacia sus antenas son un ejemplo de cómo funciona este proceso de interpretación. Se trata de ubicar al visitante en un espacio definido por relaciones entre medio y humanos, a partir de ciertas unidades temáticas y escenarios seleccionados. El recorrido que seguirán los visitantes siempre refleja un relato con elementos que se reconocen con cierta coherencia y que son memorializables.*

*En cuanto a los contenidos del relato, existe un consenso bastante extendido entre teóricos de la museología en que el museo debe reflejar el proceso de cambio y dinámica cultural, en lugar de presentar objetos y elementos esclerotizados. Debe contextualizar con medios audiovisuales y documentar y ex-*

*plorar tradiciones y formas de vida social emergentes (Romero de Tejada, 2002). Los actuales museos han realizado avances sustanciales en este sentido, pero no sólo en cuanto a contenidos, sino también por lo que se refiere a la forma de ejercer su labor comunicativa. Entre dichos cambios destacan: a) en la difusión: espectacularización, nuevas técnicas de marketing y publicidad, aspectos lúdicos y recreativos, museografía participativa, relación con los medios de comunicación, creación de espacios de mediación (librerías, cafeterías, bibliotecas, tiendas, gabinetes didácticos...), uso de nuevas tecnologías, eventos masivos, colaboración con las asociaciones de amigos de los museos; b) en la colección: identidad de los museos con lugares conmemorativos, aparición de museos de múltiples temáticas, con incorporación de aspectos cotidianos y populares; y c) en la investigación, reencontramos los espacios de mediación y las nuevas tecnologías.*

*Estas innovaciones, a pesar de todo, no modifican el papel que históricamente ha tenido el museo como contenedor de la representación de identidades que es el patrimonio y, con ello, como metáfora del juego de espejos con el que nos construimos a nosotros mismos y a los otros.*

### Lecturas recomendadas para trabajar en clase:

*FERNÁNDEZ DE PAZ, Esther (2003): «La museología antropológica, ayer y hoy», en AGUDO TOTORRICO, Juan y otros (2003): Antropología y patrimonio: investigación, documentación e intervención, Granada; Junta de Andalucía-Editorial Comares, pp. 30-47.*

*PRATS, Llorenç (1997): «Introducción» y «El patrimonio como construcción social», en Antropología y patrimonio, Barcelona; Ariel, pp. 13-38.*

### Práctica para realizar en clase:

*A partir de folletos y webs de museos y artículos de prensa sobre el caso de los Papeles de Salamanca, explicar las cuatro operaciones lógicas de representación del patrimonio.*

## CAPÍTULO 4
# LA GLOBALIZACIÓN Y EL PATRIMONIO CULTURAL

GIL-MANUEL HERNÀNDEZ I MARTÍ

> «El sitio de la antigua autosuficiencia y aislamiento locales y nacionales se ve ocupado por un tráfico en todas direcciones, por una mutua dependencia general entre las naciones. Y lo mismo que ocurre en la producción material ocurre asimismo en la producción intelectual. Los productos intelectuales de las diversas naciones se convierten en patrimonio común. La parcialidad y limitación nacionales se tornan cada vez más imposibles, y a partir de las numerosas literaturas nacionales y locales se forma una literatura universal». (Marx y Engels, 1998, e.o 1848)

## 4.1. Globalización y cultura en la modernidad avanzada

Abordar el fenómeno de la globalización cultural resulta esencial para poder entender la configuración contemporánea del patrimonio cultural. En este apartado nos referimos a la relación que se establece entre el proceso de globalización y la esfera de la cultura. Dicha relación se concreta en las diversas manifestaciones de la desterritorialización cultural que definen la condición cultural de la globalización. Por ello, en primer lugar aclararemos los conceptos de globalización y cultura para, acto seguido, explicar el concepto de desterritorialización, en tanto en cuanto expresa la relación que en la modernidad avanzada se establece entre cultura y globalización. Una relación, como ya se ha esbozado, esencial para comprender las transformaciones que actualmente configuran el patrimonio cultural.

*La **globalización**, entendida como marco socio-histórico de la contemporaneidad, debe valorarse como un largo proceso histórico, íntimamente relacionado con el desarrollo de la modernidad y caracterizado por una constante intensificación de la conectividad compleja, es decir, del entramado de interrelaciones, contactos e interconexiones que se establecen, más allá de las fronteras estatales, entre grupos, individuos, redes sociales e instituciones. Materializada en una red de interconexiones e interdependencias, de rápido crecimiento y densidad creciente, la globalización caracteriza la vida social moderna a escala mundial. Podemos decir que la globalización se remonta muy atrás en la historia, desde las primeras grandes migraciones, la constitución de los imperios antiguos y el establecimiento de los primeros circuitos comerciales a gran distancia (Robertson, 2005). No obstante, a lo largo de la historia la globalización no ha hecho más que intensificarse, especialmente a partir del desarrollo de la modernidad, y de manera muy especial en los últimos treinta años, que suponen el ingreso en lo que se ha dado en llamar la segunda modernidad. La intensificación de la globalización genera, al ser cada vez más percibida socialmente, una progresiva toma de conciencia reflexiva que lleva a considerar el mundo como una totalidad interdependiente.*

*La globalización moderna implica acción a distancia y creciente proximidad en la distancia, como consecuencia del propio desarrollo de las instituciones y características de la modernidad. Ello significa que se realizan acciones (comercio, política, viajes, etc.) a grandes distancias, al tiempo que por el desarrollo de los medios de transporte y comunicación podemos salvar las distancias espaciales y temporales hasta lograr el contacto casi permanente con todos los lugares del mundo. La globalización supone transformaciones del espacio y del tiempo, como la separación entre tiempo y espacio (el tiempo y el espacio ya no están unidos en la esfera local, sino que se disocian, ya que el espacio es local y el tiempo se torna universal), la separación del espacio del lugar (se abre un espacio mundial de intercambios más allá de la esfera local o nacional) y la compresión espacio-temporal (cada vez hace falta menos tiempo para cubrir las mismas distancias espaciales), lo que además de fomentar las relaciones a distancia hace que acontecimientos, relaciones y procesos distantes (transnacionales o globales) penetren en los ámbitos vividos localmente. Giddens (1993) se ha referido a esta circunstancia como un mecanismo de «desarraigo» o «desanclaje», entendido como la creciente separación de las relaciones sociales de sus contextos locales de interacción y su reestructuración en intervalos indefinidos espacio-temporales. Ello significa que la interacción humana se hace cada vez más transnacional. El desarraigo o desanclaje implica que los procesos de construcción social del tiempo y del espacio se universalizan cada vez más y dejan de estar circunscritos a unos espacios locales específicos, siendo evidente la extensión de formas de relación social que transcienden los contextos locales de interacción social. En consecuencia, la globalización conecta el «allá afuera» del mundo y el «aquí dentro» de nuestros «mundos» íntimos fenoménicos, es decir, de nuestras experiencias locales y cotidianas.*

*La globalización se refiere a la creciente unicidad global (todos formamos parte de una unidad biocultural que es nuestro planeta Tierra y somos progresivamente conscientes de ello), un contexto que determina cada vez más las relaciones sociales y que simultáneamente designa un marco de referencia dentro del cual los agentes sociales imaginan cada vez más su existencia, identidades y acciones. La unicidad global no implica una uniformidad o homogeneidad, sino una compleja condición social y fenomenológica, una condición global humana en la cual se articulan los órdenes de la vida humana (Hernàndez i Martí, 2005). Dicho con otras palabras, los seres humanos comenzamos a saber que no vivimos separados unos de otros, que lo que sucede en una parte del mundo tarde o temprano repercutirá en nuestra esfera local, y a la inversa, lo que ocurra en nuestras localidades tendrá repercusiones en*

*lugares lejanos o en personas que ni tan siquiera conocemos.
En la medida en que las interconexiones, debido fundamentalmente a factores tecnológicos y económicos, aumentan, la
conciencia de que todos estamos embarcados en una misma
aventura, para bien y para mal, crea esa condición global
entendida como percepción social de la globalización.*

*La unicidad de la globalización se condensa en el concepto
de* **glocalización**, *que se refiere a la integración dialéctica e
inclusiva de lo local y lo global. Dicho de otro modo, la
glocalización entraña tanto la universalización del particularismo (por ejemplo, la difusión mundial del cine norteamericano o la occidentalización del mundo), como la particularización del universalismo (la existencia de una música rock
cantada en catalán, la existencia de las interpretaciones que
cada pueblo del mundo hace de una película de Hollywood o la
adaptación china del marxismo occidental). En síntesis, lo
global no se contrapone a lo local, sino que lo local aparece
incluido en lo global (Robertson, 2000). Esta integración dialéctica de lo local y lo global, de lo universal y lo particular, de lo
homogéneo y lo heterogéneo, es capital a la hora de abordar la
globalización cultural. Entender la globalización como
glocalización significa, pues, que la conectividad compleja
transforma la experiencia vivida local pero también confronta
a las personas con un mundo en el que sus destinos están unidos
simultáneamente en un solo marco global.*

*La consideración de la cultura en el marco del proceso
globalizador debe inscribirse necesariamente en un concepto
multidimensional e interrelacional, lo que significa reconocer
las conexiones que desde lo cultural se establecen con el resto
de dimensiones (demográfica, económica, política, social,
ecológica), así como la influencia que lo acaecido en dichas
dimensiones tiene sobre lo cultural.*

*La* **cultura** *puede entenderse como el orden de vida en que
los seres humanos confieren significados (que implican información) a través de la representación simbólica, es decir, las
maneras en que dotamos de sentido a nuestra vida, individual*

*y colectivamente, al comunicarnos unos con otros mediante sistemas simbólicos. Desde este punto de vista, la cultura aparece como un sistema significante más amplio —producción simbólica de significados— que constituye y permeabiliza todo lo social. Se trata, como señala Williams (1981), del conjunto de prácticas significantes que se hallan intrínsecamente presentes en todas las demás actividades o dimensiones, pero cuya significación está disuelta, en estado «latente», como si fuera un terrón de azúcar disuelto en un vaso de leche. Sería el caso de los símbolos inscritos en las monedas o de los dibujos de un manual de instrucciones de un electrodoméstico. Sin embargo, la cultura también aparece como un sistema significativo en sentido «manifiesto», como un campo o dimensión específica de la modernidad, donde se incluyen toda una serie de prácticas significantes manifiestas, como pueden ser una obra de teatro, una escultura o una película. La metáfora, en este caso, es la de un terrón de azúcar sólido, no disuelto. Por ello, cuando penetramos en la conectividad compleja (globalización) desde la perspectiva de la cultura, lo que nos interesa fundamentalmente es cómo altera la globalización el contexto manifiesto (sólido) de construcción de significados o el «reino de significado existencialmente significativo» (Tomlinson, 2001), al cual pertenece de manera destacada el patrimonio cultural.*

*Globalización y cultura se constituyen mutuamente. En primer lugar, la globalización altera la forma en que conceptuamos la cultura, ya que la penetración simultánea de fuerzas y flujos distantes en los mundos locales separa los significados cotidianos de su entorno más próximo. De este modo, la globalización debilita las certidumbres de lo local, al tiempo que ofrece nuevas experiencias culturales vinculadas a lo global. La globalización, pues, complejiza y amplía la experiencia cultural, convirtiéndose en la nueva condición histórica para la producción de significados, para la producción simbólica de la realidad. Dicha experiencia cultural se revela transnacional, móvil, fluida, conectada a distancia, potenciadora de la movili-*

*dad de los sujetos, al tiempo que reconfigura o reconstruye la localidad desde la propia experiencia desterritorializada.*

*En segundo lugar, la cultura se revela como realmente constitutiva de la conectividad compleja que define la globalización. Tal como ha subrayado Giddens (1997), la conexión dialéctica entre los grandes procesos y transformaciones sistémicos y las transformaciones de nuestros «mundos» más locales e íntimos de experiencia cotidiana implica que los actos culturales llevados a cabo en la esfera local, individual o íntima tiene consecuencias globales relevantes. Ésta es una primera razón por la cual la cultura es de importancia para la globalización. Un segunda razón es que la cultura aporta densidad simbólica y significativa a la conectividad compleja, es decir, constituye simbólicamente la conectividad compleja. Dicho con unos ejemplos, la existencia de productos culturales como las películas de Disney, la comida McDonalds, las pizzas italianas, los restaurantes chinos o los museos virtuales en red, dotan a las interconexiones mundiales de un sentido plenamente cultural, y refuerzan todavía más los lazos entre personas de diversas partes del mundo en torno a unos referentes culturales que se consumen e interpretan de manera común, aunque diversa.*

*Como señala García Canclini (1999a), la cultura constituye la globalización en el imaginario de las personas o, si se prefiere, la conectividad compleja se constituye en gran manera en la esfera de la cultura y a su vez la esfera de la cultura se constituye como dimensión específica de la globalización. En definitiva, podemos afirmar que existe un mecanismo de retroalimentación entre cultura y globalización. Globalización y cultura se producen dialécticamente, es decir, interaccionan mutuamente. La globalización altera (produce y constituye) la experiencia cultural (la cultura), al tiempo que la experiencia cultural (la cultura) altera (produce y constituye) la globalización. Existe, en consecuencia, una recíproca relación entre una producción globalizada de cultura (por ejemplo, las grandes industrias culturales de la música, el cine o la televisión) y una producción cultural de la globalización (por ejemplo, los grandes mitos del cine o del cómic).*

## 4.2. La desterritorialización como condición cultural de la globalización

*El desarrollo y extensión de los procesos de mediatización (auge de los medios de comunicación), migración (movimientos de personas), turistización (desarrollo del turismo) y mercantilización (cada vez hay más cosas susceptibles de convertirse en mercancías), que caracterizan a la trayectoria histórica de la globalización durante la modernidad, van a producir una considerable intensificación de la* **desterritorialización***, entendida ésta como proliferación de experiencias culturales translocalizadas (Hernàndez, 2002). La desterritorialización, como rasgo central de la globalización, implica la creciente aparición de formas de contacto y de vinculación social que van más allá de los límites de un territorio concreto, a modo de un «desanclaje» (Giddens, 1993) de las relaciones sociales, que nos lleva a vincularnos más con lo externo, generando proximidad a través de la distancia, y a alejarnos relativamente de lo próximo (que es relativizado al conocer más referentes culturales externos)[20]. Tradicionalmente, los individuos experimentaban relaciones sociales y culturales con sus semejantes en una esfera reducida, en el nivel local, comarcal, o como mucho en la esfera nacional. Por*

---

[20]   *Hay que tener en cuenta que la territorialización implica un conjunto de mecanismos de carácter administrativo, económico-productivo, social y cultural encaminados a construir socialmente un determinado espacio geográfico o físico en un territorio, sobre el que se constituye un hábitat, un escenario de acción y de relaciones sociales en el que tiene lugar la producción y reproducción de la sociedad. De modo que es la sociedad la que constituye (y ello lo hace esencialmente de manera simbólica) el espacio como escenario colectivo, delimitándolo, acotándolo, nombrándolo, es decir, territorializándolo.*

*tanto, sus experiencias culturales estaban vinculadas a su territorio, arraigadas, ancladas a un lugar próximo, familiar y conocido. Sin embargo, la desterritorialización cultural significa que, con el avance de la globalización y la modernidad, las personas establecen vínculos sociales y culturales con espacios, grupos e individuos que no pertenecen a su territorio, es decir, externos, por lo que sus contactos, sus consumos y sus experiencias se des-anclan, se des-arraigan de su ámbito local, para hacerse más translocales o transnacionales. Del mismo modo, esos mismos individuos van a poder dar a conocer su cultura a las gentes de fuera, sacándola del territorio tradicional y colocándola en una esfera espacial superior.*

*Las redes mediáticas y comunicativas actúan como claros vehículos de desterritorialización cultural, de forma que la extensión de las formas de relación social desterritorializada tiende a generalizarse con la intensificación de la globalización, transformando así el estatuto de los entornos locales, cada vez más condicionados por las dinámicas globales.*

*La* **mediatización***, esto es, el desarrollo e impacto creciente de medios de comunicación de masas, actúa como una fuente preferente de desterritorialización, al tiempo que se convierte en un catalizador de otras fuentes de desterritorialización (migraciones, turismo, grandes centros de consumo, transformaciones económicas). Como indica Tomlinson (2001), la mediatización ejerce una absoluta omnipresencia en la experiencia cultural desterritorializada. Dicha experiencia implica abrirse al mundo y ampliar los horizontes culturales a través de los medios de comunicación globalizados. Lo que significa que la globalización transforma la relación entre los lugares que habitamos y nuestras prácticas, experiencias e identidades culturales. La desterritorialización nos habla de la pérdida de relación tradicional de la cultura con los territorios geográficos y sociales (García Canclini, 1990), describiéndonos una profunda transformación del vínculo entre nuestras experiencias culturales cotidianas y nuestra configuración como seres preferentemente locales (Tomlinson, 2001). Con todo, es muy* *importante no interpretar la desterritorialización de las experiencias culturales localizadas como un empobrecimiento de la interacción cultural, sino como una transformación por el impacto que en el ámbito local suponen las crecientes conexiones transnacionales de carácter cultural.*

*Paradójicamente, la desterritorialización también incluye las manifestaciones de* **reterritorialización***, que García Canclini define como «ciertas relocalizaciones territoriales relativas, parciales, de las viejas y nuevas producciones simbólicas» (1990:288). Lo que significa que ante la avalancha de flujos de productos culturales que nos llegan del extranjero, podemos reaccionar intentando conservar, reafirmar o revitalizar nuestras especificidades culturales locales, como pueden ser nuestras gastronomías, músicas, fiestas o tradiciones. Atendiendo al concepto de glocalización propugnado por Robertson (1992), la desterritorialización y la reterritorialización constituyen las dos caras de la misma moneda de la globalización cultural: por un lado nuestras culturas son introducidas en la red de interconexiones mundiales, y por otro las fortalecemos para que no sean eliminadas o deterioradas por la modernidad y la globalización.*

*En un contexto intensamente desterritorializado, la globalización de las experiencias cotidianas dificulta cada vez más la conservación de un sentido estable de la identidad cultural local, incluida la identidad nacional, en la medida en que nuestra vida diaria se entreteje más y más con influencias y experiencias que se originan en regiones lejanas. Como han resaltado especialmente Appadurai (2001), García Canclini (1999), Ianni (1998), Ribeiro (2003) y Tomlinson (2001), para entender la sustancia de la desterritorialización potenciada por el proceso de mediatización hay que conceder una especial importancia a las alteraciones que experimenta el trabajo de la imaginación. Todos poseemos un imaginario constituido por imágenes culturales (mitos, leyendas, héroes, artes, tradiciones, referentes), un imaginario que tradicionalmente se ha surtido de elementos locales (nuestras costumbres, religiones,*

*relatos míticos o artistas). Pero mediante el proceso de amplia-*
*ción mediática de la imaginación, desde su radicación local los*
*individuos pueden imaginar otras vidas, familiarizarse con*
*paisajes, mitos, imágenes y productos culturales ajenos a su*
*localidad, crear nuevos materiales para la reelaboración de lo*
*local, desarrollar lazos culturales de carácter transnacional,*
*traer la diversidad cultural al lugar, reinterpretar los productos*
*culturales estandarizados o establecer las condiciones para la*
*hibridación (la mezcla de elementos culturales). El trabajo de*
*la imaginación implica la combinación de imágenes locales y*
*externas y la constitución de nuevas comunidades imaginadas,*
*pues más allá del pueblo, la ciudad, la comarca o la nación,*
*aparece el mundo como unidad imaginada. El trabajo de la*
*imaginación supone, asimismo, un espacio de disputas y nego-*
*ciaciones simbólicas mediante el cual los individuos y los*
*grupos buscan anexar lo global a sus propias prácticas de lo*
*moderno, especialmente a través de la confluencia entre la*
*mediatización y el movimiento de personas (Appadurai, 2001).*

*Con todo, la desterritorialización no es ni totalmente nove-*
*dosa ni totalmente uniforme. En primer lugar porque antes de*
*la época contemporánea las culturas locales no fueron nunca*
*culturas puras y aisladas, ajenas a las influencias culturales*
*exógenas. En segundo lugar porque la globalización es*
*asimétrica y desigual, lo que significa que la experiencia cultu-*
*ral por ella creada es compleja y variada. Todos los habitantes*
*del mundo y todas las clases sociales experimentan la*
*desterritorialización, pero lo hacen desde condiciones y con-*
*textos diferenciados o desiguales.*

*La desterritorialización se convierte, entonces, en una con-*
*dición cultural general que proviene de la diseminación*
*transnacional de la modernidad, cuyas implicaciones*
*existenciales alcanzan a más personas que nunca y transfor-*
*man de manera muy profunda su vida cotidiana. Como ya se ha*
*esbozado, la desterritorialización se inserta en el carácter*
*dialéctico de la globalización, pues lejos de implicar un proceso*
*lineal o unívoco, provoca mecanismos contrarios y reflexivos*

*de reterritorialización. Ésta última se plasma en la búsqueda ansiosa de la diversidad cultural, del particularismo, del reforzamiento de lo local, del respeto por el propio patrimonio cultural, apelando incluso para ello a medios desterritorializados (sería el caso de defender la singularidad de una fiesta propia promocionándola en circuitos turísticos o en internet). No debe olvidarse, al respecto, el mismo carácter ambiguo o ambivalente de la desterritorialización, que de la misma manera que genera ventajas produce costos tan evidentes como los sentimientos de vulnerabilidad existencial, recelo ante culturas más poderosas económicamente o las sensaciones de desarraigo cultural, especialmente si se considera que los individuos siguen ligados a un lugar que es importante para ellos. De lo que se deriva que la desterritorialización contemporánea no significa en modo alguno el final de la localidad, sino su transformación en un espacio cultural más complejo, caracterizado por diversas manifestaciones, tendencias o efectos culturales: mi ciudad sigue siendo mi ciudad, con su cultura propia, pero al mismo tiempo está penetrada por otras culturas o incluso ella misma se proyecta hacia el exterior a través de diversos medios, como, por ejemplo, el turismo.*

*Las manifestaciones de la desterritorialización cultural son básicamente dos: la* **homogeneización** *cultural y la* **heterogeneización** *cultural (que incluye la diferenciación e hibridación culturales), plasmaciones ambas de la universalización del particularismo (lo particular se puede universalizar o proyectar a lo global) y la particularización del universalismo (lo universal se puede particularizar y enraizar con lo local). Interesa trascender el debate que contrapone homogeneización a heterogeneización para mostrar como ambas tendencias coexisten y se implican mutuamente. De la mutua relación entre homogeneización, diferenciación e hibridación se deriva el establecimiento continuo de conexiones dialécticas que delimitan la fenomenología glocalizadora de la experiencia cultural desterritorializada.*

La **homogeneización** *cultural presenta tanto una cara apocalíptica (la homogeneización entendida como estandarización, americanización, occidentalización, mercantilización o empobrecimiento de la cultura mundial), como integrada (la homogeneización también se puede manifestar beneficiosamente, y en última instancia siempre encuentra su límite en la recepción activa de los bienes culturales en contextos locales diferenciados). Ejemplos de homogeneización serían la difusión del cine norteamericano, del nacionalismo, del cristianismo o de la concepción occidental de la ciencia.*

*Por lo que se refiere a la heterogeneización, la* **diferenciación** *se manifiesta tanto en la recepción activa y diferencial ante productos culturales estandarizados como en la afirmación de la identidad cultural propia a través de diversos mecanismos (patrimonialización cultural, indigenismos, nacionalismos culturales, fundamentalismos, formación de nuevas comunidades étnicas transnacionales o novedosas comunidades virtuales también transnacionales). Ejemplos de la diferenciación serían la defensa del patrimonio local, de la lengua propia o la recuperación de los fundamentos de una religión específica.*

*Finalmente, la* **hibridación** *implica la fusión, mestizaje, criollización, síntesis o simbiosis entre diversos planos culturales que no se agotan en la oposición global/local, sino que también atañen a pares como tradicional/moderno, real/virtual o urbano/rural. Sería el caso de la fusión entre géneros musicales, entre religiones o entre elementos del pasado y del presente. En todo caso, habiendo existido en otras etapas de la globalización diversas manifestaciones de homogeneización y heterogeneización cultural, el incremento de la intensidad, extensión, velocidad, impacto, infraestructuras y marco institucional (Held et al, 1999) de la globalización cultural contemporánea delimita su carácter diferencial, especialmente visible en los mecanismos desterritorializadores. O lo que es lo mismo, estas tres manifestaciones de la desterritorialización cultural se diferenciarían de las acontecidas en otras fases de la globa-*

*lización precisamente por su elevado grado de desterritorialización, visible paradójicamente en el hecho, ya esbozado, de que los propios mecanismos reactivos o compensatorios de reterritorialización tengan que utilizar medios desterritorializados, aspecto éste que veremos ejemplarmente plasmado en el caso del patrimonio cultural.*

## 4.3. La desterritorialización del patrimonio cultural

*Como ya hemos subrayado anteriormente, la desterritorialización del patrimonio cultural evidencia una notable paradoja de la modernidad avanzada, ya que constituyendo la patrimonialización de la cultura un aspecto destacado de la reterritorialización cultural, no puede escapar ni a un contexto ni a unos medios desterritorializados para realizarse. De ahí que, de la misma manera modo que hemos contemplado las tres manifestaciones básicas de la desterritorialización cultural en términos generales (homogeneización, diferenciación e hibridación), seguidamente hayamos de valorarlas en el seno de la propia desterritorialización del patrimonio cultural.*

*Por lo que se refiere a la* **homogeneización**, *ésta se aprecia en una serie de rasgos, que pasamos a enunciar. En primer lugar, cabe referirse a la Lista del Patrimonio Mundial, activada en 1978 por la UNESCO, a la que año tras año se han ido añadiendo los lugares declarados patrimonio de la humanidad. Sobre incluir bienes procedentes de todo el mundo, llama poderosamente la atención el hecho de que en la lista predomina claramente el patrimonio cultural occidental o vinculado a la civilización cristiana. En segundo lugar, el propio concepto de patrimonio cultural es un producto de la cultura moderna occidental, y como la ideología nacionalista a la cual va estrechamente ligado, no ha hecho más que ir mundializándose desde el siglo XIX, generando un mimetismo en los territorios coloniales que a partir del siglo XX obtienen la independencia durante los procesos de descolonización. En tercer lugar, los bienes de la lista mundial conforman una especie de cultura* *global común, según la acepción defendida por Ortiz (1997). Se trata de una cultura de orígenes localizados pero asumida como universal en atención a su propia desterritorialización, si bien construida por la diversidad cultural que emana de sus propios componentes. En cuarto lugar, desde 1972, fecha en que la Convención sobre la Protección del Patrimonio Mundial, Cultural y Natural, adoptada por la Conferencia Mundial de la UNESCO, comienza a difundirse mundialmente una categoría estandarizada de lo que se ha de entender por patrimonio mundial (tanto natural como cultural), con unos criterios aprobados por todos los países firmantes de la Convención y con categorías uniformes en las que encuadrar el patrimonio cultural. Ello es así porque las convenciones y recomendaciones internacionales tienen un alcance mundial e implican definiciones universalistas y homologadas de lo que se entiende por patrimonio. En quinto lugar, funcionan una serie de instituciones y saberes expertos (técnico-científicos) que, además de la UNESCO, difunden una concepción homogénea de lo que cabe entender por patrimonio y de cómo éste ha de ser estudiado y preservado. Es el caso de instituciones o redes institucionales como Consejo de Europa, Unión Europea, ICOM, ICCROM, ICOMOS, UICN o Forum UNESCO Universidad y Patrimonio). En sexto lugar, existe un conjunto de fórmulas y categorías patrimonializadoras estandarizadas difundidas mundialmente (bien cultural, museo, ecomuseo, parque temático, reserva de la biosfera, parque natural, entre otras), que homogeneizan la definición, clasificación y gestión del patrimonio cultural en todo el orbe, del mismo modo que también sucede con los dispositivos de gestión, conservación, protección, definición, evaluación, explotación comercial y categorización del patrimonio cultural.*

*En cuanto a la **diferenciación**, debe señalarse que la patrimonialización cultural constituye una de las principales expresiones actuales de diferenciación cultural y afirmación de las culturas e identidades locales. Este hecho se produce en buena medida como una reacción de reterritorialización frente a la* *percepción reflexiva de desterritorialización desde el punto de vista del riesgo, si bien, paradójicamente, dicha reacción utiliza los medios de comunicación para manifestarse y afirmarse. La diferenciación se advierte claramente en la revitalización de tradiciones, un fenómeno ampliamente documentado en el mundo (Boissevain, 1999; Berger y Huntington, 2002), que implica la readaptación a las exigencias culturales de la modernidad avanzada de una serie de materiales culturales provenientes de la tradición, como es el caso de la música folklórica, fiestas, costumbres, oficios, artesanías, muestras y ferias, entre otras diversas manifestaciones de la cultura popular tradicional. En segundo término nos podemos referir, sobre la evidencia empírica de estudios realizados en Francia, Canadá y el País Valenciano, a la defensa del patrimonio por parte de las organizaciones cívicas, aspecto éste que aparece desarrollado en el capítulo 6.*

*Finalmente, cabe referirse a la* **hibridación** *como manifestación de desterritorialización cultural que afecta al patrimonio. La propia idea moderna de patrimonio cultural ya denota en buena medida un fenómeno de hibridación, pues en su construcción social y conformación intervienen diversos actores y planteamientos culturales donde se cruzan lo culto, lo popular, lo masivo, lo económico, lo político, lo identitario y lo científico. El propio hecho de que el patrimonio se forje con la readaptación de materiales provenientes de la tradición cultural (pasado) para usos diversos en la sociedad moderna (presente), supone un procedimiento de mezcla, de fusión y de simbiosis que genera un producto que no es ni tradición en sentido estricto (ya que ésta desaparece con los procesos de destradicionalización), ni una simple manifestación de la cultura actual, aunque sea hija de las ansiedades y programas culturales de la sociedad de la modernidad avanzada. Patrimonializar la cultura, por tanto, implica hibridar la cultura, mezclar elementos rescatados del pasado con elementos generados en el presente, manteniendo una firme vocación de futuro que se traduce en la necesaria transmisión intergeneracional del patrimonio cultural.*

*Hay que hacer una especial mención de la hibridación resultante de la mezcla desterritorializada de patrimonios de diversa procedencia, todo ello en el contexto de la reconformación transnacional de lo local. Piénsese, por ejemplo, en la creciente difusión de los parques temáticos, donde se produce la incorporación en un espacio nuevo, por lo general un «no-lugar» en el sentido que le da Augé (1993), de elementos patrimoniales provenientes de diversas culturas y civilizaciones, bien de manera metafórica (reproducciones), bien de manera metonímica (con elementos reales), mezclándose todos ellos para obtener un nuevo bien cultural destinado al consumo turístico o de ocio. Prats (1997), de hecho, llama a estas activaciones patrimoniales, «activaciones híbridas», ya que juegan con la mezcla de patrimonios para diversos fines identitarios, sociales y turísticos.*

*Pero la hibridación patrimonial con un claro carácter desterritorializado no acaba ahí, ya que la podemos detectar en otros ámbitos. Así sucede con los patrimonios híbridos de origen o en curso (fiestas, artesanías, músicas, lenguas, ferias o indumentaria), sometidos a procesos de espectacularización o ecualización, o con los llamados «espacios culturales», reconocidos por la UNESCO como muestra de las obras maestras del patrimonio oral o inmaterial, que precisamente a raíz de su declaración como tales se insertan en los modernos circuitos turísticos, alterando así su faz y convirtiéndose en crisol de tradiciones «típicas» (caso, por ejemplo, del peculiar universo cultural de la Plaza de Djemma-El-Fnaa de Marrakech). La patrimonialización de híbridos culturales también deriva del impacto del turismo y de los medios de comunicación, en el sentido de la fabricación de patrimonios externos o globales que son reincorporados posteriormente en otras localidades e insertados en su cultura local, tal y como ha sucedido con la exportación y adaptación local del modelo de Carnaval brasileño, los modelos festivos anglosajones de Navidad y Halloween o el modelo alcoyano de fiestas de Moros y Cristianos en su expansión por el sudeste de la península ibérica.*

La modernidad avanzada acentúa la hibridación de los patrimonios en otros ámbitos: en la publicidad, donde se fusionan estrategias comerciales y diseños vanguardistas con la apelación a temas de la tradición; en la reivindicación ciudadana, cuando los colectivos «salvem» no dudan en introducir exposiciones de arte moderno en los patrimonios tradicionales a salvar para realzar su propio valor cultural con el valor añadido de la obra de arte contemporánea y comprometida; en la refuncionalización moderna de los patrimonios, consistente en la celebración de festivales o eventos creativos en entornos patrimoniales (una ópera rock en un teatro romano o un festival musical intercultural en un entorno patrimonial arquitectónico); en las modernas creaciones cibernéticas que utilizan como base recursos patrimoniales; o en la generación de museos y espacios donde se funden de manera implosiva lo real y lo virtual, lo estrictamente museístico y lo espectacular comercial (caso del Port Vell de Barcelona o la Ciutat de Les Arts i les Ciències de Valencia.

## 4.4. La globalización del patrimonio cultural

Entendido como construcción socio-histórica que representa la reconversión moderna del pasado y la tradición, el patrimonio cultural aparece en la actualidad como un fenómeno multidimensional con implicaciones tanto locales como globales. El patrimonio cultural, surgido como concepto en el siglo XIX (patrimonio histórico-artístico y monumental), y redefinido en los años cincuenta del siglo XX (bienes culturales), eclosiona a partir de los años setenta, coincidiendo con lo que podríamos denominar como la crisis de la primera modernidad y la aceleración del proceso de globalización.

Abordar la globalización del patrimonio comporta contextualizar el patrimonio en una serie de transformaciones de la sociedad moderna, como son la emergencia de nuevos riesgos, la proliferación de mecanismos de reflexividad, el extrañamiento del pasado, el tránsito hacia una nueva modernidad y el propio proceso de globalización, especialmente en su vertiente cultural, que implica la culturización de la vida social, la mediatización y mercantilización de la cultura y la dialéctica global/local.

Efectivamente, la globalización, en tanto que proceso irreversible y visible en todas las dimensiones de la vida social, afecta también al patrimonio cultural, hasta el punto de que el propio proceso globalizador se convierte en uno de las principales agentes de las transformaciones que afectan a la sustancia misma del patrimonio, ampliando sus territorios e influyendo en los contextos nacionales y locales del mismo. Se trata, en suma, de un proceso histórico de carácter dialéctico, que lleva al patrimonio cultural desde unos orígenes locales vinculados al Estado-Nación a unas dimensiones globales, desde las cuales se vuelven a reconfigurar las dimensiones locales en la modernidad avanzada. Este mecanismo de ida y vuelta se aprecia no sólo en la globalización del patrimonio, sino también con la gestación e implementación del concepto de patrimonio de la humanidad, estrechamente ligado a la intensificación de la percepción de los riesgos que amenazan al patrimonio, y cuyo extremo último se sitúa en la esfera de las identidades locales.

La globalización del patrimonio se articula a través de la fijación de normas, especialmente en forma de declaraciones, convenciones y recomendaciones, mediante la constitución de instituciones especializadas, y a través de la adopción de campañas internacionales de concienciación y salvaguarda. Se trata de un proceso que tiene lugar durante el último medio siglo, intensificándose a partir del último tercio del siglo XX, que es cuando se forja el concepto de patrimonio de la humanidad y se amplían las categorías patrimoniales[21]. Como ante-

---

[21]  La información para la exposición detallada de este proceso ha sido recogida en las obras y aportaciones de González-Varas (1999), Morales (1996), Blanc Artemir (1992), Álvarez (1992), Prott (1999), Vinson (1999),

*cedente, baste citar que Marx y Engels, en su célebre Manifiesto Comunista publicado en 1848, sostuvieron que la misma convergencia que se producía a escala mundial en la producción material, a partir de la explotación del mercado mundial, se daba también en la producción intelectual. Por ello, sostenían estos autores, a partir de las diversas literaturas nacionales y locales se creaba una literatura universal y un patrimonio común a las distintas naciones. De tal manera que, siguiendo las huellas de la Ilustración, Marx y Engels habían imaginado ya la idea de una cultura y una herencia cultural de la humanidad (Ariño, 2002:141-142).*

*La primera gran reunión internacional sobre el patrimonio se produjo con la conferencia internacional de arquitectos celebrada en Atenas entre el 21 y 30 de octubre de 1931, titulada como Conferencia internacional para el estudio de los problemas relativos a la conservación y la protección de los Monumentos de arte e historia, y auspiciada por la Sociedad de Naciones. Ya en abril de 1931 se sugirió, desde la Oficina Internacional de Museos (OIM), una clasificación internacional «de ciertos monumentos de arte que pueden ser considerados como patrimonio común de la humanidad», lo que implicaría «unas obligaciones internacionales» al respecto. Esta primera mención al «patrimonio mundial» se ratificaría en la Conferencia de Atenas con la adopción de la Carta de Atenas, dedicada a la protección y conservación del patrimonio arquitectónico. Posteriormente se preparó el texto de un tratado internacional destinado a la protección de las obras de valor histórico y artístico, pero con el proyecto ya muy avanzado el estallido de la Segunda Guerra Mundial interrumpió los trabajos, que sólo se reanudaron acabado el conflicto bélico. En 1935 también se firmó en Washington el Pacto Roerich, destinado a la protec-*

---

*García (1998), Burgos Estrada (1998), Cruces (1998), Agudo-Fernández (1999), Audrerie-Soucher-Vilar (1998), Desvallées (1998), así como en la página web de la UNESCO ([http://www.portal.UNESCO.org](http://www.portal.UNESCO.org))*

*ción, en caso de guerra, de los bienes muebles e inmuebles a los que se aludía en el texto del acuerdo.*

*Finalizada la guerra mundial, el 26 de junio de 1945 se creó la Organización de Naciones Unidas (ONU), desde la cual se fijarían los fundamentos de las posteriores normativas y políticas internacionales sobre el patrimonio cultural. En la Convención constitutiva de la UNESCO (Organización para la Educación, Ciencia y Cultura de las Naciones Unidas), acaecida el 4 de noviembre de 1946, se habló de la necesidad de proteger el «patrimonio universal de libros, obras de arte y de otros monumentos de interés histórico o científico», y en diciembre de 1948, mediante la adopción por la Asamblea General de la ONU de la Declaración Universal de los Derechos del Hombre, se ratificaron las necesidades planteadas respecto al patrimonio cultural. Por su parte, en 1946 fue fundado el Consejo Internacional de Museos (ICOM), dedicado a la preservación del patrimonio museístico. En 1949 se instauró el Consejo de Europa, compuesto por la Asamblea de Parlamentarios y el Comité de Ministros, que desde un ámbito regional europeo comenzó a adoptar decisiones internacionales en el ámbito patrimonial. Cabe mencionar, asimismo, que en la V Conferencia General de la UNESCO, celebrada en 1950 en Florencia, la UNESCO adoptó una resolución para «la preservación del patrimonio cultural de la humanidad», por la que se instaba a los estados miembros a comprometerse en dicha preservación.*

*No obstante, fue en la Convención para la protección de los bienes culturales en el caso de conflicto armado celebrada en La Haya el 14 de mayo de 1954, cuando comenzó a definirse el concepto de «bien cultural», enfatizándose la necesidad de preservación efectiva del patrimonio de la humanidad[22]. En el*

---

[22] *Según Blanc Artemir (1992) la denominación literal de «patrimonio común de la humanidad», que en 1967 la ONU adoptó a propósito del régimen que debía regular el fondo y el subsuelo de los océanos, ya se*

*Preámbulo de la Convención se deja claro que los atentados a los bienes culturales pertenecientes a cada pueblo constituyen atentados al patrimonio cultural de la humanidad entera, por lo que su conservación compete a todos los estados. Además, con la adopción del concepto de «bien cultural» se supera la clásica y elitista concepción de monumento histórico, que sólo atendía a los productos más destacables de las actividades creativas, para avanzar hacia la toma en consideración de cualquier manifestación o testimonio significativo de la cultura humana. Se trata, por tanto, de un concepto más amplio, global e integrador de patrimonio que tiene que ver con la renovación de la historiografía —que propiciará el reconocimiento de las producciones culturales de las clases populares— la extensión del concepto antropológico de cultura y la necesidad de incorporar como patrimonios las realidades culturales de los países del Tercer Mundo, en proceso de descolonización. Con todo, si bien la Convención de 14 de mayo de 1954 ampliaba el espectro del patrimonio cultural y aportaba el concepto moderno y flexible de bien cultural, la materialidad e incluso la monumentalidad seguirían constituyendo referentes fundamentales para definir unos bienes culturales cuya trascendencia mundial quedaba ratificada.*

---

*hallaba presente en las reflexiones internacionales sobre el patrimonio cultural. De hecho la concepción universalista del género humano aparece vinculada a los primeros intentos de teorización del derecho internacional, de tal manera que con la constitución de la ONU el concepto de «patrimonio de humanidad» va siendo progresivamente incorporado a una serie de instrumentos internacionales adoptados en su seno. El concepto tiene un acusado carácter prospectivo, pues implica la conservación del patrimonio para las generaciones venideras, así como el reconocimiento de la existencia de ciertos intereses comunes y superiores que sobrepasan los objetivos inmediatos y particulares de los estados. De esta forma la «humanidad» aplicada al patrimonio evoca «un concepto abierto a todos los hombres, pueblos y Estados, sin distintivo de raza, sexo, religión o ideología, y que engloba por tanto a todas y cada una de las culturas» (Blanc Artemir, 1992:36-37).*

*Desde la Convención de La Haya de 1954 hasta la Convención de París de 1972, que consolidó e institucionalizó el concepto de «patrimonio mundial», la globalización del patrimonio siguió su curso, jalonada por diversas convenciones, recomendaciones, campañas y reuniones, que fueron las que crearon el contexto propicio para que la UNESCO adoptara el giro de 1972, que marcó el inicio de la época de más intensa globalización del patrimonio cultural, con las consecuencias pertinentes en la consideración y gestión local del patrimonio.*

*Como hitos a destacar inmediatamente posteriores a la Convención de 1954 deben mencionarse la fundación en 1957 del Centro Internacional de Estudios de Conservación y Restauración de Bienes Culturales (ICCROM), con sede en Roma; la campaña internacional para salvar los monumentos egipcios de la presa de Asuán, en 1959, a la que siguieron en años posteriores otras de signo similar en Venecia (Italia), Moenjondaro (Pakistán) y Borobudur (Indonesia). El 11 de diciembre de 1962 se promulgó en París la Recomendación para la salvaguarda de la belleza de los paisajes y lugares, y como hito especialmente destacable, el parlamento italiano instituyó, por medio de la Ley de 26 de abril de 1964, una Comissione d'indagine per la tutela e la valorizzazione del patrimonio storico, artistico e del paessagio, conocida como la Comisión Franceschini. Esta comisión desarrolló sus trabajos entre 1964 y 1967 y definió el «bien cultural» como «todo bien que constituya un testimonio material dotado de valor de civilización», al tiempo que introducía el concepto de «bien ambiental». Durante ese mismo año de 1964 se redactó la Carta de Venecia, adoptada por el XII Congreso Internacional de Arquitectos y Técnicos de Monumentos Históricos, que ampliaba la noción de «monumento histórico» hasta incluir en su ámbito el «ambiente urbano y paisajístico», e instaba a la cooperación internacional en materia de conservación y restauración. Como consecuencia del Congreso de Venecia, quedó constituido el Consejo Internacional de Lugares y Monumentos (ICOMOS).*

*La conferencia organizada en Whasington en 1965 propuso la creación de una Fundación del Patrimonio Mundial, cuyo objetivo sería estimular la cooperación internacional a fin de proteger «los lugares y los paisajes más soberbios del mundo, así como los sitios históricos, para el presente y para el porvenir de toda la humanidad». Un año después la Conferencia General de la UNESCO emitió una Declaración de Principios de Cooperación Cultural Internacional, en la cual se subrayaba la idea de que todas las culturas formaban parte del patrimonio cultural de la humanidad. La orientación preventiva de las acciones internacionales se plasmó, asimismo, en la Recomendación de la UNESCO de 19 de noviembre de 1968, relativa a la preservación de bienes culturales puestos en peligro por trabajos públicos y privados. Paralelamente se plantearon toda una serie de propuestas por parte de la Unión Internacional para la Conservación de la Naturaleza y sus Recursos (UICN), fundada en 1948 para proteger debidamente el patrimonio mundial natural. El proceso de confluencia de conservación global del patrimonio cultural y natural hizo que la UNESCO y el UICN presentaran un texto único en la Conferencia de Estocolmo sobre Medio Ambiente Humano de 1972. No obstante, el reconocimiento integrado y definitivamente institucionalizado del patrimonio mundial (cultural y natural) llegó con la Convención sobre la protección del patrimonio cultural y natural del mundo, también denominada Convención para el Legado Mundial o Convención del Patrimonio Mundial, adoptada en París por la Conferencia General de la UNESCO el 23 de noviembre de 1972, y revisada en París en 1992. El resto del proceso de la globalización del patrimonio cultural aparece ya descrito en el capítulo dos, por lo que seguidamente nos centraremos en el análisis del patrimonio mundial que se consolida a partir de la Convención de 1972.*

*Hay que ser conscientes de que la globalización del patrimonio es mucho más compleja que la historia de sus textos legales o la acción de sus instituciones, ya que implica una gran diversidad y complejidad de agentes sociales. Con todo, lo aquí hemos tratado de mostrar es, por una parte, la evidencia de la progresiva globalización, institucionalización y ampliación del conservacionismo patrimonial, acelerada a partir del último tercio del siglo XX, en clara coincidencia con la transición hacia una modernidad reflexiva o radicalizada. Por otra parte, hemos querido subrayar la vinculación causal de dicho proceso de patrimonialización con la globalización de la percepción de los riesgos que amenazan a la cultura del pasado.*

## 4.5. El patrimonio cultural de la humanidad

*Como ya se ha señalado, la Lista del Patrimonio Mundial instituida en la Convención de 1972 empezó a activarse en 1978, con la primera declaración de bienes culturales como* **Patrimonio de la Humanidad**, *es decir, como patrimonio mundial susceptible de ser sentido como patrimonio común por todos los seres humanos. Son bienes a los que se reconoce un carácter especial al estar investidos de un valor superior e intemporal que ha de ser protegido entre todos los estados como herencia común de la humanidad (Ballart, 2001). Desde 1972 hasta 2000 un total de 161 países han ratificado la Convención, lo que supone el 81,7% de los estados del mundo, y de los países firmantes un total de 120 han visto declarados como «Patrimonio de la Humanidad» algún bien cultural propio. Ello supone el 73,5% de los países firmantes, por lo que, ya de entrada, se comprueba que existe todavía un importante 26,5% de países no incluidos en la Lista Mundial, la mayoría de ellos ubicados en regiones subdesarrolladas. O dicho con otras cifras, el 39,1% de los estados del mundo no aparece en la Lista de Patrimonio Mundial. A fecha de 2000, y sin contar los 19 bienes inmateriales declarados en 2001 en una categoría apar- te, existían 690 bienes declarados como patrimonio mundial, de los cuales 529 eran bienes culturales (76,6%), 138 bienes naturales (20,0%) y 23 bienes mixtos (3,3%). Predominan claramente, pues, los bienes calificados como culturales. Con datos de 2004, el total de bienes culturales declarados como patrimonio de la humanidad es de 788 bienes (77,5%), de los cuales 611 son culturales, 154 son naturales (19,5%) y 23 son de* *carácter mixto (2,8%). En cuanto a los bienes inmateriales, en 2003 se declararon 28 nuevos, lo que sumados a los 19 anteriores generan una lista de 47 Obras Maestras del Patrimonio Oral e Intangible de la Humanidad.*

*Si entramos en mayores detalles en los datos disponibles de 2000, comprobamos como sólo un conjunto de 19 países concentra el 50,2% (347 bienes) de la Lista, países que representan un escaso 15,5% del total de países con bienes declarados como patrimonio mundial. De esos 19 países 10 son europeos, y tan sólo hay 4 países subdesarrollados. Por el contrario, se puede apreciar que existen 66 países (55% del total de países firmantes) con tres o menos de tres bienes declarados en la Lista, de los cuales 43 países (65,1%) son países subdesarrollados, situación que contrasta con el hecho de que el 40,2% de los bienes declarados pertenezcan a los países del mundo más avanzado. Y los datos todavía son más elocuentes si se advierte que tan sólo 47 bienes (el 6,8% de la Lista) pertenecen a 19 países de los considerados como «muy pobres».*

*Advertimos que sólo 19 países tienen entre 10 y 30 bienes declarados, mientras que a medida que el número de bienes concentrados desciende el número de países posesores asciende, lo que nos proporciona una imagen de desproporción en lo que se refiere a la distribución de los bienes de la Lista. Se comprueba claramente que Europa concentra la mayoría de los bienes de la Lista (44,7%), situación que contrasta con la escasa presencia de África (12,4%) u Oceanía (2,6%). Por contra, en la Lista de Patrimonio Mundial en Peligro, en la cual en 2000 se hallaban inscritos 30 bienes (4,3% del total de la Lista), predominan los países africanos (con el 46,6% de los bienes), seguidos de los asiáticos (23,3%) y los americanos (20%), frente a los europeos (10%), siendo dichos bienes en peligro en su mayoría naturales (63,3%) frente a los culturales (36,7%).*

*Entre 1978 y 2000 ha habido una cierta estabilidad en cuanto al número de bienes declarados y países escogidos por año, aunque desde 1996 se ha producido un incremento en ambos aspectos, lo que nos habla de una aceleración del crecimiento del patrimonio mundial en cuanto a número de bienes, pero no tanto de una mayor apertura hacia nuevos países que en los últimos años han añadido su nombre a la Lista, ya que la tendencia desde 1980 es la de una incorporación sostenida, con una media de 4 países al año.*

*A la hora de efectuar una clasificación tipológica de los bienes de la lista mundial (año 2000), el primer rasgo que llama la atención es el predominio de las villas históricas (20,6% del total), hecho que aparece relacionado con la constitución en 1993 de Organización de las Ciudades del Patrimonio Mundial, que en cada país cuenta con su propia estructura. Las ciudades históricas presentan continuidad en cuanto a su declaración desde 1978, y apelan claramente a la vertiente más historicista del patrimonio, es decir, a lo que se ha conocido tradicionalmente como «patrimonio histórico-artístico», en buena medida arquitectónico. Lo mismo sucede con los centros urbanos históricos, que representan el 9,1% y ocupan el tercer lugar de la Lista. Esta orientación historicista se conecta, asimismo, con el monumentalismo que hasta el giro hacia lo inmaterial ha dominado las activaciones y definiciones patrimoniales. Dicho enfoque monumentalista se confirma observando el resto de la bienes de la Lista: los lugares y parques arqueológicos (11,8%), los complejos arquitectónicos (6,6%), o el conjunto de monasterios, castillos, iglesias, catedrales, palacios, templos y santuarios que se sitúan en la parte alta de la Lista. Es de destacar, al respecto, la importante presencia de bienes relacionados directamente con el mundo cristiano, ya que sólo los monasterios, iglesias, catedrales, abadías, conventos, basílicas, hospicios y misiones suman el 16,2% de los bienes de la Lista, a lo que habría que añadir los elementos arquitectónicos relacionados con la cultura cristiana occidental, como ciudades, palacios, castillos, jardines, tumbas, hospitales o torres, entre otros. En contraste cabe advertir una sola mención a una mezquita (si bien una gran cantidad de mezquitas e iglesias cristianas se hallan reconocidas en las ciudades históricas y cascos urbanos históricos), mientras que los templos no cristianos suman el 2,1%*

*de bienes. De modo que se puede afirmar que existe un predo-
minio en la Lista de los bienes relacionados con el mundo
religioso tradicional y con la cultura occidental cristiana en
general. Como ya quedó expresado, sólo el 3,6% de bienes de la
Lista fueron elaborados o creados en los siglos XIX-XX, siendo
en su mayoría bienes menos relacionados con la religión y más
con las creaciones de la modernidad (línea férrea, estación de
bombeo, barrio obrero, fábrica, campo de concentración, as-
censores hidráulicos o ciudades no nuevo cuño como Brasilia).
Debe destacarse, finalmente, el progresivo crecimiento de los
paisajes culturales (4,3%), especialmente en los años noventa,
con lo que ello implica de mayor apertura de las categorías
patrimoniales hacia los elementos inmateriales y la interacción
amplia entre cultura y naturaleza. Aun así, y más allá de los
resquicios para lo inmaterial inherentes a los paisajes culturales, la Lista está dominada exclusivamente por bienes materiales inmuebles, la mayoría de ellos monumentales. Situación
que contrasta con los bienes escogidos en la nueva Lista de
Patrimonio Oral e Inmaterial, donde de los 47 bienes seleccionados en 2003, hay 18 bienes relacionados con la música, 6
alusivos al teatro, 6 espacios culturales, 4 fiestas, 4 manifestaciones de la cultura oral, 4 manifestaciones de artesanía y 5 de
carácter combinado.*

　*En el patrimonio natural la situación es diferente al patrimo-
nio cultural, ya que existe un predominio más claro de una
categoría, en este caso de los parques nacionales y naturales,
con un 48,7% del total de bienes, seguidos a gran distancia por
las regiones o paisajes naturales (7,5%) y las reservas naturales
(6,8%), islas, bosques, montañas y otro tipo de reservas (de la
biosfera, forestales o de fauna). Es de destacar que una importante cantidad de los bienes naturales de la Lista se ubican en
países no desarrollados, en muchos casos africanos, por contraste con el patrimonio cultural, mayoritariamente situado en
zonas desarrolladas.*

　*Analizada, aunque someramente, la estructura básica de la
Lista del Patrimonio Mundial material, que es la dominante en*

*el total del patrimonio de la humanidad, cabe, a modo de conclusión provisional señalar, sus siguientes rasgos:*

*1.- **Materialismo**. Sigue predominando una puesta en valor de los bienes en función de criterios materiales (bienes materiales), como demuestra el hecho de que sólo recientemente se haya creado una Lista Mundial de Patrimonio Inmaterial y Oral, que normativamente debe de crecer cada dos años, y no cada uno como sucede en la lista de patrimonio material. Con todo, mediante el uso de categorías como la de paisaje cultural, introducida en los años noventa, se va abriendo la puerta a la incorporación y valorización conjunta de elementos materiales e inmateriales, posibilitando así una categorización flexible del patrimonio.*

*2.- **Monumentalismo**. La Lista Mundial y las campañas mundiales de salvación, así como el seguimiento que de ellas realizan los medios de comunicación de masas, continúan primando una visión del patrimonio en términos de «monumento», de «cultura «culta» y de grandes obras de arte, especialmente de carácter arquitectónico, lo que se traduce en valorizaciones conectadas con la espectacularización y turistización del patrimonio.*

*3.- **Occidentalismo**. Los bienes de la Lista Mundial aparecen esencialmente vinculados a las culturas clásicas de Occidente, con menor presencia de las orientales, las americanas, las africanas y las oceánicas. Dicha situación, sin embargo, cambia en la Lista del Patrimonio Mundial en Peligro, dominada por las culturas africanas, o en la Lista de Bienes Orales e Inmateriales, donde la cultura occidental es minoritaria. De este modo, se produce una vinculación entre monumentalismo y occidentalismo, mientras que los bienes inmateriales y materiales en peligro se vinculan a culturas fundamentalmente no occidentales.*

*4.- **Cristianismo**. Una gran parte de los bienes mundiales aparece ligada a aspectos y manifestaciones de religiosidad, especialmente de la religión cristiana, y muy específicamente en su vertiente católica, quedando en una posición secundaria* *las religiones no occidentales o los vestigios de religiones ya desaparecidas.*

5.- **Historicismo-Tradicionalismo**. *Prácticamente la totalidad de los bienes poseen una acusada dimensión histórica, que aparece resaltada especialmente en determinadas categorías, como las ciudades históricas y los cascos urbanos históricos. La historia funciona, pues, a modo de fuente de activación patrimonial esencial, como se demuestra en el hecho de que el 96,3% de los bienes de la Lista hayan sido creados antes del siglo XIX. De ellos, una buena parte pertenece a tiempos anteriores a la Era Cristiana, y otra buena parte se vincula al período de la Edad Media y la Edad Moderna. Lo cual pone de manifiesto el carácter del patrimonio mundial como puesta en valor de la cultura (en buena parte alta cultura) de procedencia tradicional.*

6.- **Escasa presencia de la Modernidad**. *Por el contrario, los bienes producidos en la época de la modernidad (a partir del siglo XIX) son bien escasos en la Lista Mundial, siendo de destacar que buena parte de ellos aparecen ligados a la Revolución Industrial, en tanto que ésta empieza a ser percibida, al asignársele una historicidad diferenciada, como materia patrimonializable.*

7.- **Distribución asimétrica de bienes patrimoniales**. *Ya se ha visto como se produce una concentración de bienes de la Lista Mundial por parte de los países desarrollados del Norte, especialmente los europeos, frente a una todavía escasa presencia de los países del Sur subdesarrollado. Ello determina un mapa donde se pueden distinguir áreas despatrimonializadas, junto a otras subpatrimonializadas y otras sobrepatrimonializadas. Como señalan Audrerie, Souchier y Vilar (1998), una minoría de países se erigen en portadores de universalidad, mientras que otros quedan excluidos de ella. Dicha circunstancia, según estos autores, debería vincularse a de las mayores posibilidades e infraestructuras existentes en Europa para financiar y mantener las empresas conservacionistas del patrimonio, a los criterios predominantes que* *favorecen el monumentalismo y la representatividad de lo visible, a la complejidad burocrático-administrativa en la presentación de candidaturas, a la falta de fondos para mantener un bien en la Lista y al impacto social diverso que las inscripciones en la Lista tienen en los distintos países.*

*Hemos repasado los rasgos fundamentales del patrimonio globalizado, al menos del patrimonio global institucionalizado, ya que la globalización del patrimonio transciende lo institucional para proyectarse más allá, como de hecho se advierte en la dimensión local. En este sentido hay que dejar claro que dicha dimensión local, donde juega un papel fundamental el asociacionismo patrimonial y la representación de las identidades en forma de patrimonio, no se puede separar de lo global, ya que el conservacionismo global acaba influyendo en el conservacionismo local y viceversa, de manera que ambos niveles aparecen unidos. No hay más que recordar, al respecto, como los avances en la patrimonialización global, a través de las grandes declaraciones y recomendaciones, o mediante la enunciación de conceptos como el de «bien cultural», «paisaje cultural» o «bien inmaterial», han acabado repercutiendo en las definiciones nacionales y locales de patrimonio, como sucede con la Ley de Patrimonio Histórico Español (1985) o con las diversas leyes autonómicas, entre las cuales debe destacarse la Llei de Patrimoni Cultural Valencià (1998).*

*En todo caso, la sensibilización mundial sobre el patrimonio aparece en relación dialéctica con la sensibilización local vinculada a las identidades, obligadas por una modernidad cada vez más fluida a redefinirse en un contexto de cambio radical y continua transformación. Nos encontramos, pues, a la hora de intentar definir la globalización del patrimonio, con los límites inherentes a ésta (asimetrías entre estados, falta de recursos para la activación o la conservación, peso de los arquetipos patrimoniales del pasado, dificultades burocráticas y de gestión), pero también con sus efectos directos sobre el plano de la reactivación patrimonial local y, sobre todo, con el hecho de una respuesta reflexiva a una situación de riesgo globalizado, que más allá de su concreción institucional, nos está hablando de una reinterpretación y reelaboración glocal de la tradición, que supone la definitiva incorporación de ésta a la lógica de la modernidad reflexiva.*

## 4.6. La UNESCO y la gestión del patrimonio cultural

*La* **UNESCO** *fue creada como un actor cultural corporativo de carácter transnacional orientado a asegurar, mediante la educación, la ciencia y la cultura, «el respeto universal a la justicia, a la ley, a los derechos humanos y a las libertades fundamentales». Desde finales de los años cuarenta la UNESCO, con sede en París, ha ido elaborando un discurso y una política sobre la diversidad cultural con pretensiones normativas (Ariño, 2004), al tiempo que se ha ido configurando como la máxima institución mundial en materia del patrimonio cultural, marcando así las pautas para su valoración, difusión y gestión no sólo a escala universal, sino también en las esferas estatales, regionales y locales. Por ello, en el presente apartado nos centraremos en su labor global como agente dinamizador y gestor del patrimonio cultural, entendido éste desde el respeto a la diversidad cultural humana. Pues como afirmara el Director General de la UNESCO, Koichiro Matsuura, en su prólogo al Informe Mundial de la Cultura de 2000: «La búsqueda de vías para influir en las dimensiones social y ética de la globalización, o para inventarlas, plantea inevitablemente cuestiones de cultura. Estas cuestiones de expresión e identidad cultural, pluralismo y diversidad cultural, patrimonio y desarrollo cultural representan el eje del mandato de la UNESCO en el campo de la cultura».*

*No en vano, la UNESCO se configura como nuevo actor en la esfera del patrimonio, ya que hasta su creación sólo los estados nacionales habían actuado como garantes colectivos del patrimonio cultural, procediendo a su gestión y administración. Con la aparición y actividad de la UNESCO, la protección y gestión del patrimonio asume una dimensión transnacional, que si bien todavía apoyada en la suma de estados nacionales, pretende impregnar las esferas regionales y locales y potenciar una sensibilidad verdaderamente global respecto a la conservación del patrimonio cultural.*

*La Conferencia General de la UNESCO genera toda una serie de documentos proteccionistas de alcance internacional (convenciones, recomendaciones, declaraciones), algunos de los cuales son jurídicamente vinculantes para los estados miembros, mientras que otros no lo son. Pese a la actividad de la UNESCO en el sentido de extender sus instrumentos jurídicos, debe señalarse que los intereses divergentes de carácter político y económico entre los estados miembros dificultan o retardan su ratificación y aplicación.*

*La labor de la UNESCO en materia de patrimonio cultural se enmarca dentro del Sector de la Cultura de la institución. Dicho sector aparece comandado por un subdirector general del que depende una Oficina Ejecutiva, que se desdobla en una serie de subsectores, llamados divisiones. En primer lugar está la División de las Políticas Culturales y del Diálogo Intercultural. En segundo lugar la División de las Artes y de Iniciativas Culturales, a la que aparece asociado un Fondo Internacional para la Promoción de la Cultura. En tercer lugar está la División del Patrimonio Cultural, que se ocupa específicamente del patrimonio mundial, junto con un cuarto organismo, llamado Centro del Patrimonio Mundial. A partir de aquí, la estructura administrativa se descentraliza.*

*La División del Patrimonio Cultural consta de varias secciones dedicadas, respectivamente, al patrimonio material, al patrimonio inmaterial, a los museos y a las normas internacionales. En cuanto al Centro del Patrimonio Mundial, creado en 1992 para asegurar la administración diaria de la Convención, organiza las reuniones anuales del Comité del Patrimonio Mundial, se ocupa de los sitios que conforman la Lista del Patrimonio de la Humanidad y es responsable de la administración del Fondo del Patrimonio Mundial para los bienes que requieren restauración, financiamiento de acciones de cooperación téc-*

nica y formación, actividades educativas y promocionales, y casos de emergencia. Asimismo, el Centro coopera con otros grupos de trabajo dedicados a la conservación tanto dentro de la UNESCO, como con el exterior, concretamente con los tres órganos asesores, como son el ICOMOS (Consejo Internacional de Monumentos y Sitios), la UICN (Unión Internacional para la Conservación de la Naturaleza y sus Recursos) y el ICCROM (Centro Internacional de Estudios de Conservación y Restauración de los Bienes Culturales), además de otras organizaciones internacionales como la Organización de Ciudades Patrimonio de la Humanidad (OCPM)[23] y el Consejo Internacional de Museos (ICOM). El Centro también organiza seminarios y talleres, actualiza la base de datos de la Lista Mundial y elabora material educativo y promocional sobre el Patrimonio Mundial. En todo caso, cabe añadir, la UNESCO tan sólo representa la superestructura mundial de todo un complejo entramado de instituciones y organizaciones públicas y privadas que intervienen en la gestión del patrimonio cultural en todo el mundo, desarrollado de manera extensa en los últimos decenios con la contribución de la legislación internacional, nacional y regional (Ballart y Juan, 2001:83).

La labor que la UNESCO desarrolla en el campo del patrimonio cultural mundial se inscribe, además, en una apuesta por el respecto universal a la diversidad cultural. Por este motivo, la UNESCO aprobó el 2 de noviembre de 2001 una Declaración Universal sobre la Diversidad Cultural, en la que se recalcan los retos culturales que plantea la globalización, así como la necesidad de un apoyo decidido de los estados miembros al propio principio de la diversidad cultural. A tales efectos, se declaró el 21 de mayo como el Día Mundial de la Diversidad

---

[23] En 1993 los ayuntamientos de Ávila, Cáceres, Salamanca, Santiago de Compostela, Segovia y Toledo constituyeron el Grupo de Ciudades Patrimonio de la Humanidad de España, para acometer proyectos comunes de conservación y desarrollo de estas ciudades.

Cultural, por el Diálogo y el Desarrollo. Posteriormente, la UNESCO declaró el año 2002 como Año del Patrimonio Cultural, al cumplirse el 30 aniversario de la Convención del Patrimonio Mundial, con el especial objetivo de extender las relaciones de colaboración entre los sectores público y privado y la sociedad civil.

En esta misma línea de respeto y fomento de la diversidad cultural, desde la UNESCO se ha enfatizado en los últimos años la necesidad de incrementar el **diálogo intercultural**, para así garantizar mejor el mantenimiento de la paz y la cohesión del mundo. Se persigue la identificación y preservación de las culturas revivificándolas, evitando así que queden reducidas a guetos, y previendo que se produzcan excesos y conflictos asociados a la defensa de la identidad cultural. En conexión con estas políticas, la UNESCO también se ha venido preocupando de integrar la promoción del turismo cultural en las coordenadas de diversidad cultural, diálogo intercultural y desarrollo sostenible, como medio de contribución a la lucha contra la pobreza, la defensa del medio ambiente y el aprecio mutuo de las culturas.

Desde su fundación, la UNESCO ha venido desarrollando todo un discurso sobre la diversidad cultural, que ha ido evolucionando a lo largo del tiempo, como bien se ha encarnado de mostrar Ariño (2004). En un primer momento, desde 1945 hasta 1948, la UNESCO defendió la importancia de la cultura como conocimiento, en el sentido de alcanzar así el entendimiento y la comprensión entre estados nacionales. Posteriormente y hasta 1978, coincidiendo con los procesos de descolonización, la UNESCO subrayó la relación entre la cultura y la identidad nacional para vencer el etnocentrismo y destacar la unidad humana en la diversidad. Ello supuso el viraje desde una concepción democratizadora de la alta cultura y una política distributiva de la misma hacia el paradigma de la democracia cultural, que constata la diversidad y la existencia de legitimidades alternativas y reclama una política de su reconocimiento. A partir de 1978 empezaron también a recono-

*cerse y defenderse los derechos culturales de las minorías étnicas, nacionales, religiosas y lingüísticas, y la UNESCO, que hasta entonces utilizaba un concepto de cultura enlazado con el de Estado-Nación, pasó a defender los derechos de los grupos, reivindicándose como un actor corporativo mundial que hablaba en nombre de la humanidad, es decir, de una comunidad imaginada de alcance planetario.*

*En 1995 la UNESCO emitió un informe titulado Nuestra Diversidad Creativa. A partir de entonces, y hasta el año 2000, en que irrumpe el nuevo lema del «diálogo entre civilizaciones», la UNESCO concentra su actuación y producción en torno a la diversidad cultural. Al respecto, la institución publica diversos informes; en 1998 lo hace con Cultura, creatividad y mercados; en 2000 con Diversidad cultural, conflicto y pluralismo; y en 2002 con Diversidad cultural. Patrimonio común, identidades plurales. En 2001, con la ya mencionada Declaración Universal de la UNESCO sobre la Diversidad Cultural, ésta se convierte en el centro de los programas y actividades de la UNESCO. Como ha señalado Ariño (2004:7), este posicionamiento implica que: «Al hecho constatado e incuestionable de la diversidad se debe responder con la política del pluralismo cultural: ha llegado la hora de la diversidad creativa, de los conflictos positivos y no destructivos, la era de la cohabitación cultural y, por ello, de la organización y el control de la diversidad».*

*Como resultado de las nuevas condiciones de la modernidad avanzada y globalizada se producen cuatro consecuencias; en primer lugar, la centralidad de la cultura en la modernidad avanzada; en segundo lugar, el reconocimiento de la dignidad igual de todas las culturas; en tercer lugar, el cuestionamiento de la supuesta universalidad de los valores occidentales y de su visión de la modernidad; y en cuarto lugar, el desanclaje definitivo de la cultura de su anterior base territorial (el Estado-Nación) y la liberación del concepto de nación de toda connotación de exclusividad étnica. En el nuevo contexto altamente globalizado, la diversidad cultural tiene que ver con la realidad de una cultura intensamente desterritorializada, desde la cual se imponen la cohabitación cultural en el sentido de «convivencia cultural» y de construcción de una «identidad cultural relacional». Este hecho implicaría una auténtica democracia cultural, en el sentido de que los individuos y colectividades reconocerían múltiples identidades culturales así como la obligación de pensar sus relaciones en un registro político, que garantizara las identidades y a la vez ofreciera un medio de trascenderlas (Wolton, 2004:63-69).*

*En este nuevo y problemático contexto, la UNESCO aparece como un actor global capital para el entendimiento cultural y, por tanto, para el reconocimiento, difusión, intercambio y adecuada valoración del patrimonio de la humanidad, un patrimonio que constituye no sólo una suma de múltiples y variados patrimonios locales, sino una nueva dimensión del proceso secular de patrimonialización de la cultura que la reconstruye como herramienta de desarrollo sostenible y entendimiento para la paz.*

### Lecturas recomendadas para trabajar en clase:

*LÉVI-STRAUSS, L (2001): «Repercussió de les últimes ampliacions de la noció de patrimoni en la Convenció del Patrimoni Mundial», Informe Mundial de la Cultura. Diversitat cultural, conflicte i pluralisme, Barcelona, Centre UNESCO de Catalunya, pp. 153-163.*

*MASON, R-DE LA TORRE, M (2001): «Conservació del patrimoni i valors a les societats en procés de globalització», en Informe Mundial de la Cultura. Diversitat cultural, conflicte i pluralismo, Barcelona, Centre Unesco de Catalunya, pp. 164-179.*

### Práctica para realizar en clase:

*Sobre un mapamundi, colocar banderitas de diferentes colores (uno por cada uno de los cinco continentes) en los bienes que componen la lista de la UNESCO del Patrimonio de la Humanidad. La finalidad es comprobar la asimetría de la lista y la preponderancia de Europa en ella.*

*CAPÍTULO 5*
# LA DIFUSIÓN DEL PATRIMONIO CULTURAL Y EL TURISMO

GIL-MANUEL HERNÀNDEZ I MARTÍ

«*El mapa del turismo mundial hace malabarismos tanto con el tiempo como con el espacio, y de Luxor a Palenque, de Angkor a Tikal, o de la Acrópolis a la Isla de Pascua, la idea de un patrimonio cultural de la humanidad va tomando cuerpo, pese a que este patrimonio, al relativizar el tiempo y el espacio, se presente antes que nada como un objeto de consumo más o menos desprovisto de contexto, o cuyo verdadero contexto es el mundo de la circulación planetaria al que tienen acceso los turistas más acomodados desde el punto de vista económico y más curiosos desde el punto de vista intelectual, el mundo en el que los criterios del confort o del lujo uniformizan lo cotidiano: de un confín a otro del planeta, los aeropuertos, los aviones y las cadenas hoteleras ubican bajo el signo de lo idéntico, de lo comparable, la diversidad geográfica y cultural.*» (Augé, 2003)

## 5.1. El turismo y el conocimiento del patrimonio cultural

*El turismo como actividad económica y cultural, por una parte, y el patrimonio cultural como reconversión conservacionista de la cultura, por otra, se vinculan orgánicamente a través de lo que podemos definir como la* **difusión del patrimonio**. *Éste, que aparece valorado como cultura y es históricamente conservado en la esfera local o nacional, trasciende este nivel y se proyecta en la distancia a través de su consumo turístico, al tiempo que dicho consumo lo sitúa como bien con un valor de mercado e incluso lo dota como recurso para el* *desarrollo local. Hay que recordar, además, que el patrimonio cultural fue el principal motivo de viaje de los primeros tours históricos, de modo que lo que hoy denominamos como turismo cultural es, en cierto modo, una reiteración (y una recuperación tardomoderna) de lo que en su sustancia primigenia informó la práctica turística. Bien es cierto que con el turismo de masas, especialmente de sol y playa, aquella inicial focalización del viaje en la cultura clásica pasó a un segundo plano, pero es precisamente este desplazamiento moderno el que conformaría la paradoja de su reciente recuperación, de la mano del ya aludido turismo cultural.*

*En todo caso, debe recordarse que a lo largo de la historia del turismo el patrimonio cultural ha sido uno de los más importantes motivos para la compra de viajes turísticos. Ello es debido a que, constituyendo el turismo una industria que trabaja con lo exótico y con la memoria, el patrimonio cultural desprende un aura especial que actúa como dispositivo de reencantamiento en una sociedades paulatinamente marcadas por el desencantamiento y el avance de la racionalidad instrumental. Como bien señala Ritzer (2000), durante el último medio siglo, que coincide con la etapa de auge mundial del consumo turístico, se ha reproducido una dialéctica que lleva del desencanto modernizador a un reencantamiento compensatorio que utiliza los grandes medios de comunicación, el consumismo, los grandes centros comerciales, las industrias de la cultura espectaculares o el turismo para recuperar la magia perdida. No obstante, añade Ritzer, los mecanismos para producir dicho reencantamiento precisan en última instancia de recursos profundamente desencantadores, como la ciencia, la tecnología, la burocracia o la motivación básica de la ganancia, por lo que el reencantamiento es siempre provisional, artificioso, racionalizado y sometido a un vértigo de transformación. En este contexto, el patrimonio cultural le aporta al turismo el encanto nostálgico de la historia, de la cultura, del genio y de la naturaleza virgen, insuflándole una suerte de trascendencia intramundana basada paralelamente en el apo-*

*yo de lo espectacular, el aporte de la realidad virtual y la lógica del consumo. No en vano, Augé (1998) ha subrayado la tendencia a presentar lo real como un espectáculo, lo que constituye un tránsito a lo ficcional que afecta de lleno al turismo y a su recreación escenográfica del patrimonio cultural.*

*Como bien ha indicado Prats (1997), y señalamos en el capítulo primero, la relación entre patrimonio cultural y turismo apela a la dialéctica entre el «nosotros del nosotros», es decir, la imagen que poseemos de nosotros mismos, y el «nosotros de los otros», o la imagen que construimos de nosotros mismos para aquellos que nos visitan. El patrimonio cultural conforma en gran parte nuestra imagen cultural autorreflejada, mientras que el turismo la proyecta, convenientemente retocada, tamizada y filtrada, hacia los territorios del exterior.*

*Ahora bien, para que la imagen de la cultura propia pueda ser proyectada turísticamente se precisan visitantes interesados por ella. La práctica de estas visitas se remonta bastante en el tiempo. De hecho, ya en la Antigüedad clásica existían importantes santuarios venerados hacia donde se desplazaban masas de viajeros, que podían disfrutar de diversas infraestructuras de acogida, como posadas o albergues. Durante la época helenística y bajo el Imperio Romano fue frecuente la construcción de selectas villas donde los ciudadanos acomodados se entregaban al otium, al tiempo que proseguían las peregrinaciones religiosas. Con la decadencia del Imperio y la época de las grandes invasiones la seguridad decayó, se degradaron las vías de comunicación y los viajes menguaron. Con todo, con la extensión del cristianismo y la múltiple erección de iglesias, catedrales y ermitas, se incentivó el peregrinaje religioso y a su vera proliferó el comercio. Surgieron así grandes centros de peregrinación como Santiago de Compostela o La Meca.*

*Con el Renacimiento y la renovación de los viajes de placer y descubrimiento los desplazamientos aumentaron. En esta época se inició lo que Mesplier y Bloc-Duraffour (2000) han denominado las «primicias del turismo». A partir de finales del siglo XVII los viajes se multiplicaron y los aristócratas ingleses demostraron una gran movilidad, preocupados por iniciar un periplo continental (The grand tour) que les sirviera para perfeccionar su educación. Hacia finales del siglo XVII aparecieron las primeras guías de viaje y ya durante el siglo XVIII el incipiente turismo amplió su clientela, extendió su área geográfica y diversificó sus actividades, como por ejemplo sucedió con el nuevo atractivo ejercido por la naturaleza. La palabra «turismo» apareció en Inglaterra a finales de siglo y su uso se hizo frecuente entre las clases privilegiadas, que en esa misma época comenzaron a descubrir en España un paraíso inmaculado de exotismo y aventura.*

*Con la atención puesta en el patrimonio histórico monumental y en la naturaleza simultáneamente, el* **turismo** *se desarrolló considerablemente a lo largo del siglo XIX, si bien apareció confinado por mucho tiempo a la aristocracia y a la burguesía. El Romanticismo promovió un especial interés por la visita de grandes monumentos, ruinas clásicas y yacimientos arqueológicos, que numerosos libros de viajeros británicos, franceses o alemanes retratan como testimonio de sus largos periplos por Grecia, Italia, Egipto, Oriente Medio o el Norte de África. Los británicos tuvieron un papel esencial en la promoción del alpinismo o en el descubrimiento de la Costa Azul, el litoral atlántico francés, los bucólicos lagos suizos o las estaciones termales de lujo. Al tiempo que se construían casinos, hipódromos y hoteles, en España el ferrocarril propiciaba el «veraneo» de los más pudientes en la costa cantábrica y mediterránea, salpicada de «casas de baños». En el contexto europeo la iniciativa privada fue determinante para la expansión de la industria turística, como demuestra el éxito empresarial de la agencia fundada por Thomas Cook, que en 1872 organizó la primera vuelta al mundo y a finales de siglo consiguió establecer una red mundial de hoteles.*

*Vemos, pues, que con el avance de la modernidad el turismo se globalizaba casi de manera paralela al desarrollo de la patrimonialización de la cultura. Aparecieron las estaciones de verano y el turismo marítimo y náutico se extendió a nuevos espacios, como el Adriático o el Caribe, al tiempo que se inauguraban las primeras estaciones de esquí en las montañas centroeuropeas. Mientras, en España, las sociedades excursionistas potenciaron el turismo interior. Como consecuencia del desarrollo económico occidental, la construcción de redes ferroviarias, la mejora de los medios de navegación y la aparición de las vacaciones pagadas entre extensas capas de la población europea, se produjo una acentuada democratización del turismo, que comenzó a dirigir flujos cada vez más numerosos de turistas hacia los destinos consolidados.*

*Fue después de la Segunda Guerra Mundial cuando la explosión turística contemporánea tuvo lugar, espoleada por el notable crecimiento económico generado entre los años cincuenta y setenta, el aumento del tiempo libre y la generalización y extensión de las vacaciones entre las clases trabajadoras. Ciertamente, el turismo moderno se forja en el contexto del nacimiento y expansión de la sociedad de consumo de masas, de una sociedad de la abundancia apoyada en una revolución del sistema productivo que permite la producción y distribución en masa, al tiempo que el pacto histórico entre capital y trabajo aseguraba un Estado del bienestar que beneficiaba especialmente al nivel de vida de las clases trabajadoras[24]. En un contexto en el cual el consumo se convierte en destacado valor social de las sociedades avanzadas, el propio turismo moderno aparece como un turismo masivo o fordista, al poseer un carácter eminentemente masificado y estandarizado. La creciente urbanización intensificó los deseos de evasión, al colapsarse de población las grandes ciudades, y aumentaron*

---

[24] *Según Nogués (2003:31-32), el turismo designa «ciertas actividades que se realizan durante el tiempo libre y fuera del entorno geográfico o sociocultural habitual», mientras que la industria del turismo se refiere «al conjunto de estrategias y prácticas sociales, culturales, económicas y políticas destinadas a facilitar el acontecimiento de aquéllas».*

*incluso los flujos de fin de semana hacia la montaña, el campo
o la playa. Como también han destacado Mesplier y Bloc-
Duraffour (2000), la segunda revolución de los transportes
(automóviles, aviones, barcos y trenes más rápidos) incentivó
el turismo interior y exterior, y en España el auge económico de
los años sesenta hizo que en pocos años el país se convirtiera en
destino universal por su rico patrimonio cultural y natural. Es
por ello que se puede afirmar que el turismo funciona como un
marcador social distintivo de las sociedades avanzadas, razón
por la cual se ha llegado a caracterizar a los turistas como
«nómadas de la opulencia», que desde el centro del mundo
desarrollado se desplazan hacia la denominada «periferia del
placer», en claro contraste con los recientes flujos que desde el
Tercer Mundo lanzan masas de inmigrantes empobrecidos
hacia las puertas del Occidente rico.*

*Como manifestación y motor a un tiempo de la globaliza-
ción, el turismo experimenta las disparidades y asimetrías
propias del proceso globalizador. Así lo demuestra el gran
avance de la industria turística en los países desarrollados, y el
hecho de que el grueso de los turistas provenga de estos países.
En términos de demanda, las tres cuartas partes del turismo
internacional provienen de Europa, Norteamérica y Japón,
especialmente de sus grandes metrópolis y de los grupos socio-
profesionales mejor situados. De los 25 millones de turistas
internacionales contabilizados en 1950 se ha pasado a los cerca
de 720 millones de 2004. En la actualidad, el turismo es una
auténtica industria mundial con una inversión del 11% sobre el
total de inversiones, el 10,7% de la ocupación total, el 10,9% del
Producto Mundial neto y el 20% del comercio mundial de
servicios. Dos grandes espacios turísticos aparecen de entrada:
Europa occidental y mediterránea por una parte, Norteamérica
y los anexos de México y Caribe por otra. En cuanto a los
grandes flujos, éstos son de tres tipos: flujos internos en los
países desarrollados de Europa y Norteamérica; flujos internacionales que unen estos continentes entre sí; y flujos a media
distancia, por lo general en dirección norte-sur, de Norteamérica*

hacia el Caribe, de Europa hacia la zona mediterránea y del Japón hacia el Asia del Pacífico. Los flujos lejanos son secundarios y se dirigen hacia Sudamérica, África subsahariana, Oriente Medio, el Sur asiático y las islas tropicales de los océanos Índico y Pacífico (Mesplier y Bloc-Duraffour, 2000:32).

Pues bien, ya sea en la práctica del turismo náutico y acuático, turismo de montaña, turismo en grandes ciudades históricas o el más reciente turismo rural, el patrimonio cultural, tanto el histórico-artístico de carácter arquitectónico como el natural (playas, montañas, marismas, parques naturales, etc.), aparece como un elemento esencial que dota al viaje de una cierta magia, de un atractivo ligado a la grandeza de la historia o al misterio de la naturaleza. Por ello los modernos espacios turísticos trabajan no sólo sobre el patrimonio natural o el patrimonio cultural, sino en ese singular cruce de patrimonio natural y cultural que representa el paisaje. Debe tenerse en cuenta, al respecto, que el turismo implica un desplazamiento que los individuos, ordinariamente situados en un entorno preferentemente urbano y rutinario, realizan a otro entorno que deviene así territorio extraordinario a explorar en un tiempo de excepción: el fin de semana o las vacaciones. Ese tiempo libre pretende ser llenado por emociones y recreaciones, por experiencias y vivencias que indefectiblemente contactan con el patrimonio cultural, ya sea directa o indirectamente. Como viaje excepcional, el desplazamiento turístico conduce al turista a un estado inusual, en el que destaca la voluntad de cubrir una distancia con un objetivo expresivo (la búsqueda de placeres o beneficios espirituales), que pone en funcionamiento el imaginario, los referentes míticos y una esperanza de experiencia trascendente, siquiera para evadirse de la existencia ordinaria, pautada por los ritmos laborales y las obligaciones familiares.

En el moderno desplazamiento turístico el viaje se democratiza, al tiempo que la hospitalidad se mercantiliza y se generan procesos de mutua aculturación entre turistas y receptores. Se trazan rutas y se programan actividades, se inician giras y se

*disfrutan los destinos. Es más, como ha indicado Santana
(2003), en un corto plazo, la imagen propia, lo cotidiano, por
extensión de la lógica de mercado, se reinventa en una copia
cuya calidad se mide en términos de «parecido a». Se convierte,
así, en un argumento para su venta (exportación) como imagen
construida, mostrando las facilidades de acceso, inocuidad y
exotismo, en el modelo clásico, o la peligrosidad, riesgo, des-
amparo y aventura, en las más refinadas formas de diseño de
nuevas experiencias turísticas. En medio de tal frenesí, las
modernas peregrinaciones turísticas en busca de lo excepcional acaban gravitando en torno a la omnipresente aura del
patrimonio cultural, protagonista en no pocos casos de un
«destino-espectáculo». Por ello Prats (1997) ha subrayado que
el patrimonio, entendido como recurso turístico, se presenta
bajo una triple casuística: en primer lugar, puede aparecer
como un producto turístico en sí mismo, como ocurre con las
pirámides egipcias, los parques naturales africanos o las catedrales góticas europeas; en segundo término, el patrimonio
cultural puede aparecer asociado a un producto turístico integrado, lo que implica que el patrimonio se combina con otros
atractivos lúdicos, como sucede en ciudades como Barcelona,
Londres o París; en tercer lugar, el patrimonio puede aparecer
como un valor añadido de destinos turísticos que no tienen el
patrimonio cultural como principal atractivo o como motivo
básico de compra, tal y como acontece con las áreas costeras y
de montaña.*

*Como ha sintetizado Méndez (2003), hoy en día el turismo
es una actividad de ocio que presupone la existencia de un
tiempo de trabajo regulado y organizado. Implica un desplazamiento de gente a través del espacio por un período de tiempo
extraordinario. Cada vez más, los lugares de destino se escogen
con gran anticipación en función de sueños, fantasías e ilusio-
nes que en gran medida tienen que ver con el carácter
reencantador del patrimonio cultural. El turismo, pues, implica una actividad que tiene que ver con lo significativo, lo
simbólico, y hasta con lo trascendente, de tal manera que el*

*sistema turístico desarrolla continuamente nuevos objetos para la visión, admiración y éxtasis del turista, objetos que necesariamente tienen que ver con los atractivos del patrimonio cultural. Además, en un contexto marcado por el avance de la globalización, la dialéctica global-local lleva a la generación de una serie de hábitos turísticos, esencialmente europeos, por los que, aunque el producto dominante sigue siendo el turismo de sol y playa, se produce una creciente recualificación de las preferencias turísticas con arreglo a una «cultura de la calidad» que apunta a un turismo postfordista y que lleva a los europeos a interesarse por la vertiente más cultural, saludable y deportiva del consumo turístico.*

*Debe tenerse en cuenta que en la actualidad el turismo aparece marcado por tres rasgos inherentes al proceso de globalización: en primer lugar, una desestandarización que implica la búsqueda de la singularidad, la autenticidad, lo genuino, la diferencia y la nostalgia; en segundo término, una descentralización en el diseño de los productos turísticos; y en tercer lugar, la flexibilidad de las formas de producción, de comunicación, de distribución y consumo, dentro de lo que se ha denominado como «cultura de la calidad total», con nuevas modalidades alternativas o emergentes que apuntan hacia el surgimiento de un turismo sostenible. A partir de este giro cualitativo desde el consumo turístico masivo a uno de tipo individualizado se produce una interesante paradoja: el mismo turismo desterritorializador controlado por grandes grupos internacionales, que había dejado fuera de los circuitos a muchos pequeños pueblos con un rico patrimonio cultural y natural, acelerando así su decadencia, provoca ahora una mirada reterritorializadora hacia estos núcleos, importantes focos de lo que dentro del turismo cultural se ha venido denominando como turismo rural.*

*En última instancia, el turismo (industria para el consumo, actividad de consumo ocioso, actividad expresiva) implica siempre un proceso de conocimiento del patrimonio cultural, al menos en términos generales, y por supuesto en términos específicos. En función de cómo sea la experiencia turística, dicho conocimiento puede ser superficial, cuando el patrimonio queda reducido a un decorado exótico aunque relevante, como ocurre en el caso paradigmático de un parque temático, o más profundo, como sucede en el turismo puramente cultural o realizado con un ritmo más lento y cercano a la experiencia del antiguo viajero. De forma paralela, el conocimiento del patrimonio a través del turismo puede ser más cognitivo o más emocional. En el caso del conocimiento emocional, el patrimonio actúa como potenciador, estimulador y disparador de las emociones y las sensaciones fuertes, en una época en que el «culto a la emoción» prolifera en todas las esferas sociales y se hace especialmente patente en el campo del consumo, no sólo como compensador de los riesgos y la incertidumbre que caracterizan el mundo contemporáneo, sino como búsqueda individualizadora del propio yo (Lacroix, 2005). Por lo que respecta al conocimiento cognitivo, una minoría de turistas aprovecha la actividad turística para enriquecer su bagaje cultural y sentirse más cultivados, o incluso más comprometidos con la comprensión de ellos mismos y de los «otros» como miembros de culturas diferentes. En todo caso, siempre existe un conocimiento del patrimonio a través del turismo por cuanto se establece un cierto aprendizaje de la cultura o de la naturaleza por parte del turista. Por esta razón es fundamental analizar cómo se produce la difusión del patrimonio cultural en conexión con la práctica turística.*

## 5.2. La aparición y desarrollo del turismo cultural

*Entre las diversas formas de turismo existentes en los últimos decenios (sol y playa, ecológico, temático, individualizado o de larga distancia), el* **turismo cultural** *se ha convertido en una de las opciones más importantes, y en una de las prácticas turísticas que más íntima relación mantiene con el patrimonio cultural. La Organización Mundial del Turismo define el turismo cultural como la posibilidad que tienen las personas de* *internarse en la historia natural, el patrimonio humano y cultural, las artes y la filosofía, así como las instituciones de otros países y regiones. Una amplia definición que en realidad nos conecta con un turismo de patrimonio, donde es crucial el interés por la cultura, y en el cual devienen esenciales la calidad, la oferta personalizada y un componente de turismo activo cultural.*

*Debe recordarse que el ICOMOS cuenta desde 1976 con una Carta sobre Turismo Cultural, y que en 1999 se redactó una Carta Internacional sobre Turismo Cultural, elaborada por el Comité Científico Internacional de Turismo Cultural. Entre estas dos fechas el llamado turismo cultural ha proliferado y se ha extendido de manera relevante, situándose en la vanguardia de las nuevas formas de turismo de la segunda modernidad. El turismo cultural facilita la aparición de nuevos productos turísticos, permite el establecimiento de formas de aprovechamiento turístico no necesariamente sometidas a los ciclos estacionales, ofrece posibilidades de desarrollo de nuevos destinos y consumos complementarios a los destinos tradicionales. Asimismo, responde a la creciente segmentación de la demanda proporcionando satisfacción a los sectores más activos y con más sensibilidad, cubre adecuadamente necesidades vacacionales de corta duración y añade valor a la experiencia turística. El turista cultural apuesta por la calidad del servicio, exige un más alto nivel en infraestructuras, busca una oferta personalizada, consume esencialmente patrimonio cultural, manifiesta interés por conectar con las gentes, los paisajes y las tradiciones, gasta más dinero, se aloja más en la comunidad, es más respetuoso con el medio ambiente y la cultura local y suele poseer un nivel cultural medio-alto. Es más, dentro de lo que Honoré (2004) ha definido como el «elogio a la lentitud», que ha comenzado a proliferar en Occidente en los últimos años, el turismo cultural puede implicar una apuesta por un viajo tranquilo y sosegado, donde la calidad se asocia a le lentitud y al gozo del viaje mismo, en lo que constituye una experiencia gratificante totalmente apartada de los ritmos frenéticos y programados del turismo estandarizado y macdonalizado. En este sentido, frente al turismo industrial y de masas, propio de una modernidad vertiginosa, veloz y estresante, se postularían las virtudes relajantes y desaceleradoras del turismo cultural, especialmente aquel asociado a los entornos rurales y naturales.*

*En la práctica del turismo cultural adquiere mucha importancia la preocupación por evitar los efectos negativos que sobre el patrimonio cultural puede tener el impacto del turismo. Por esta razón, se pone un especial empeño en que el patrimonio cultural sea especialmente valorado, protegido y conservado por la ciudadanía. En este sentido, se apuesta por un turismo sostenible, que significa mantener la integridad de las culturas locales, los procesos ecológicos, la diversidad biológica y todos aquellos sistemas de protección de los seres vivos y del patrimonio cultural de los pueblos. Por ello se impone la necesidad de la gestión de la conservación del patrimonio cultural en las actividades turísticas, pensando en que proporcionen beneficios económicos, sociales y culturales que reviertan positivamente en el desarrollo de la comunidad que los proporciona. En última instancia, el turismo cultural tiene que ver con la identidad de los pueblos, y conecta con la búsqueda ansiosa de una autenticidad, en el fondo imposible de capturar en la paradójica operación que supone la patrimonialización de la cultura.*

*El turismo cultural posee unas características bien peculiares, pues en él destaca la importancia del arte, los centros históricos, las tradiciones, lo religioso, lo rural y lo natural como elementos de gran dinamismo y enriquecimiento. Desde este punto de vista el turismo cultural podría ser definido como el conjunto de todas aquellas acciones emprendidas con el objetivo de viajar o desplazarse con el interés puesto en la cultura, utilizando además recursos culturales para ello. En términos más concretos, por destino cultural podemos entender museos, lugares arqueológicos, monumentos, cascos antiguos de ciudades, artes visuales, artes aplicadas, grandes exposiciones, música, danza, fiestas, peregrinaciones, rutas o itine-*

*rarios culturales, así como diversas manifestaciones de la cultura popular tradicional, esencialmente del ámbito rural. Fue a partir de 1980 cuando el concepto de «turismo cultural» comenzó a utilizarse plenamente en Francia, y a partir de aquí comenzó a extenderse por Europa, poniendo un énfasis en el patrimonio industrial, rural y etnológico, de tal manera que el paisaje se convierte en un patrimonio básico a visitar con el turismo cultural.*

*Los antecedentes del turismo cultural se confunden con los propios antecedentes del turismo como práctica expresiva y actividad económica. De hecho, los primeros grandes viajes aristocráticos concentraban sus miradas en los atractivos de la cultura, y el propio surgimiento de las sociedades excursionistas se orientaba hacia el disfrute conjunto de cultura y natura. En la segunda mitad del siglo XX, como consecuencia de la expansión del turismo de masas, de las rupturas históricas acontecidas a partir de los años setenta y del inicio de una segunda gran oleada de patrimonialización cultural (la primera se habría producido en coincidencia con la eclosión de la primera modernidad), se produjo un creciente interés turístico por el patrimonio cultural, en la medida en que, además, el patrimonio cultural iba adquiriendo una importante función económica como factor de desarrollo local (Hernàndez i Martí, 2002). Asimismo, se ha ido desplegando un creciente interés sobre el turismo cultural por parte de las políticas culturales y turísticas de las instituciones, como lo demuestra que en 1987 el Consejo de Europa instituyera un Programa de Itinerarios Culturales para potenciar el patrimonio cultural, el turismo cultural y la identidad histórico-cultural de los pueblos de Europa. Ello, unido a la aparición y perfeccionamiento de nuevas tecnologías y medios de comunicación, ha potenciado todavía más el turismo cultural y su relación con el patrimonio cultural. Entre los itinerarios culturales existentes en Europa merecen destacarse, por su importancia y frecuentación, la ruta de los vikingos, la ruta monástica, la ruta del barroco, la ruta de la seda, los parques y jardines, las ciudades de los grandes descubrimientos, la red europea del textil, el arte gótico, el legado andalusí o el Camino de Santiago (Hernández Hernández, 2002:366).*

Como ha propuesto Martínez Quintana (2003), podemos distinguir dos grandes redes en relación con el turismo cultural desde la perspectiva estatal. Una primera red tiene que ver con la oferta turística asociada a los **Bienes Patrimonio de la Humanidad**, que la UNESCO crea en 1972 y comienza a activar en 1978, y que hemos comentado en otro capítulo. Ciertamente, estos bienes, entre los que España es líder mundial, poseen un atractivo tan excepcional que hace que las ciudades o pueblos que los poseen necesiten habilitar una infraestructuras necesarias para el turismo y para la gestión y conservación de su patrimonio.

Por otro lado, se distingue un segunda red denominada como **Oferta de rutas culturales turísticas**, entre las que destacan dos grandes rutas en España: el **Camino de Santiago o Ruta Jacobea**, declarado Patrimonio de la Humanidad en 1993 y considerado el Primer Itinerario Cultural Europeo; y la **Vía de la Plata**, con origen en Sevilla y destino en Astorga (León), que posee un rico patrimonio cultural y natural a través del cual se promociona y difunde una amplia región que recuerda la vía de salida del oro y plata que los romanos extraían de la península a través de la calzada que unía Emerita Augusta (Mérida) y Astúrica (Astorga). El Camino de Santiago ha florecido especialmente durante la última década y muy especialmente durante la celebración del Año Jacobeo (como en 2004), mezclando en sus ramales la devoción religiosa, el turismo rural, el interés por las riquezas artísticas, históricas y naturales, así como por el patrimonio etnológico.

Además de esas dos rutas, se pueden distinguir otras de similar relevancia. En primer lugar está la **Ruta de los Castillos**, que realza el encanto medieval de los grandes centros urbanos como Peñafiel (Valladolid), El Alcázar (Segovia) o Ponferrada (León). En segundo lugar se puede mencionar la **Ruta Colombina en bicicleta**, más próxima a las actividades *de agroturismo, que se adentra en parajes histórico-artísticos relacionados con el Descubrimiento de América y la figura de Cristóbal Colón, como son Grazalema (Cádiz), Écija (Sevilla), Antequera (Málaga) o Palos de la Frontera (Huelva). A esta ruta hay que añadir la* **Ruta del Arte Románico**, *que al socaire del camino de Santiago recorre los monumentos románicos de Cataluña, Castilla-León, Aragón, Navarra, La Rioja y Galicia. Otra de las rutas famosas es la* **Ruta de la España Musulmana**, *donde destacan los grandes legados arquitectónicos islámicos de ciudades como Granada, Córdoba, Valencia, Zaragoza, Jaén o Girona. En conexión con esta ruta aparece la* **Oferta del Legado Andalusí**, *que hace referencia a la convivencia secular entre la cultura cristiana y musulmana en Andalucía, y que pasa por un programa que destaca los pequeños alojamientos rurales y el patrimonio rural no monumental. Otra ruta a tener en cuenta, especialmente desde la vertiente artística más monumental, es la* **Ruta de las Catedrales Góticas**, *que cuenta en España con una gran profusión de templos como los de Burgos, Barcelona, Ávila, Toledo, Lleida, Palma de Mallorca, Valencia, Tarragona o León.*

*Siguiendo con las rutas de turismo cultural podemos citar también la* **Ruta de los Pueblos Blancos**, *a través de la cual se escenifica la España encantada y misteriosa de los pueblos andaluces encalados donde conviven romerías ancestrales, el descanso tranquilo, la armonía cultural y el disfrute rural. Es el caso de los pueblos gaditanos de Arcos, Bornos, Villamartín, Algar o Algodonales. A esta ruta hay que sumar la* **Oferta del Patrimonio Etnográfico**, *que agrupa a museos de tradiciones populares así como prácticas artesanales, indumentaria, religiosidad, gastronomía y gran parte de las actividades de turismo rural, y la* **Oferta de los Recursos Culturales Emergentes**, *que comprende el Canal de Castilla, un curso hidráulico que atraviesa las provincias de Palencia, Valladolid y Burgos y que ofrece un recorrido donde admirar puentes y acueductos, además del propio canal. A estas ofertas se añade la* **Oferta del Patrimonio Industrial**, *que recoge los restos de la Revolución*

Industrial en España, especialmente en Asturias (minería),
País Vasco (siderurgia), Cataluña (textil, factorías fluviales) o
Andalucía (minería). Actualmente funcionan algunos museos
de la minería como el de Rio Tinto en Huelva o el de Entrego
(Asturias). En el País Valenciano debe mencionarse el impor-
tante patrimonio industrial del Puerto de Sagunt, Valencia y
Alcoi.

El patrimonio arqueológico aparece representado en la
**Oferta de Arqueología**, con importantes bienes como Mérida,
Itálica (Sevilla), Empúries (Girona), Las Médulas (León), la
neocueva de Altamira (Cantabria) o los restos fenicios de Cádiz.
De la unión por el interés de la riqueza del patrimonio arqueológico con el turismo han surgido tres modalidades como son
los Parques Culturales, los Parques Arqueológicos y los Yacimientos Visitables. Los **Parques Culturales** tienen como objetivo la conservación del patrimonio arqueológico rural, se
integran en el paisaje y poseen una vertiente expositiva y otra
científica. Entre los parques culturales más destacables, también denominados como «territorios-museo», podemos mencionar el Parque Cultural del Maestrazgo (Teruel), Valltorta-
Gasulla (Castelló de la Plana), Ulldecona (Tarragona) o Villar
del Humo (Cuenca). Los **Parques Arqueológicos** son yacimientos declarados Bien de Interés Cultural, poseen calidad
científica, están integrados en el entorno y ofrecen buenas
infraestructuras en este tipo de turismo. Destacan los de Castilla
la Mancha (Segóbriga, Alarcos, Recópolis) y los de Cataluña
(Cuevas Prehistóricas de Serinyà, en Girona; Parque Arqueológico de Can Tintorer y Parque Arqueológico de Olèrdola, en
Barcelona). En cuanto a los **Yacimientos Visitables**, éstos
deben de tener interés científico, estar bien conservados y
poseer un nivel de investigación suficiente, como es el caso de
Itálica (Sevilla), Medina Azahara (Córdoba), Calafell
(Tarragona), Atapuerca (Burgos) o Numancia (Soria).

En el ámbito del patrimonio natural también existen dos
rutas a destacar: la Ruta de los Parques Nacionales y la Ruta de
la España Verde. La **Ruta de los Parques Nacionales** facilita

*el contacto físico con la naturaleza y el esparcimiento natural ante el acelerado ritmo de vida urbano. Las propuestas invitan a la relajación y al disfrute conjunto de bosques, montañas, ríos y enclaves monumentales, como ocurre en Cangas de Onís y Covadonga (Asturias), La Orotava y Las Cañadas del Teide (Tenerife), Aiguestortes (Girona), Daimiel (Ciudad Real) o Almonte y El Rocío (Huelva). La* **Ruta de la España Verde** *también gravita sobre la dimensión ecológica del turismo y del disfrute de la naturaleza. Se trata, esencialmente, de un litoral donde predomina el verdor de las praderas combinado con los espectaculares acantilados y las calas de gran belleza. En estas áreas, junto a una campiña de iglesias, ermitas, pazos y cruceros, se puede saborear el encanto de los puertos marineros donde degustar la gastronomía del mar. Así sucede en enclaves tan conocidos como Fuenterrabía y San Sebastián (Guipúzcoa), Bilbao, Castro Urdiales, Santillana del Mar y San Vicente de la Barquera (Cantabria), Ribadesella o Llanes (Asturias), Ribadeo (Lugo), Betanzos (A Coruña), Rivadavia (Orense) o La Guardia (Pontevedra), entre otros.*

*Finalmente nos hemos de referir a la* **Oferta de la Festividad en España**, *formada por la multitud de fiestas y celebraciones populares que, más o menos atravesadas por el componente religioso tradicional, se celebran en España, a lo largo de las cuatro estaciones del año. Las grandes fiestas españolas suelen estar declaradas Fiestas de Interés Turístico Internacional, Fiestas de Interés Turístico Nacional o Fiestas de Interés Turístico Regional, además de poder ostentar la declaración de Bien de Interés Cultural y, en los casos más extraordinarios, como sucede con el Misteri d'Elx, estar consideradas Obras Maestras del Patrimonio Inmaterial y Oral de la Humanidad. Entre las más importantes podemos citar los Carnavales de Santa Cruz de Tenerife y de Cádiz, la Semana Santa de Sevilla, la Feria de Abril de Sevilla, el Rocío de Huelva, San Isidro de Madrid, la Mercè de Barcelona, las Fallas de Valencia, San Juan en diversos puntos de la geografía española (Hogueras de Alicante), los Sanfermines de Pamplona, el Pilar de Zaragoza,* *las Semanas Grandes de Bilbao y San Sebastián, los Moros y Cristianos (Alcoi, Ontinyent, Bocairent), pero también fiestas no necesariamente urbanas como los carnavales rurales navarros, vascos y gallegos, la Pasión de diversas localidades catalanas, las romerías andaluzas, las peregrinaciones de las comarcas castellonenses o las variadas celebraciones patronales del mes de agosto, entre otras fiestas. Inevitablemente, como bien han subrayado autores como García Canclini (2002), Homobono (2004) o Santana Jubells (2000), la turistización de las fiestas, aun en los casos de turismo cultural, comporta el riesgo de su resemantización en clave espectáculo, mercancía y folklorismo, aspecto éste que su valoración en clave patrimonial intenta contrapesar o moderar, con resultados diversos en cada caso.*

*En las ciudades históricas, además de sus grandes monumentos, cascos históricos y las fiestas que los realzan, el turismo cultural cuenta con un atractivo añadido, como son los festivales, las exposiciones y otros eventos especiales, en los que de manera más o menos indirecta interviene el patrimonio cultural (De la Calle, 2002:191-202). Los festivales consisten básicamente en un programa concentrado de actuaciones musicales y/o de artes escénicas, alrededor de las cuales se desarrollan otras actividades complementarias, como exposiciones, conferencias, seminarios, edición y presentación de libros, etc. En España destacan festivales como el Festival de Teatro Clásico de Mérida o el Festival Internacional de Música y Danza de Granada. Las macroexposiciones, como las de «Las edades del hombre» o «La llum i les imatges», o exposiciones extraordinarias como la de «Los Guerreros de Xi'an», recrean miradas focalizadas sobre áreas de la historia del arte o sobre determinados aspectos etnológicos de las culturas. Otros eventos especiales pueden ser las escenificaciones históricas, en conexión con las fiestas locales, como ocurre con la reciente proliferación de mercados medievales, ferias de artesanías tradicionales o representaciones de la historia local.*

*El conocido como* **turismo rural, agroturismo y turismo de naturaleza** *mantiene importantes contactos con el turismo* *cultural, ya que intenta respetar al máximo el medio ambiente y las costumbres tradicionales del campo, aprovechando los recursos locales y generando las menores alteraciones posibles. Este turismo rural apuesta por la búsqueda de atractivos turísticos asociados al descanso, paisaje, cultura tradicional y huida de la masificación, y su oferta está constituida por el conjunto de alojamientos, instalaciones, estructuras de ocio y recursos naturales y arquitectónicos existentes en zonas de economía predominantemente agrícola.*

*Dentro de este tipo de turismo cabe destacar la rehabilitación de* **casas rurales, granjas y granjas escuela**, *en las que es posible revivir de manera tranquila algunos aspectos de la vida rural tradicional en antiguas casas de pueblo o cortijos, molinos, refugios, junto a pequeños núcleos urbanos medievales, cerca de monasterios, conventos, iglesias o ermitas, o disfrutando de pequeños hoteles rurales donde se recupera la gastronomía, se rescatan las artesanías y se goza del silencio y de la naturaleza. En relación con este último aspecto, han de consignarse la puesta en marcha de* **rutas ecológicas** *para dar a conocer los espacios naturales comarcales; las* **aulas de la naturaleza** *dirigidas al conocimiento del medio natural: los* **campos de trabajo** *basados en artesanía, plantas medicinales o aromáticas, flores y miel; los* **centros de interpretación**, *que comentaremos más adelante, que sirven para introducir al visitante en los parques nacionales, naturales y reservas ecológicas; así como las rutas de arquitectura popular, rutas gastronómicas, rutas histórico-culturales del patrimonio cultural de la zona y visitas a museos etnológicos locales. En todo caso, en el turismo cultural de signo rural se produce la interesante paradoja, ya retratada por Ariño (2002), de que la propia recuperación de elementos del pasado implique una transformación de dichos elementos. Como ha señalado Valcuende, «el turismo puede permitir la potenciación de algunos elementos patrimoniales siempre que éstos modifiquen sustancialmente su significación» (2003:104). Ello significa que el consumo turístico del patrimonio cultural rural* *plantea tanto la exigencia de un confort moderno y urbano, que gusta de decorados tradicionales de signo «genuino» y «auténtico», como el rechazo de la vivencia lastimosa de los elementos negativos que acompañaban a la vida rural cotidiana, que son convenientemente expurgados para bienestar de los turistas.*

## 5.3. La divulgación turística del patrimonio cultural

*La difusión del patrimonio cultural, especialmente en su conexión con la práctica del turismo, pasa por la mercantilización de la cultura y la economización de la naturaleza, fenómenos que, como veremos en el último apartado, generan algunos de los límites que afectan al propio proceso de patrimonialización cultural. Dicha mercantilización, que se inicia de una manera intensiva en la segunda mitad del siglo XX, no debe de sorprender, ya que el turismo, como industria cultural moderna, posee como atractivos centrales el patrimonio natural y cultural. En el caso del patrimonio natural, entendido como resemantización cultural de la naturaleza transformada por la modernización, destacan los litorales, montañas, lagos, islas, cataratas, gargantas, cañones, así como los grandes parques naturales nacionales, los de carácter regional u otro tipo de reservas naturales. Por lo que respecta al patrimonio cultural, con un acentuado componente histórico, los restos del pasado se catalogan desde los yacimientos del Paleolítico (Altamira, Lescaux, Atapuerca), pasando por las huellas del Megalítico (dólmenes, menires o recintos sagrados de piedra como el archiconocido de Stonehenge), siguiendo por los grandes monumentos del Antiguo Egipto (Gizhé, Karnak, Luxor, Valle de los Reyes), las ruinas del Medio Oriente (Mesopotamia, Babilonia, Jerusalem, Fenicia), el esplendor de las culturas de Índia, China, Japón u otros del Extremo Oriente, o los conocidos restos de la Antigüedad clásica occidental (Grecia, Cartago, Roma). De la Edad Media se recuerdan especialmente los monumentos del románico y el gótico, la arquitectura militar (castillos, fortalezas). También merecen destacarse las producciones de las culturas precolombinas descubiertas en los albores de la Edad Moderna, de la cual pronto se patrimonializan el arte renacentista, barroco y neoclásico. Con el advenimiento de la modernidad las obras de la industrialización engrosarán el patrimonio industrial, sumándose al proceso de patrimonialización los artefactos de consumo industrial, las Exposiciones Universales, las nuevas ciudades con su arquitectura contemporánea, las producciones de las vanguardias artísticas (paradójicamente antipatrimonializadoras) y el amplio sector de un patrimonio etnológico en creciente valoración.*

*La explotación del patrimonio cultural y natural como mercancía con valor de cambio, a lo que se une su consideración como factor de activación identitaria, instrumentalización política e investigación científica, requerirá el despliegue de una serie de dispositivos expertos, técnicos y racionales, que además de contrapesar materialmente el reencantamiento inherente a la propia imaginación del patrimonio, estarán orientados a su conservación dinámica in situ. Por ello deberemos prestar atención a las actuaciones que ahora enumeramos y posteriormente desarrollamos, siguiendo el esquema propuesto por Hernández (2002): conservación de monumentos y conjuntos históricos, desarrollo de los centros de interpretación, instalaciones en lugares arqueológicos y los planes favorecedores de una pedagogía del patrimonio cultural.*

*Todas estas actuaciones precisan de tres operaciones para ser realmente efectivas. Nos referimos a la investigación, la conservación y la exposición o presentación. En general, los bienes patrimoniales nunca se pueden ver en un supuesto estado puro, ya que su propia exhibición y difusión necesitan una mediación o puesta en escena de carácter técnico, lo que significa que los objetos del pasado son reencajados en el presente a través de la mirada que desde el presente y sus intereses se pone en ellos. A tal reformulación alude la paradoja de la conservación transformadora del patrimonio cultural (Lowenthal, 1998). Por ello se despliegan toda una serie de* estrategias de selección, colocación, presentación y narración. La **investigación** implica un proceso de estudio y análisis que proporciona el conocimiento profundo del patrimonio cultural, traducido en inventarios y catálogos. A partir de los fondos documentales se inicia el estudio en sí para conocer todos los valores propios de los bienes culturales, con sus características físicas, técnicas y formales, sus valores históricos, artísticos y culturales, más la documentación escrita, gráfica y fotográfica. La **conservación** consiste, entendida en un sentido amplio, en ralentizar o revertir el proceso de degradación natural a que está sometido el patrimonio cultural, lo que requiere de medidas para asegurar su protección, consolidación y mantenimiento, muy especialmente en los yacimientos arqueológicos. En cuanto a la **exposición** o **presentación**, precisa de una pedagogía del patrimonio que genere espacios museográficos adecuadamente organizados, escenografías o reconstrucciones virtuales, paneles explicativos que mejoren la comunicación y comprensión de lo expuesto, guías escritas, audio-guías, talleres, representaciones teatrales o animaciones varias, actividades, así como una serie de estructuras de acogida, promoción mediática y planes didácticos que aseguren una mejor asimilación y valoración del patrimonio cultural.

Por lo que se refiere a los **monumentos**, que la Ley 16/1985 define como «aquellos bienes inmuebles que constituyen realizaciones arquitectónicas o de ingeniería, u obras de escultura colosal siempre que tengan interés histórico, artístico, científico o social», pueden conservarse de varias maneras: en ruinas, como sucede con el Partenón de Atenas; asignándole un uso social, como ocurre con el uso del Teatro Romano de Mérida o el Teatro Romano de Sagunt para un festival de teatro clásico[25]; o utilizando el monumento como espacio museográfico, como ocurre con el monasterio de Santes Creus, en Tarragona, o

---

[25]  Se sigue en este caso la Carta sobre el Uso de los Lugares de Espectáculo, adoptada en el Coloquio Internacional de Verona en 1997

*como espacio archivístico y para biblioteca, como ocurre con el monasterio de Sant Miquel dels Reis en Valencia.*

*En cuanto a los* **conjuntos históricos***, desde la aprobación en 1964 de la Carta de Venecia, comienza a despertarse la preocupación por conservar los monumentos y sitios urbanos o rurales, apreciándolos como «el testimonio vivo de sus tradiciones seculares». Diversas recomendaciones, cartas y documentos subrayan la necesidad de conservar y valorar los edificios históricos, recobrar el tejido urbano de calles, plazas, viviendas, jardines y huertos; respetar la morfología y estética de los edificios, lo que atañe a sus dimensiones, altura, volumen, color, etc.; reactivar las relaciones de la ciudad con su entorno natural y artificial; y recuperar y dinamizar las funciones propias de una ciudad contemporánea. En un contexto de modernidad avanzada donde muchos centros históricos se han degradado como consecuencia de calculadas operaciones de especulación inmobiliaria, envejecimiento de sus habitantes, construcción incontrolada o decadencia del tejido productivo, la apuesta por su revalorización se revela sumamente importante para la memoria, la identidad y el futuro de las ciudades históricas, esencialmente de aquellas declaradas como Patrimonio de la Humanidad (De la Calle, 2002). Como ha subrayado Hernández (2002) citando a Troitiño (1997), se pueden diferenciar tres tipos de centros históricos: a) aquéllos que siguen manteniendo su carácter simbólico y cultural, aunque hayan perdido su actividad económica y urbana, trasladada a otras zonas (Barcelona, Cáceres, Cuenca); los centros históricos que siguen teniendo todavía una cierta funcionalidad, como ocurre con Madrid y Salamanca; los centros históricos que siguen constituyendo el espacio vertebrador de la ciudad, como sucede con Mérida, Burgos, León o Toledo, entre otros.*

*Respecto a los* **centros de interpretación***, el primer concepto lo acuña Freeman Tilden en 1957 para su aplicación a parques nacionales, municipales y estatales, a los museos y a otros organismos culturales. Para Tilden el centro de interpretación consiste en una «actividad educativa que pretende* *descubrir el significado de las cosas y sus relaciones con los objetos originales mediante la experiencia personal y los ejemplos, antes que con la mera comunicación de las informaciones concretas». Para Tilden la interpretación ha de fundamentarse en seis principios: a) conectar con la personalidad o experiencia del visitante; b) la interpretación es una revelación fundamentada en la información; c) la interpretación combina muchas otras ciencias, de forma que todo arte puede enseñarse; d) la interpretación busca provocar más que instruir; e) la interpretación ha de intentar presentar un todo más que una parte, y ha de dirigirse al visitante como un todo; f) la interpretación dirigida a los niños ha de seguir una vía diferente, adaptada a sus necesidades y expectativas.*

*Para la mayoría de los autores, el concepto de interpretación se origina en la museología de los sitios naturales, idea que surge en Estados Unidos y Canadá a partir de los parques naturales. Su objetivo esencial es sensibilizar a la población mediante el método particular de la interpretación. La Asociación para la Interpretación del Patrimonio de Québec definió en 1980 la interpretación como «un proceso que pretende comunicar al público la significación así como el valor del patrimonio natural y cultural, implicando directamente al individuo con los fenómenos, para hacerle consciente del lugar que ocupa en el espacio y el en tiempo». La diferencia que existe entre los museos tradicionales y los centros de interpretación radica en que los segundos suelen ser lugares específicos organizados para acoger los medios y actividades de interpretación, diferenciándose de los museos en su génesis y porque tienen como objetivo fundamental iniciar a un amplio público sobre un lugar que le es propio, informándole sobre su historia, preparándolo para apreciar sus principales atractivos. Se trata, en suma, de explicar la significación de un lugar a las personas que lo visitan, es decir, de articular un discurso para presentar un lugar y no una colección. Así, implica un proceso de comunicación entre el patrimonio cultural y el público con un mensaje muy claro: transmitir el significado y el valor del patrimonio natural y cultural. Uno de los primeros modelos europeos de centros de interpretación fue el Centre of Environmental Interpretation de Manchester, creado en 1980, si bien los primeros centros surgieron en parques naturales con la finalidad de entrar en un contacto directo e integral con el lugar patrimonial.*

*Las **instalaciones en lugares** o **sitios arqueológicos** se han convertido, a su vez, en una realidad en la mayor parte de los países del mundo, ya que la conservación in situ de monumentos y conjuntos debe constituir el objetivo principal de la conservación del patrimonio arqueológico, como reza la Carta Internacional para la Gestión del Patrimonio Arqueológico, adoptada por el ICOMOS en 1990, o el Convenio Europeo para la Protección del Patrimonio Arqueológico, de 1992. Entre lo sitios arqueológicos más emblemáticos se pueden citar el Campamento Romano de Saalburg, en Alemania, el sitio arqueológico vikingo de Eketorp, en Suecia, la Ciudadela Ibérica de Calafell, en Tarragona, el yacimiento arqueológico de Numancia, en Soria, el sitio arqueológico galo-romano de Glanum (Saint-Rémy-de-Provence), el conjunto arqueológico de Villa Adriana (Tívoli) o el parque arqueológico de Desenzano del Garda, en Italia.*

*Los lugares arqueológicos pueden organizarse como **parques arqueológicos** o como lugares alternativos o arqueositios. Los parques arqueológicos aparecen como áreas extensas de protección integral de los lugares arqueológicos y como un sistema de servicios ligado a esos sitios. El parque arqueológico se suele concebir en estrecha vinculación con un territorio protegido donde los recursos arqueológicos y culturales alcanzan su verdadero sentido el estar presentados en su contexto natural, con todos sus valores para su mejor interpretación, disfrute y conocimiento. En todo caso, como bien reconoce Hernández (2002:425), pese a que en España se empieza a hablar de esta figura a comienzos de los años noventa, no existe una idea clara de qué debe entenderse por un parque arqueológico, siendo muy diversas las definiciones que se dan de él y numerosas las aplicaciones prácticas. Actualmente los parques arqueológicos están reconocidos en las legislaciones patrimo-*

*niales autonómicas de Canarias y Cantabria, si bien carecen de cobertura legal en el ámbito estatal.*

*En cuanto a los* **lugares alternativos** *o* **arqueositios**, *se trata de proyectos culturales basados en la arqueología experimental o etnoarqueología, a partir de programas de investigación apoyados en excavaciones rigurosas y sistemáticas y con un doble objetivo: divulgar esos trabajos para que lleguen al gran público y proteger los yacimientos de la masificación turística, evitando así su progresiva degradación. Los arqueositios son concebidos como presentaciones o museos al aire libre basados en reconstrucciones que, con frecuencia, van acompañadas de demostraciones activas o pasivas, consideradas como un medio de comunicación destinado a explicar las investigaciones científicas de los arqueólogos al gran público. También se preparan talleres y aulas de patrimonio, con el objetivo de instruir a los visitantes, al tiempo que se busca su diversión y el estímulo de su curiosidad para conocer nuevas formas de vida mediante su implicación en actividades programadas. Entre los ejemplos de estas instalaciones encontramos reconstrucciones de poblados neolíticos, celtas, romanos o vikingos, siempre con finalidades que son a un tiempo experimentales, turísticas y didácticas. Los países anglosajones fueron pioneros en este tipo de reconstrucciones artificiales, sirviéndose de workshops, talleres y aulas patrimoniales. Todos estos centros, donde tienen lugar reconstrucciones alternativas, son conscientes de que éstas sólo han de construirse cuando el original corre un serio riesgo desgaste acelerado, debido a la numerosa afluencia de turistas. Para no «morir de éxito» y con el objeto de limitar el acceso al bien cultural a un muy restringido número de visitantes para frenar su destrucción y la de su entorno, se construyen las réplicas, entre las cuales podemos destacar, especialmente, la neocueva de Altamira, construida al lado de la cueva prehistórica original, dotada con un centro de investigación y diseñada para paralizar el avanzado deterioro de las famosas pinturas y canalizar adecuadamente la gran afluencia de visitantes. Como reconoce* *también Hernández (2002), la existencia de estos lugares alternativos cuestiona, en cierta medida, el valor social del patrimonio, es decir, el derecho de todos los ciudadanos a disfrutar del patrimonio y la obligación de conservarlo para el disfrute de las generaciones futuras. Se trata de una disyuntiva que presentan muchos lugares patrimoniales, dadas sus características físicas y su carácter frágil a la hora de su conservación, teniendo en cuenta que es un recurso único y no renovable.*

*Se ha discutido también si los modernos* **parques de ocio** *o* **temáticos** *han de ser catalogados como instalaciones patrimoniales. El primero de ellos fue el parque Disneyland de Los Ángeles, inaugurado en 1955, aunque históricamente el antecedente más lejano es el parque de atracciones Prater de Viena (1766). Posteriormente Disney ha exportado sus parques a Europa y Japón, sirviendo de referentes para otros promovidos por multinacionales como la Warner Bross. Actualmente existen miles de parques de ocio, el 80% de los cuales se encuentra ubicado en países desarrollados. Como se ha señalado, gran parte de dichos parques de ocio o recreativos son parques temáticos, pues generan su actividad lúdica sobre una serie de temas que se proponen como estructura central del parque; pueden ser las grandes culturas y civilizaciones del mundo, como ocurre con Port Aventura (Tarragona) o Terra Mítica (Benidorm); o los parques tecnológicos, que combinan los atractivos del ocio, la ciencia y la tecnología, como sucede con el Futuroscop de París, la Ciudad de las Artes y las Ciencias de Valencia, o los grandes parques oceanográficos (Oceanópolis de Brest, Aquàrium de Barcelona o l'Oceanogràfic de Valencia). En el caso de los parques científicos aparece clara su dimensión patrimonial, tanto en términos culturales como naturales, mientras que en los parques de ocio y temáticos esta dimensión no podemos decir que esté ausente, ya que se refieren metafóricamente al patrimonio (mediante las reconstrucciones de cartón-piedra, poliéster y poliestireno, o las recreaciones en vivo de los grandes parques temáticos), o juegan con mitos de las industrias culturales de masas que ya* *forman parte de lo que podríamos denominar como patrimo-nio cultural contemporáneo (mitos del cine, universo Disney).*

*Los medios de comunicación modernos (prensa, radio, televisión), más los recientes desarrollos tecnológicos (CD-rom, CDI, DVD, internet) se revelan cruciales para la difusión del patrimonio cultural, especialmente para su difusión turís-tica, al tiempo que generan entre la opinión pública una actitud más predispuesta hacia la sensibilización con la conservación patrimonial. En este sentido, la utilización de los medios de comunicación en relación con el patrimonio cultural no se puede separar de la necesaria* **pedagogía** *que éste precisa para la formación de una ciudadanía concienciada y el fomento de un turismo sostenible. Como ha señalado Fontal Merillas (2003), la «educación patrimonial», entendida como «educa-ción del patrimonio» o «pedagogía patrimonial», intenta que, mediante la educación y sus recursos, se trasmita mejor el patrimonio cultural de generación en generación, fomentando una mayor sensibilización con la problemática que afecta al patrimonio cultural y ambiental en su conjunto. Esta «educa-ción patrimonial» pasa por la relación entre el patrimonio cultural, el aula, el museo e internet, e incluye programas educativos, campañas de animación, la difusión de un mensaje ético relacionado con los valores del patrimonio, el fomento de la conciencia de los riesgos y amenazas que soporta el patrimo-nio, la organización de cursos, exposiciones y debates, la presentación, discusión y divulgación de las experiencias peda-gógicas en relación con el patrimonio cultural, así como la necesidad de fomentar entre los estudiantes el sentido de la observación, la percepción del espacio, el espíritu crítico, la creatividad, la estima por determinados valores del pasado y el respeto al entorno natural y cultural.*

## 5.4. Los límites de la patrimonialización cultural

*En este breve apartado nos ocuparemos sucintamente de los que podríamos considerar como límites de la patrimonialización cultural en su relación con el turismo, lo que implica también considerar los efectos negativos de éste sobre el patrimonio, sin por ello omitir sus impactos positivos. Es bien cierto que el turismo puede colaborar en la protección y mantenimiento de los lugares históricos, promover el desarrollo económico de diversas regiones y países, al tiempo que se fomenta la cooperación y solidaridad entre pueblos. No es menos cierto que el turismo cultural y rural puede favorecer el desarrollo sostenible de comarcas afectadas por la desruralización, la despoblación y el deterioro ecológico. Asimismo, el turismo, que tiene en el punto de mira al patrimonio cultural, puede resaltar elementos como la realización personal, la contribución a la educación, el respeto a la identidad y a la dignidad de pueblos y personas, la afirmación de la diversidad y la originalidad cultural y el fomento un entorno adecuadamente protegido y conservado para que el legado patrimonial pueda, efectivamente, trasmitirse de generación en generación.*

*Con todo, no es menos cierto que la industria turística impone no pocas veces su descarnada lógica económica sobre los aspectos humanistas, introduciendo riesgos y deteriorando los entornos patrimoniales y medioambientales, hasta causar daños irreparables. La instrumentalización turística del patrimonio produce, además, efectos colaterales no deseados como la homogeneización cultural, el empobrecimiento y folklorización de las tradiciones locales, reconvertidas en souvenirs pintorescos o elementos típicos banalizados y frivolizados, desprovistos de todo contexto, el saqueo de los yacimientos arqueológicos, las transformaciones de las estructuras familiares y espacios tradicionales, reacciones defensivas o xenófobas y efectos nocivos sobre la comunidad local como el aumento de la prostitución, la delincuencia o los tráficos ilícitos. En todo caso, se ha de admitir que aunque el choque cultural puede contener aspectos traumáticos, también puede flexibilizar modos de vida demasiado rígidos o aislados, introduciendo nuevas expectativas e imaginarios en las comunidades receptoras, e incluso fomentando una rica hibridación cultural, susceptible a su vez de convertirse en poco tiempo en un nuevo patrimonio cultural.*

*No obstante, y más allá de los efectos positivos y negativos que el turismo genera en el patrimonio cultural, la difusión de éste aparece restringida por lo que estimamos que son los límites propios de la patrimonialización de la cultura, que seguidamente pasamos a exponer.*

*• Un primer límite deriva del hecho de que el patrimonio se forje con la readaptación de materiales provenientes de la tradición cultural (pasado) para usos diversos en la sociedad moderna (presente). Este procedimiento de mezcla, fusión y simbiosis genera un producto que no es ni tradición en sentido estricto (ya que ésta desaparece con los procesos de destradicionalización), ni una simple manifestación de la cultura actual, aunque sea hija de las ansiedades y programas culturales de la sociedad de la modernidad avanzada. Este singular mestizaje entre pasado, presente y futuro dibuja la esencia híbrida e impura del patrimonio, donde se funden formas muertas y formas vivas de cultura, tradición y modernidad, amnesia y anamnesia, encanto y desencanto, orden y crítica. De manera bastante significativa, tal extraña hibridación de cultura muerta y política cultural (vivificación cultural) es lo que convierte en más atractivo al patrimonio cultural, y es lo que le confiere una mejor salud, pues como sucede con la posibilidad de clonar seres o especies desaparecidas a través de medios tecnológicos, con la patrimonialización de la cultura y de la naturaleza se pueden recrear, clonar o resucitar viejos trozos de historia, convenientemente pasados por el filtro de las necesidades culturales de la contemporaneidad.*

*La hibridación presente en la propia sustancia del patrimonio cultural remite al implante de recuerdos artificiales, tal y como sucedía con los angustiados replicantes del film Blade Runner. No se trata de recuerdos personales, sino de los que han sido implantados e incorporados a través del proceso institucional de patrimonialización. A decir verdad, el patrimonio no se corresponde exactamente con nuestros recuerdos, pero trata de una memoria histórica artificialmente construida e inoculada mediante los mecanismos socializadores de la cultura, que hacen que tales recuerdos, que tales fragmentos de pasado histórico, puedan llegar a ser sentidos como experiencias personales, de modo que memoria personal y memoria social se funden en un concentrado donde los fluidos más densos provienen básicamente del trabajo de la imaginación de las identidades.*

   • *En unos tiempos presentes caracterizados por el aumento del territorio del pasado y la disminución del territorio del presente, se plantea, no obstante, la paradoja (y el segundo límite que señalamos) de que el hambre de anamnesia (de memoria y de recuerdo) puede llevar, con las condiciones de mercantilización, espectacularización y consumismo, a una especie de bricolaje o hibridación de pasados que acaba por dar a luz una suerte de amnesia o memoria anamnésica. Dicho de otro modo, la propia inflación y saturación del patrimonio cultural puede desactivar la pretensión de anamnesia para instaurar una amnesia con apariencia de cultura de la memoria. Esta convivencia o fusión de memoria anamnésica y amnésica remiten a la combinación de las prácticas tardomodernas del zapping, el surfing y el shopping. El zapping plantea un tratamiento atomizado del pasado, que permite pasar de uno a otro fragmento de pasado en clave espectacular, sin reflexión, sin culpa, con miras al ocio hedonista, disfrutando con la programación de canales televisivos como Canal Historia o Discovery Channel. En estos mismos canales, pero también en los parques temáticos, los centros comerciales y los circuitos turísticos, se practica el surfing, entendido como el tratamiento en superficie del pasado, una práctica que nos permite deslizarnos, sobre la suave tabla homologada del patrimonio-atracción, por las olas estrella de la historia, sin necesidad de saber como se formaron éstas ni los efectos generaron. Un deslizamiento que es al mismo tiempo shopping, es decir, la compra consumista del pasado que configura una suerte de supermercado de la memoria. Esto es así porque con la aceleración del cambio histórico se acaba creando una simultaneidad de pasados disponibles en un contexto notoriamente capitalista. De modo que el pasado acaba convertido en un bazar de pasados consumibles en un presente continuo, en el cual se fusionan el desencanto inherente a la racionalidad instrumental triunfante y la necesidad expresiva de reencantamiento por compensación, una necesidad que en realidad sólo puede ser satisfecha, como diría Ritzer (2000), a través de mecanismos genuinamente desencantadores.*

• *Para completar el carácter híbrido del patrimonio cultural, cabe referirse a un tercer límite que resulta de la mezcolanza que en el patrimonio se da entre la legitimación del orden establecido y su potencialidad crítica. Institucionalmente se va imponiendo una concepción del patrimonio pretendidamente neutra y «positiva», donde en nombre de la identidad, el bienestar y el turismo se acaba resaltando el patrimonio-mercancía, generándose una visión acrítica del pasado, funcional al orden imperante y contrapuesta a visiones del patrimonio que insisten en planteamientos críticos o impugnadores de las relaciones de dominación pasadas y presentes. Por lo general, tales planteamientos críticos se disuelven en la selva de los culturalismos descontextualizados, siendo sistemáticamente invisibilizados por el alud de estrategias de exaltación identitaria o de los discursos desarrollistas bienintencionados.*

*A estos tres límites del patrimonio cultural se pueden añadir otros cuatro límites más, el último de los cuales, como veremos, ya ha sido esbozado con anterioridad.*

• *El primero de ellos afecta las actividades preferentes de la persona (residencia, vivienda, infraestructuras), ya que no se puede anteponer el patrimonio cultural a los derechos de las personas, por la razón de que realmente el primer patrimonio son las personas, de modo que bajo ningún pretexto de conservación patrimonial se puede desalojar a personas de sus hábitats o someterlas a un trato degradante, como tantas veces ocurre.*

• *Si entramos en el terreno del patrimonio etnológico, el segundo límite tiene que ver con los derechos de los animales y los derechos humanos: en no pocas ocasiones en nombre de la tradición se conculcan los más elementales derechos de los animales a no sufrir inútilmente para divertir a las personas que realizan prácticas que bien pueden ser catalogadas como bienes patrimoniales, como es el caso de buena parte de los festejos taurinos, o las fiestas donde se maltratan aves, cerdos, burros o perros. Si trasladamos estas actividades a los seres humanos, determinadas prácticas degradantes y físicamente peligrosas para con las mujeres, los niños o hombres, amparadas bajo el paraguas de la tradición, probablemente serán cuestionadas en su estatuto de muestras ancestrales del patrimonio cultural.*

• *Finalmente, cabe referirse a los límites que se relacionan con las dimensiones más materiales del patrimonio. Admitiendo la centralidad del patrimonio cultural en el turismo y más concretamente en el turismo cultural, ¿cuánto patrimonio cultural podemos soportar? Es decir, ¿con cuántos recursos humanos, técnicos y económicos cuenta cada sociedad para mantener su patrimonio? ¿No puede un excesivo desarrollo del patrimonio cultural ser materialmente insostenible? ¿Realmente se puede convertir todo un territorio en un museo de ese territorio y mantenerlo dignamente como tal? ¿Hasta donde se puede llegar en una sociedad de modernidad vertiginosa donde la reducción progresiva del umbral de obsolescencia de los bienes los coloca en la antesala de la patrimonialización?*

• *Este último límite nos lleva a un cuarto conectado con él, que, como hemos señalado, aparece esbozado a lo largo de este capítulo. Se trata de la dificultad de difundir turísticamente el patrimonio cultural cuando no existe más cultura turística que aquella vertebrada por el más puro mercantilismo (Hernàndez i Martí, 2004). Dicha cultura turística debería tener en cuenta las personas como lo que son, no como simples compradores y vendedores en el mercado de la cultura y la memoria. Cultura, en ese sentido, implicaría elevarse por encima de las servidumbres del mercado, moderando sus recurrentes excesos y revelando la cara más humana del turismo, que es la del turismo como experiencia humana enriquecedora.*

Probablemente, detrás de la deshumanización de la experiencia turística estandarizada está la macdonalización de un turismo que trata la cultura como depósito de porciones rápidamente consumibles, empaquetables y digeribles. Explotar nuestro patrimonio cultural requiere probablemente otra concepción del término «explotar», ya que una explotación puramente mercantil puede llevar al estallido (a la explosión) del territorio que da sustento al patrimonio, que además forma parte de él. Frente a esta degradación del patrimonio cultural debería fomentarse una explotación entendida como el cultivo racional, cuidadoso y sostenible de nuestros entornos, que contienen un conjunto de recursos escasos cada vez más sometidos al riesgo de la propia acción de la cultura turística imperante. Explotar debería entenderse, pues, como una extracción de provecho colectivo de un bien que denominamos patrimonio cultural, y no como un abuso de este bien en provecho propio. En el segundo caso no se hace más que perpetuar una cultura turística mercantilista regida por el puro beneficio económico. En el primer caso, al menos es posible establecer las bases de un turismo donde la cultura se imponga como garantía moral de las dimensiones humanas del viaje.

### Lecturas recomendadas para trabajar en clase

NOGUÉS PEDREGAL, A.M (2003): «La cultura en contextos turísticos», en *Cultura y turismo*, Sevilla, Signatura, pp. 27-54.

VALCUENDE DEL RÍO, J.M (2003): «Algunas paradojas en torno a la vinculación entre patrimonio cultural y turismo», DD.AA, *Antropología y patrimonio: investigación, documentación e intervención*, Granada, Junta de Andalucía-Editorial Comares, pp. 96-109.

### Práctica para realizar en clase:

Analizar como presentan los folletos, revistas y anuncios de la agencias de viaje el patrimonio cultural de los distintos países del mundo, haciendo énfasis en la distinción entre países del primer y del tercer mundo.

## CAPÍTULO 6

# EL PATRIMONIO CULTURAL Y LA SOCIEDAD CIVIL

MARIA ALBERT RODRIGO

*«Debería existir un lugar para todos en la sociedad civil, un lugar que fuera realmente para todos, un lugar compartido por todos»*
*(Barber, 2000)*

En los capítulos precedentes, hemos visto como el patrimonio cultural ha ido ganando importancia principalmente, como elemento de identidad por su capacidad de restablecer los vínculos con sus antepasados y con sus formas de vida. Asimismo, hemos visto como el principal sujeto activador de bienes patrimoniales empezó siendo el Estado-nación (a través de los grandes museos nacionales basados en colecciones de piezas y objetos) y como a éste, de manera progresiva, se le han ido sumando nuevos actores: expertos y científicos sociales (arqueólogos, prehistoriadores, historiadores del arte, antropólogos), poderes regionales (comunidades autónomas) y finalmente, la propia sociedad civil mediante las redes asociativas. Este capítulo está dedicado a explorar, a través de casos concretos, la incorporación del movimiento asociativo a la defensa del patrimonio cultural y a señalar cómo se ha convertido en sujeto creador de nuevas figuras patrimoniales, proceso que viene experimentándose con especial celeridad desde la década de los noventa.

## 6.1. La sociedad civil

El concepto de sociedad civil, especialmente desde la década pasada, se ha venido utilizando de manera casi indiscriminada *con significados distintos. Diversos autores pertenecientes a la literatura especializada (Giner; Pérez Díaz; Keane) han tratado de definir y delimitar dicho concepto, o como mínimo han especificado como lo entienden en su uso. De acuerdo con Arato «podemos distinguir entre la sociedad civil como movimiento de la sociedad civil como institución, siendo la primera una especie de sociedad civil constituyente de la última, la versión constituida e institucionalizada» (1996:7).*

*Consideramos por tanto, constituyentes de la sociedad civil a los movimientos sociales, las asociaciones, plataformas, ONG, etc. que actúan en uno de los campos de acción (sectores o esferas) que constituyen la estructura del sistema social. De acuerdo con Ariño y otros (1999), se considera la estructura social como el resultado de la interelación entre tipos y cantidades de recursos de un lado y reglas, principios o esquemas culturales de otro.*

*La sociedad civil se entiende, así, como una clase concreta de instituciones sociales que se ubican al margen del resto de sectores o campos de acción que constituyen la estructura del sistema social. Generalmente, se ha considerado al Estado, al mercado y a la sociedad civil, también denominada Tercer Sector. La denominación depende tanto de los autores como de los países de procedencia desde donde ser realizan los estudios. La literatura especializada norte-americana ha utilizado básicamente el término de Non Profit Sector, en Gran Bretaña han empleado el de Voluntary Sector mientras que en los países francófonos han adoptado el de Économie Sociale que engloba tanto a las asociaciones como a las empresas cooperativas y las mutuas. Pero, tal como señala Ariño y otros (2001), se tiende a olvidar el campo de las relaciones proxémicas, es decir, la familia, las redes de parentesco y de vecindad como otra de las esferas constituyentes del sistema social.*

## Campos de acción de la estructura social

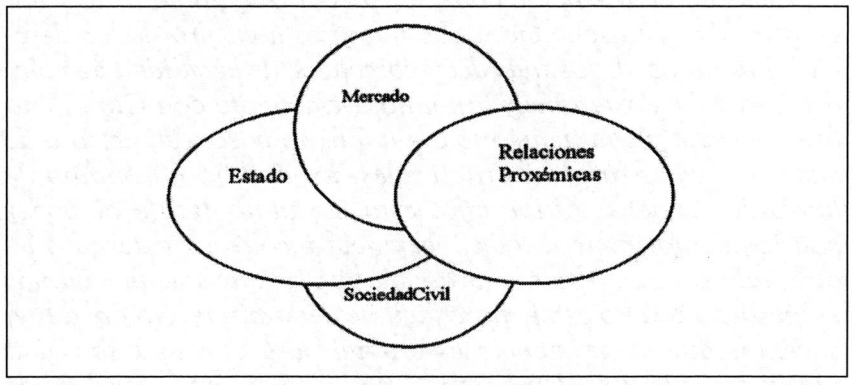

*Fuente: Elaboración propia a partir de Ariño y otros (1999)*

*Como Salamon y Anheier señalan, aunque esta línea de razonamiento es válida, posee sin embargo, el efecto de negar a otros sectores el status de ser civiles. Aún más, ignora el alcance de la relación que el* **sector de la sociedad civil** *tiene con otros sectores (mercado y Estado) para poder sobrevivir. «En realidad podría decirse que una verdadera* **sociedad civil** *no está donde uno u otro sector se encuentran en plena ascendencia, sino que en ella hacen acto de presencia tres sectores más o menos diferentes —Estado, mercado y no lucrativo— que trabajan juntos para poder dar respuestas a las necesidades públicas. Concebido de esta manera, el término de sociedad civil no se aplicaría a un sector concreto sino a una relación entre los sectores, en la que prevalece un elevado nivel de cooperación y apoyo mutuo» (1998:43). Dicha definición destaca la relación existente entre los distintos campos o sectores del sistema social, que Donati define de la siguiente forma «La sociedad compleja está basada en la contingencia de las relaciones sociales y en su continua desestructuración y reestructuración» (1997:133).*

*Las grandes transformaciones sociales ocurridas en las últimas décadas a escala planetaria imponen una redefinición de los campos del sistema social en la modernidad avanzada. La sociedad civil emerge con una fuerza inusitada, articulada en infinidad de asociaciones se manifiesta en pro de los derechos humanos, de los más desfavorecidos, de la calidad de vida, del desarrollo sostenible y humano. De acuerdo con Giner, «no hay sociedad plenamente moderna que no posea, como uno de sus principales rasgos estructurales, un ámbito autónomo de libertades cívicas. Autónomo, esto es, tanto frente al poder político como frente a toda ingerencia ideológica externa o de otra índole. La naturaleza de ese ámbito, al que solemos llamar* **sociedad civil** *no es siempre fácil de determinar. No obstante, sabemos que su existencia es crucial para que una sociedad pueda considerarse democrática, civilizada y, en la medida de lo posible, libre. Su importancia es crucial y obvia. En efecto, en condiciones de modernidad, el respeto a la dignidad humana depende en gran medida de la prosperidad de la sociedad civil, tanto, por lo menos, como de la vitalidad de la democracia» (2004:1). Su acción pretende dar un nuevo sentido a la intervención pública, comprometida y crítica, de la ciudadanía. Son numerosos los estudios (Cucó (1990;1991;1992); Cucó, y otros (1993); Ariño y otros (1999); Ariño y otros (2001); Ariño y Albert, (2003); Albert (2004)) realizados en los últimos años, que ponen de manifiesto la emergencia de esta eclosión cívica que se constituye en una fuente de legitimidad para la acción social.*

*En lo que sigue y al hilo de los capítulos precedentes, vamos a centrarnos en la sociedad civil que se ha organizado para ocuparse de los bienes patrimoniales. Antes, sin embargo, mostraremos las fuentes de donde surge y se desarrolla; es decir, expondremos los distintos factores estructurales que en un momento de profunda transformación como el actual nos ayudan a entender esta efervescencia asociativa desde la sociedad civil.*

## 6.2. Las fuentes del asociacionismo patrimonial

*En los últimos años, a las iniciativas procedentes de las instituciones públicas y privadas (Estado-nación, expertos y científicos sociales) en la activación de bienes patrimoniales, hay que sumar las realizadas desde las organizaciones de la sociedad civil, que se han convertido en verdaderos agentes creadores de nuevas activaciones patrimoniales.*

*Las primeras asociaciones que se constituyen en España en defensa del patrimonio cultural surgen durante los años ochenta, pero no será hasta la década de los noventa cuando se produzca una verdadera eclosión de organizaciones preocupadas por la cuestión patrimonial. La pregunta obligada ante tal efervescencia es la siguiente: ¿a qué se debe dicho interés? Una respuesta que pretenda comprender la auténtica naturaleza del fenómeno ha de tener en cuenta diversos factores. En primer lugar, se ha de considerar el momento de cambio y transformación al que hemos denominado con el nombre de globalización que, desde las ciencias sociales, se concibe como el nuevo paradigma a través del cual nos adentramos en cualquiera que sea nuestro objeto de estudio. En el caso que nos ocupa aquí, la efervescencia por el interés del patrimonio cultural pasa necesariamente por una de las múltiples dimensiones de la globalización, nos estamos refiriendo a la globalización cultural y más concretamente a la patrimonialización de la cultura que hemos tratado extensamente en el capítulo 4.*

*En segundo lugar, en un contexto de modernidad avanzada como en el que vivimos actualmente, estamos sometidos a muchas, diversas y constantes amenazas. En un contexto en el que la producción social de riqueza va acompañada de la producción social de riesgos, la expansión de los riesgos no rompe en absoluto con la lógica del desarrollo capitalista, sino que más bien la eleva a un nuevo nivel. Los riesgos de la modernización son un big business. Son la necesidades insaciables que buscan los economistas. Se puede calmar el hambre y satisfacer las necesidades, pero los riesgos de la civilización son un barril de necesidades sin*

*fondo, inacabable, infinito, autoinstaurable (Beck, 1998b:29).
Desde las amenazas que afectan a nuestro entorno, especies
animales y vegetales que están en peligro de extinción, pasando
por las que afectan a nuestra salud (las voces de alarma se han
repetido en los últimos años con respecto a las deficiencias en la
cadena de alimentos (vacas locas, neumonía atípica, etc.), hasta
las amenazas que planean sobre la diversidad cultural; es decir,
la pérdida de la identidades locales como consecuencia de la
homogeneización y del imperialismo cultural. Estamos pues,
ante lo que Beck (1998b), ha llamado la* **sociedad del riesgo**,
*en la que además el reparto de riesgos posee, tal como señala
dicho autor,* **una tendencia inmanente a la globalización,** *ya
que nadie está libre de poder padecerlos. Esta percepción del
riesgo ante la pérdida (o rápida transformación) de su entorno
y de sus formas de vida (tradiciones, costumbres, etc.) ha
generado la proliferación de todo tipo de iniciativas ciudada-
nas, asociaciones y colectivos que, preocupados por la pérdida
de sus raíces, confluyen en lo que se ha denominado como
movimiento social conservacionista, el cual encarna una* **lucha**
*a dos frentes: la protección del medio ambiente y la protección
del patrimonio cultural.*

*En tercer lugar, existen otros factores a considerar que no
son ni más ni menos que producto de este momento de
profunda transformación social. Pensemos pues, en la
radicalización de los procesos de individualización; en los
deseos de participación ciudadana y en el giro hacia nuevos
valores. Todos ellos configuran el marco comprensivo en el que
nos hemos de situar para entender la eclosión asociativa en
defensa del patrimonio cultural.*

### 6.2.1. *La radicalización de los procesos de individualización*

*La mayoría de los puntos de referencia constantes y sólida-
mente establecidos que sugerían un entorno social duradero,
seguro y digno de confianza durante el ciclo vital de cualquier
persona se han acabado (Bauman, 2003). La radicalización de*

*los procesos de individualización nos somete a una nueva configuración del lazo social, es decir, a una nueva manera de relacionarnos con los demás. El proceso de individualización[26], tal como lo entiende Beck (2000), es un proceso de socialización históricamente contradictorio entre la colectividad y la estandarización de las situaciones existenciales individuales emergentes. Precisamente, esta oposición entre la colectividad y el individuo es la que conduce al surgimiento de nuevas comunidades socioculturales, de nuevos espacios para las relaciones sociales. Así, la relaciones de amistad y de afinidad, los estilos de vida, la configuración de nuevas identidades y el sentido de la existencia son algunas de las dimensiones que podemos observar en la radicalización de los procesos de individualización.*

*Las asociaciones (ya sea en forma de ONG, plataforma, fundaciones, entidades, etc.), entendidas como un espacio de relaciones interpersonales, son un lugar extraordinario para la interacción social, lo que facilita la cohesión y la integración social. Funciones ampliamente señaladas y corroboradas en los estudios realizados sobre el asociacionismo. En este espacio se hace posible el ensayo de la moderna interacción. En muchas ocasiones, las asociaciones surgen a partir de un núcleo de amigos o personas afines que comparten un mismo objetivo (recuperar un baile, proteger una tradición, etc.). Además, resultan ser un lugar ideal para charlar, distraerse y pasarlo bien, en definitiva, para encontrarse con amigos y conocer gente con la que realizar actividades agradables.*

---

[26] *Como señala este mismo autor, «individualización» no significa muchas de las cosas qaue quisieran que significara quienes le atribuyen este significado: no significa atomización ni aislamiento; no significa corte de toda relación por parte del individuo que gravita en solitario, ni tampoco (lo que muchas veces se sobreentiende) individuación, emancipación, autonomía: la resurrección del individuo burgués después de su muerte. Por el contrario, significa la disolución y el desmembramiento de las formas de vida de la sociedad industrial (2000:35), que ha generado la aparición de nuevos riesgos existenciales a los que el individuo tiene que hacer frente.*

*Ésta práctica comporta un estilo de vida, que tal como señala Giddens (1991), puede definirse como un conjunto de prácticas más o menos integrado que un individuo adopta no sólo porque satisfacen necesidades utilitarias, sino porque dan forma material a una crónica concreta de la identidad del yo. En la modernidad, puesto que ya no nos sirven los modelos de nuestros mayores (padres, abuelos, etc.), porque las cosas han cambiado y nos movemos de un modo diferente, el individuo se sitúa frente a una compleja diversidad de elecciones que, de acuerdo con este autor, derivan en la primacía de un estilo de vida. En cierto sentido, nos vemos forzados a hacerlo, no tenemos más opción que elegir.*

*Se trata de decisiones que se ven absorbidas a expensas de otras alternativas posibles. Mientras unos optan por ir a tomarse una cerveza o a jugar al tenis, otros optan por dedicarse a mantener viva una tradición (el* **ball dels bastonots** *que se celebra en las fiestas patronales de una localidad). Los estilos de vida van unidos a un medio de acción específico y constituyen su expresión. Así, las asociaciones dedicadas al Patrimonio Cultural se convierten en instrumentos de salvaguarda y fomento de la cultura a la vez que comportan un estilo de vida.*

*No acaban aquí las posibilidades del espacio asociativo, la practica asociativa cotidiana no solamente nos confiere un estilo de vida, sino que también nos proporciona una oportunidad elegida con la que poder identificarnos. En el caso de las asociaciones de Patrimonio Cultural, dada su extrema juventud en el tiempo, comportan la creación de una nueva identidad cultural[27], ya que las acciones que se realizan a través de la asociación nos obligan y nos permiten identificarnos con ellas.*

---

[27]    *Se entiende la identidad como un sentimiento de pertenencia. Tal como señala Bauman con respecto a la identidad, «la palabra debe la atención que atrae y las pasiones que despierta a que es un sucedáneo de la comunidad: de ese supuesto «hogar natural» o de ese círculo que se mantiene cálido por fríos que sean los vientos del exterior (2003:22).*

Esta nueva identidad es la surge a partir de la conciencia de pérdida de los elementos de nuestra identidad cultural. Se trata pues, de recuperar y salvaguardar todos aquellos elementos (bienes tangibles o intangibles) con los que nos identificamos y que en un contexto de profundos cambios sociales corren el peligro de desaparecer. En definitiva, las acciones que se realizan en las asociaciones proporciona «sentido» a la existencia de los individuos, ya que nos ayudan a establecer vínculos con nuestro pasado, nos dice de donde venimos, nos sitúa en el presente y nos proyecta al futuro.

La radicalización de los procesos de individualización impone al ser humano escoger, decidir y crear un estilo de vida, le otorga una identidad propia y le permite reconfigurar sus relaciones y vínculos a través de un discurso y una acción que le proporcionan sentido.

## 6.2.2. Los deseos de participación

La participación[28] puede definirse como el proceso a través del cual la ciudadanía y los poderes públicos colaboran en actuaciones políticas que afectan al modo de vida colectivo (Albert y Gadea, 2001). Inglehart (1998), en su estudio sobre el cambio cultural, económico y político realizado en 43 países, afirma que los valores posmodernos debilitan la confianza en la autoridad religiosa, política e incluso científica; pero paralelamente también implican un deseo cada vez mayor de participación y autoexpresión en las masas. Las dos tendencias se combinan para dificultar la tarea de las elites políticas. Lo que en el pasado se consideró un rendimiento satisfactorio según los viejos criterios, hoy día ya no se considera tal. Sobre todo en el ámbito político, el respeto a la autoridad se está debilitando.

---

28  Cabe distinguir, de acuerdo con Albert y Gadea (2001) entre participación cívica, la de los ciudadanos en asociaciones cívicas y la participación ciudadana, entendida como derecho y regulada constitucionalmente.

Al estudiar la dimensión política en el ámbito valenciano, García Ferrando y Ariño detectan que junto al elevado grado de satisfacción con el desarrollo de la democracia y el decidido apoyo al sistema democrático, hay un escaso interés por la política, una pérdida de atractivo de los modelos de participación tradicionales y una desconfianza profunda en los partidos políticos. En contraste, se enfatiza la alta legitimidad que provocan las ONG y el movimiento ecologista, o el interés que en un segmento crítico de la población despiertan las formas de participación no convencional (2001:301).

En las últimas décadas, la apatía política presente en los sistemas democráticos ha hecho cobrar un especial protagonismo al fenómeno asociativo en su conjunto. Como señalan Giner y Sarasa (1997), el ser humano actual podrá ser a menudo políticamente apático y abstenerse de votar o de afiliarse a partidos o sindicatos, pero esa aparente apatía no impide que hoy muchos ciudadanos participen en actividades «privadas» en la esfera pública que tienen repercusiones cruciales para el bienestar, la dignidad e incluso, la supervivencia de los desvalidos o de los menos privilegiados.

La movilización en torno a las múltiples y diversas agresiones que sufre el patrimonio cultural es fruto de una conciencia social preocupada por su conservación. Estas asociaciones apuestan por la conservación de las tradiciones, del folclore, de los espacios de interés histórico-artístico, de la memoria oral, etc.; es decir, por todo aquello que se concibe como un valor cultural y que es significativo como elemento de continuidad entre el pasado y el presente. La reproducción del presente reinventa el pasado a través del patrimonio (Ballart, 1997; Ariño, 2001). Se expresa, así, el interés por los elementos culturales y por la importancia que éstos tienen dentro de las identidades colectivas.

Entre las asociaciones dedicadas al patrimonio cultural podemos distinguir dos tipos de participación claramente diferenciados. Por una parte, se encuentran aquellas asociaciones que podemos entender como comunidades de práctica (se *reúnen para realizar una actividad que comparten), y que a través de sus actividades realizan una participación en la sociedad de tipo colaborador. Se dedican a la recuperación y conservación de danzas, bailes, música, juegos, fiestas, etc. tradicionales que ponen en conocimiento del resto de la sociedad a través de los actos que organizan junto con las instituciones (fiestas locales, semanas culturales, etc.). El hecho de recuperar un baile, una música, etc. es una manera de buscar un significado distinto a la vida ordinaria y salir a la calle. Pero, obviamente, éste es un salir a la calle que no desemboca por sí mismo en el compromiso cívico ni supone una crítica, un desafío o una contestación a las formas de participación convencional, es por tanto una forma no crítica de actuar que, de esta manera, reafirma las estructuras existentes.*

*Por otra parte, nos encontramos con que también existen asociaciones dedicadas al patrimonio cultural que realizan acciones de carácter reivindicativo y de protesta, ya sea en forma de exposiciones, debates, comidas populares, manifestaciones, conciertos, incluso huelgas de hambre. Protagonizan acciones en contra del tipo de sociedad en la que se hallan inmersas y que en su máximo nivel proponen una sociedad alternativa. Así, dentro del asociacionismo dedicado al patrimonio cultural, nos encontramos con formas de acción contrapuestas con respecto a la sociedad en la que se hallan inmersas. Unas colaboran con ella mientras que otras actúan en su contra.*

## 6.2.3. El giro hacia nuevos valores

*Inglehart (1991;1998) defiende la tesis de que se ha producido un transito de una cultura materialista hacia una cultura postmaterialista; es decir, desde una cultura que tiene como prioridad la satisfacción de las necesidades económicas y de seguridad personal a otra que tiene cubierta dichas necesidades otorgándosela a las necesidades sociales y de autorrealización.*

*Este avance posmaterialista se ha extendido a países no occidentales que han experimentado una profunda transfor-*

mación urbana e industrial de sus estructuras sociales y que se ven implicados en el proceso de globalización. En realidad el giro «postmaterialista» forma parte de un cambio cultural más profundo que Inglehart define como el tránsito de la modernización hacia la posmodernización, caracterizado por el declive de las instituciones jerárquicas y las normas sociales rígidas, así como por la expansión de los ámbitos de la elección individual y la participación de masas.

Señala Inglehart que la creciente preocupación hacia valores posmaterialistas está en consonancia con la percepción de las amenazas de la sociedad del riesgo. Cuando las sociedades industriales avanzadas alcanzan un determinado punto de desarrollo económico y tecnológico que permite satisfacer las necesidades básicas de un número creciente de individuos, éstos empiezan a preocuparse por otro tipo de cuestiones como la calidad de vida, los problemas medioambientales, los derechos humanos, las libertades, etc. En suma, se pasa de la escasez a la seguridad en primer lugar, y a la seguridad del bienestar (cada vez más inmaterial) en segundo lugar. Se trata de valores que tienden hacia la maximización del bienestar individual más allá del credo económico (más, mejor y mayor). Lo cual, también ha provocado un tránsito desde las divisiones políticas basadas en el conflicto de clase social hacia las que se basan en cuestiones culturales y relativas a la calidad de vida.

Son muchos, los estudios realizados en España que han tomado como referencia la hipótesis de Inglehart. Como subrayan García Ferrando y Ariño (2001), en la encuesta mundial de valores de la Comunidad Valenciana[29] se reflejan las bases y

---

[29]   En 1995 la Comunidad Valenciana se integró en el proyecto de la Encuesta Mundial de Valores, coordinado por el profesor Inglehart de la mano de García Ferrando y Ariño, (1998). La encuesta permitió conocer empíricamente el avance del posmaterialismo en la sociedad española y que, dentro de ella, la sociedad valenciana puntuaba ligeramente por encima de la media española.

*condiciones socieconómicas del cambio cultural de la sociedad valenciana de las últimas décadas del siglo XX. Se detecta un avance del posmaterialismo de un lado, y un alejamiento de las instituciones jerárquicas y centralizadas; así como una afirmación de la autonomía individual, el pluralismo y la calidad de vida, de otro.*

*Sin embargo, de acuerdo con Santamarina (2003), la tesis de Inglehart ha recibido numerosas críticas (Riechmann, 1999; Riechmann y Fernández Buey, 1994; Martínez Alier, 1995; Valencia Sáiz, 1995; García, 1995; Chuliá Rodrigo, 1996; entre otras) debido a la debilidad de su valor explicativo. Las criticas apuntan, fundamentalmente, hacia la imposibilidad de afirmar la influencia de los valores en el comportamiento individual o social, es decir, en el sentido de que los valores no dan cuenta de la práctica. De hecho, Riechmann y Fernández (1995) afirman que «más que explicar la acción, son ellos lo que tienen que ser explicados por la acción». También reprochan su desacuerdo con el uso del término postmaterialista, por encontrar que la conservación del medio ambiente, por ejemplo, uno de los valores que más relevancia ha cobrado en los últimos años, es nítidamente materialista.*

*En cualquier caso, lo que desde aquí sí que podemos afirmar, es que en la actualidad, las preocupaciones por cuestiones como la diversidad de estilos de vida, la autoexpresión, la revalorización de la tradición, la autonomía, la diversidad cultural y un largo etcétera son asuntos candentes que preocupan a la ciudadanía y les han llevado a organizarse en multitud de asociaciones para hacer frente a sus prioridades sean materiales o postmateriales.*

## 6.3. Características del asociacionismo patrimonial en la Comunidad Valenciana

*Ya hemos visto el marco en el que se desarrolla el interés por el Patrimonio Cultural. Desde los años ochenta, pero muy especialmente durante la década de los noventa, han surgido numerosos grupos reunidos desde afinidades ideológicas que forman parte de un nuevo tipo de voluntariado de carácter solidario y altruista. Dentro del asociacionismo cultural destaca por su notable crecimiento el voluntariado dirigido hacia el patrimonio y los bienes culturales.*

*En la Comunidad Valenciana, como sucede en otras regiones de Occidente, ha comenzado a detectarse que las prioridades valorativas de segmentos cada vez más amplios de población se orientan de una forma que no tiene precedentes en la historia de la humanidad. Una orientación hacia la calidad de vida, la maximización del bienestar y autonomía individuales, la diversidad cultural, la autoexpresión, el reconocimiento de la importancia de lo estético y una nueva mirada hacia el pasado que conduce, de forma aparentemente paradójica aunque bien compresible desde la perspectiva de búsqueda de nuevos equilibrios en el contexto de la creciente globalización, a la revalorización de la tradición (García Ferrando y Ariño, 2001:294).*

*En general, estas asociaciones expresan la conciencia de una pérdida y la existencia de un grave riesgo: el tesoro que se identifica como tradición o patrimonio está en grave peligro de desaparición o desintegración. Los protagonistas de esta nueva concepción son pequeños colectivos formados por minorías cívicas que despliegan, directa o indirectamente, una gran actividad de defensa, restauración y protección del patrimonio. Así, este asociacionismo se ha convertido, junto con los especialistas y expertos, en uno de los principales sujetos activadores de bienes patrimoniales. Se trata de un asociacionismo constituido, con frecuencia, por pequeños colectivos formados por elites culturales locales que gozan de una gran legitimidad social en sus acciones y propuestas. Apuestan por la conservación, recuperación y restauración del patrimonio local y/o comarcal, entendido éste en un sentido amplio. Forman parte de un verdadero movimiento social moderno de carácter conservacionista patrimonial, que se manifiesta como una nueva voz social y política que expresa una nueva sensibilidad patrimonializadora de la cultura y una forma de practicar y entender la participación cívica y la ciudadanía.*

*De acuerdo con Hernàndez i Martí (2001), el patrimonio cultural aparece en la actualidad como un fenómeno multidimensional con implicaciones tanto locales como globales. Por una parte el patrimonio se convierte en fenómeno político, donde intervienen el Estado y diversos agentes locales y transnacionales, que asumen la necesidad de salvaguarda, protección y restitución del patrimonio; por otro lado se resalta su dimensión social, visible en la sensibilización creciente de la población hacia la conservación patrimonial y en la emergencia de todo un asociacionismo de nuevo cuño volcado en la defensa patrimonial.*

## 6.3.1. ¿Cómo surgen las asociaciones de patrimonio?

*Ya hemos mencionado los distintos factores que pueden ayudarnos a comprender la eclosión asociativa en torno al patrimonio cultural, así como la implicación de la sociedad civil en el proceso de patrimonialización de la cultura que ha experimentado su momento álgido en las dos últimas décadas. Como muestran los estudios realizados al respecto en la Comunidad Valenciana, la gran mayoría de las asociaciones dedicadas al patrimonio surgen durante la década de los noventa, con lo que, la primera característica a considerar es su extrema juventud.*

*Una mirada más atenta nos muestra que existen muchas y diversas modalidades en la iniciativa que constituye la asociación. En ocasiones, las asociaciones son fruto de un proceso de* **difusión** *de una determinada sensibilidad que desde una asociación se expande por imitación a otras. También puede darse el caso de que una asociación, por discrepancias entre los socios, sufra un proceso de* **escisión** *y acabe por constituir otra nueva asociación. Otras veces, sin embargo, ocurre el efecto contrario, dos asociaciones por sintonía, deciden* **fusionarse** *dando lugar a otra nueva. También son frecuentes los casos en los que las asociaciones surgen de la iniciativa de alguna* *persona particular con cierto capital cultural y con el* **carisma** *suficiente en torno a la cual se reúne un grupo. O, por el contrario, la asociación nace de forma autónoma a partir de la* **iniciativa de un grupo** *que comparten su preocupación por la degradación del patrimonio. Finalmente, también surgen asociaciones que tienen su origen en la* **tutela** *de una administración pública que las promueva o, de forma contraria, surgen como resultado de una* **acción puntual de carácter reivindicativo** *o de protesta ante la administración por una determinada situación y que para continuar su labor en el futuro deciden fundan la asociación.*

## 6.3.2. Los objetivos

*El objetivo fundamental compartido de estas asociaciones es unánime, «mantener la tradición y salvar el patrimonio», ya que se trata de asociaciones que se conciben a sí mismas como el verdadero ángel custodio del patrimonio cultural ante las múltiples amenazas (el paso del tiempo, el progreso, la globalización) que supone la modernidad avanzada.*

*El patrimonio tangible o material es susceptible al paso del tiempo, ya que éste tiene capacidad de dañarlo y deteriorarlo hasta tal punto que acabe por perderse si no se realiza una tarea de rehabilitación y conservación. En estos casos, las asociaciones se plantean como objetivo específico la denuncia del abandono y su necesaria conservación ante la administración y la sociedad.*

*Otro de los grandes enemigos de los bienes patrimoniales es lo que las asociaciones patrimoniales entienden como* **progreso**, *más concretamente se refieren a la presión urbanística que se ejerce ante determinados monumentos históricos e incluso ante barrios enteros que en muchos casos no lo han podido soportar. Tanto el paso del tiempo como el progreso afectan de forma considerable al patrimonio intangible (lengua, costumbres, fiestas, etc.); fundamentalmente hemos pasado de una cultura rural a una cultura urbana y estas asociaciones emergen* *como núcleos de resistencia a partir de los códigos culturales afianzados en la tradición o en la experiencia local.*

*La mencionada globalización planea sobre los distintos bienes patrimoniales como la mayor de las amenazas por la tensión que ejerce entre la red global y la despersonalización que trae consigo la sociedad global. Las asociaciones de patrimonio son portadoras y pretenden hacer extensiva una conciencia de salvaguarda de aquellos elementos que como símbolos de identidad son dignos de ser conservados y que nos remiten y conectan con nuestro pasado. Mantener la tradición y salvar el patrimonio rescatado del olvido no son objetivos finalistas de las asociaciones, sino que estos colectivos pretenden también, su extensión e irradiación social. Por ello, la concienciación y difusión del patrimonio ha de considerarse como un objetivo transversal que se halla presente en prácticamente casi todas las actividades que efectúan, ya sea a través del estudio de la historia, de las costumbres y de las formas de vida locales o, sencillamente, manteniendo viva una determinada música, danza, juego, deporte, etc. que eviten su pérdida.*

*Las asociaciones se enfrentan a dos desafíos fundamentales; el primero, recuperar y proteger y, el segundo, concienciar tanto a la sociedad, supuestamente titular del derecho colectivo al patrimonio, como a las autoridades públicas. En algunos casos, se detectan propuestas donde se hace explícita una de las metamorfosis más innovadoras de la idea de patrimonio. Frente al patrimonialismo sustancialista que juzga los bienes culturales únicamente por el valor que tienen en sí mismos y da lugar a una práctica de restauración purista, concibiendo su preservación al margen del uso actual, los defensores de la concepción utilitarista postulan que no hay restauración exitosa si no aparecen nuevos usos, como consumo turístico y el desarrollo local[30].*

---

[30] *En Albert (2004), «también puede darse una forma distinta de instrumentación del patrimonio, donde la práctica cultural se pone al servicio de la*

## 6.3.3. Tipología

*La cultura designa la totalidad de manifestaciones de un pueblo o colectividad, es decir, su modo de vida. De manera que el campo cultural incluye una gran variedad de asociaciones que grosso modo podemos clasificar según la actividad principal que desempeñan. Entre estas se encuentran las dedicadas al Patrimonio Cultural, dentro de las cuales encontramos también una gran heterogeneidad. En los estudios realizados en el ámbito de la Comunidad Valenciana[31], y según la realidad asociativa encontrada, se ha optado por clasificar de la forma siguiente:*

**Tipología de las asociaciones de Patrimonio Cultural**

| | Generalistas |
|---|---|
| | *Patrimonio Tangible* |
| | *Defensa lengua* |
| **Patrimonio Cultural** | *De estudio* |
| | *Música, danza, teatro* |
| | *Tradición* |
| | *Deportivas* |

*Fuente: elaboración a partir de Ariño (1996).*

---

*prevención social por ejemplo, en un barrio conflictivo, con dificultades de integración para los adolescentes, una persona crea un grupo de música y danzas para socializar a los jóvenes en la participación cívica y alejarlos del ambiente de la droga. Con el tiempo, sin embargo, la finalidad social queda al margen de los objetivos de la asociación y el restauracionismo patrimonial pasa a primer plano».*

[31] *En el estudio dirigido por Ariño (1999b) Asociacionismo y Patrimonio cultural en la comunidad Valenciana, se contemplan un total de 4.262 asociaciones culturales, de las cuales 786 (18,5%) son de patrimonio, 1.260 (29,5%), son culturales y/o de patrimonio y, 2.216 (52,0%) son asociaciones culturales en general. Mientras que su distribución territorial es la siguiente: el 58% se sitúan en la provincia de Valencia, el 27% en la de Alicante y un 15% en la de Castellón. Es este un asociacionismo básicamente urbano y costero, y menor en las zonas rurales y de interior.*

En la tipología señalada, cabria añadir aquellas asociaciones que encarnan un discurso de protección al medio ambiente con argumentos patrimoniales. Sin embargo, en base a los trabajos realizados sobre asociacionismo de que disponemos, no se ha encontrado ninguna asociación que reúna estas características. Donde si que podemos observar esta articulación entre el patrimonio cultural y natural es en la plataforma de **Salvem la Punta**, constituida en la ciudad de Valencia en el año 1997, en la cual profundizaremos en el último punto de este capítulo.

Salvo en algunos casos que se trata de asociaciones que tienen un carácter más generalista (la primera de las categorías que vemos en el cuadro anterior) y que realizan actividades de conservación, investigación, restauración y recuperación del patrimonio cultural en general, las asociaciones de patrimonio tienen un campo de acción muy específico y se dedican en exclusiva a una actividad, la defensa de la lengua por ejemplo, o a la recuperación y conservación de una determinada danza, música, etc.

### 6.3.4. Principales acciones y demandas de las asociaciones de patrimonio

En el pasado, las asociaciones se caracterizaban por su polivalencia; es decir, por la capacidad de realizar diferentes actividades en su seno. Sin embargo, una de les características más destacadas del asociacionismo que se ha ido gestando en los años ochenta y noventa es la su especialización funcional. Ello ocurre de forma muy especial en las asociaciones dedicadas al patrimonio cultural (ya hemos visto en el punto anterior que son muy pocas las consideradas bajo la categoría de generalistas).

En segundo lugar, conviene advertir que casi todas ellas realizan una labor de investigación y estudio, ya que tratan de rescatar, ateniéndose a criterios de autenticidad, aquello que corre el peligro de perderse. A veces, esta tarea la efectúan de

*una forma intuitiva, como aficionados, recopilando informa-*
*ción de las personas mayores, y otras de manera mucho más*
*elaborada, profesional y experta, consultando archivos, con-*
*trastando fuentes y con la aportación de profesionales. Pero el*
*hecho que nos parece más significativo es que casi todas ellas,*
*de una manera o de otra, se han visto impelidas a realizar esta*
*labor. Sin embargo, esta investigación instrumental de las*
*asociaciones especializadas no impide que haya asociaciones*
*muy consolidadas que se dedican exclusivamente a la investi-*
*gación y el estudio. Se trata de los Centros de Estudios Locales*
*que, generalmente, suelen tener un carácter comarcal más que*
*local.*

*En tercer lugar, y a excepción de los Centros de Estudio,*
*estas entidades realizan actividades vinculadas con los aspec-*
*tos lúdicos y festivos de las formas de vida preindustriales:*
*fiestas, danzas, músicas, deportes y juegos tradicionales, gas-*
*tronomía y determinadas tradiciones como pueden ser los*
*distintos sonidos de las campanas, etc.*

*Finalmente, la lengua se ha convertido en el principal sím-*
*bolo de identidad étnica de las sociedades modernas, ya que la*
*pérdida de la misma se considera como uno de los signos de*
*mayor degradación de la identidad colectiva. Resulta lógico,*
*por tanto, la aparición de numerosas asociaciones especializa-*
*das en la recuperación y enseñanza de la lengua. Existen, sin*
*embargo, otro tipo de actividades que suele darse de forma*
*puntual en estas organizaciones, como puede ser la denunciar*
*las agresiones reiteradas contra algunos bienes culturales y la*
*de presionar a las instituciones para que adopten medidas de*
*protección y de conservación ante casos concretos.*

*De manera transversal, en la totalidad de sus acciones estas*
*asociaciones realizan una importante tarea de difusión de la*
*cultura (en forma de música, danza, etc.), prestando un servicio*
*inestimable a la sociedad. Además, tratan de sensibilizar y de*
*concienciar tanto a la sociedad como a las instituciones de la*
*importancia de preservar la tradición para mantenerse vincu-*
*lados con sus raíces históricas, que son la fuente de su identi-*

*dad. Los miembros de estas asociaciones se entienden a sí mismos como verdaderos guardianes de la tradición, que velan porque ésta se mantenga viva, por su pureza y autenticidad.*

*En la conservación del patrimonio cultural es fundamental el fortalecimiento y la multiplicación de actores implicados. Los beneficios de una participación más diversificada en la preservación del patrimonio pueden verse en la labor que realizan los nuevos agentes activadores del patrimonio cultural, ya sean patronatos, fundaciones u otros actores culturales de la sociedad civil. Su creciente presencia ha significado la realización de proyectos de rescate, conservación y difusión del patrimonio, que de otra forma no hubiera sido posible realizar ya que su capacidad de convocar voluntades y aunar esfuerzos, reunir recursos financieros, intermediar y realizar tareas diversas es una de sus principales características a destacar.*

### 6.3.5. Marco cognitivo

*Para examinar la ideología o marco cognitivo de las asociaciones dedicadas al patrimonio, hemos de preguntarnos como éstas se conciben a sí mismas. En primer lugar, consideran que a través de sus actividades de recuperación, conservación y protección mantienen vivos los símbolos de la identidad colectiva. Enarbolan, por tanto, el estandarte de la pureza y de la autenticidad de sus raíces. Por otra parte, son portadoras de una nueva visión acerca de los elementos patrimoniales. Aquello que podía verse como viejo e inútil ahora se considera como digno de preservación para las generaciones del futuro. Abanderan pues, los elementos necesarios para producir un verdadero cambio en la sociedad a través de crear conciencia de conservación.*

*En el caso de la Comunidad Valenciana, en el que la lengua valenciana se encuentra en situación de debilidad, pérdida y degradación, ésta aparece, sin embargo, como el símbolo más importante de la identidad colectiva, de manera que si se pierde la lengua autóctona desaparecerá el pueblo valenciano. En algunos casos se considera el valenciano como una lengua distinta del catalán y hablan de* **valencianía** *más que de* **valencianismo**, *aunque la mayoría se manifiesta a favor de la unidad de la lengua y defiende la implantación de una normativa lingüística común.*

*Las entidades patrimoniales tienen una práctica y un discurso claramente orientados hacia la identidad cultural autóctona, se expresan habitualmente en valenciano e interpretan sus actuaciones concretas como expresión de la cultura valenciana en sentido genérico.*

*Las asociaciones resaltan, en general, su composición mixta y heterogénea respecto a la ideología política de sus miembros, así como de su actitud tolerante hacia las diferencias. La gran mayoría de asociaciones se definen como apartidistas, no se inclinan por ningún partido político y prefieren eludir cualquier definición política de carácter partidista. Partidismo es sinónimo de bandería, tiene una connotación negativa que con frecuencia traspasa al término politización y se confunde con él. El apartidismo es identificado de forma expresiva como «no fer bandera». No obstante en algunos casos se definen con una tendencia ideológica nacionalista y/o de izquierdas, e incluso en términos de progresistas. Sobre esta cuestión profundizaremos en el capítulo 8.*

### 6.3.6. Recursos de las organizaciones de patrimonio

*Las asociaciones de este sector tienen una estructura de recursos humanos bastante simple y homogénea que básicamente cuenta con la figura del socio/a. En los casos de los grupos de música, danza y teatro disponen de algún profesor con contrato flexible. No se contemplan otras categorías como voluntarios, cooperantes, estudiantes en prácticas, ni siquiera se utiliza la retórica del voluntariado para interpretar las formas de acción de aquellas personas que dedican su tiempo gratuitamente a la organización (personas que enseñan a tocar la dolçaina, por ejemplo), sino que se les denomina socios, ya* que de alguna manera se vincula el voluntariado con la prestación de servicios personales a sectores o categorías sociales con carencias.

En cuanto al tamaño de los recursos humanos, existe una heterogeneidad relativa; y generalmente se ubican en una franja que oscila entre los treinta y los setenta socios, no suelen superar el centenar. Respecto al perfil de los asociados en función del género, parece que en las asociaciones de danza hay más niñas y mujeres, mientras que en las de música ocurre lo contrario. Sin embargo, la mayoría son mixtas, con la excepción de las dedicadas al deporte tradicional (pelota valenciana, colombaides, tiro y arrastre, etc.), que tienen una afiliación exclusiva masculina.

En general, el grueso de estas asociaciones suele estar compuesto por personas adultas, entre 30 y 50 años. Existe además, una concordancia entre las profesiones que realizan y el tipo de asociación a la que se suscriben. En el caso que nos ocupa se da una presencia mayoritaria de docentes, se trata de profesionales dedicados a la enseñanza, tanto de niveles primario u secundario como universitario. También se encuentran casos de asociaciones en los que éstas se nutren de jóvenes estudiantes, capaces de aportar un dinamismo particular. Sin embargo, tienen la dificultad de llevar a cabo una programación regular de las actividades como consecuencia del régimen de dedicación al estudio y de los cambios lógicos y constantes en la trayectoria vital de los jóvenes.

Los recursos económicos de estas asociaciones son fundamentalmente tres: las cuotas, que en general tienen un carácter simbólico; las subvenciones, principalmente de fuentes municipales y, en ocasiones, las recaudaciones obtenidas en actuaciones. Estas asociaciones no precisan de un volumen presupuestario importante, pero no por ello carecen de necesidades como locales, adquisición de instrumentos, vestuario o contratación de profesorado. Cuando el profesorado no es voluntario la aportación municipal, en forma de subvención, suele sufragar sus costes.

Cabe señalar que entre los grupos de danzas, música y teatro, la principal fuente de financiación suele radicar en los ingresos por actuaciones, mediante los que hacen frente al principal gasto que han de afrontar, el mantenimiento de un local.

De manera puntual, para lograr sus objetivos y sobrevivir, estas asociaciones también recurren a otras fuentes de ingresos, como las rifas y la lotería e incluso, la organización de excursiones.

### 6.3.7. La organización, funcionamiento y ámbito de implantación

El esquema organizativo de las asociaciones de patrimonio responde a un grupo de socios alrededor de una junta directiva, lo mismo que el resto del universo asociativo, sea cual sea la actividad que desarrollen, lo cual resulta lógico puesto que es un imperativo legal para el reconocimiento como asociación y por tanto, acceder cualquier tipo de ayuda, sea pública o privada. Así, se rigen por Estatutos que se diferencian muy poco unos de otros (tienden a hacerse extensivos de unas asociaciones a otras).

Dichos estatutos establecen el organigrama consistente en una Junta Directiva compuesta por: presidente, vicepresidente, secretario, tesorero y vocales. Se trata de cargos que, formalmente, se encuentran en todas las asociaciones. En ellos se establece también la periodicidad con la que se han de celebrar las reuniones de la Junta Directiva, las Asambleas Generales y la renovación de cargos.

Otra cosa es la dinámica real de la asociación que suele imponerse a la establecida en los Estatutos. Ocurre con frecuencia que las personas que asumen la responsabilidad de dirigir las asociaciones se mantienen en estos cargos casi por tiempo indefinido, con independencia de lo establecido en las normas legales, pues la renovación tiende producirse de manera forzada cuando las personas que ocupan cargos se retiran.

*De la misma manera, la junta directiva se reúne en función de sus necesidades, aunque parece existir un cierta periodicidad que oscila entre una reunión a la semana o al mes. Cita que se suele aprovechar para tomar una cerveza y charlar en un ambiente distendido. Normalmente se respeta el plazo de las asambleas generales de una vez al año, en la que se comunica a los socios que asisten el estado de cuentas, las actividades que se han realizado y los proyectos de futuro.*

*Merece la pena destacar dos peculiaridades de las asociaciones dedicadas a la música, danza y teatro, puesto que se trata de escuelas donde se imparten sus conocimientos, están internamente estructuradas en comisiones que se encargan de tareas diferenciadas (de los instrumentos, de la indumentaria, del papeleo) y su vida asociativa consiste, ante todo, en los encuentros semanales para la realización de ensayos. Por esta razón instrumental, la asociación es frecuentada con notable asiduidad y presenta, por tanto, un altísimo grado de sociabilidad que implica a toda la familia en primera instancia y a la localidad en último término.*

*Estas entidades tienen en su inmensa mayoría un carácter local y en algunos casos, comarcal[32]. Tanto su ámbito de actuación como su implantación son estrictamente locales y nacen con vocación de representar o expresar los valores de su localidad, bien sea mediante el conocimiento y la investigación del modo de vida y de la historia local como mediante la recuperación y conservación de los elementos patrimoniales. Sin embargo, como se ha dicho, esta implantación local no es un impedimento para que a través de lo particular se exprese la identidad étnica, la identidad valenciana.*

---

[32] *Aunque en algunos casos se definen como que tienen un ámbito de actuación comunitario o del Estado Español en realidad el ámbito de actuación real es el local o comarcal (Ariño y otros, 1999:152).*

*Suelen carecer de integración estable, sea ésta horizontal o vertical. La adhesión a la Federación de Folklore de la Comunidad Valenciana es escasa. Sin embargo, es notable la relación que mantienen entre ellas, ya que se invitan unas a otras a participar en las fiestas patronales o en otros eventos que organizan.*

## 6.4. Los Salvem o la reivindicación patrimonial

*Dentro de este asociacionismo de nuevo cuño, en los últimos años han surgido nuevas organizaciones que de forma genérica se autodenominan* **Salvem**. *Se trata de una de las modalidades de organización del movimiento conservacionista que se ha difundido por las sociedades de modernidad avanzada y que se dedican específicamente a la defensa de un bien cultural o de un espacio natural a partir de la plataforma que conforman.*

*Estas plataformas surgen en el contexto de las movilizaciones de las comunidades locales contra las agresiones a su calidad de vida y las formas de gestión de su territorio. Se organizan alrededor de un objetivo concreto y por ello tiene un carácter transversal. Suponen la actuación coordinada de asociaciones y entidades heterogéneas, así como de personas singulares en un espacio social único, constituyéndose en el nodo de una red desde la cual se pueden lograr objetivos que por separado serían inalcanzables para sus partes constituyentes. Generalmente tienen un carácter coyuntural, ya que se conforman alrededor de un objetivo concreto y circunstancial, y la consecución de éste o el simple paso del tiempo vacían de contenido y de fuerza al movimiento con lo que tienden a desaparecer[33].*

---

[33]   *En rigor, dicha tendencia no es ni mucho menos nueva: de hecho, emergió impetuosamente en España durante los últimos años del franquismo y los primeros de la democracia. Se trata de las popularmente denominadas «platajuntas» (Ariño y otros, 1999:156).*

*Otra de las características a destacar de este tipo de organizaciones es que, de manera puntual, suponen la actuación coordinada de asociaciones, entidades y personas singulares en una estructura única, sin que ello obligue a perder su autonomía organizativa ni trastocar su funcionamiento ordinario.*

*En la Comunidad Valenciana este tipo de organizaciones ha surgido básicamente en la ciudad de Valencia, precisamente en los anteriores municipios anexionados forzosamente durante el siglo XIX y en los que todavía es manifiesta una débil interiorización de la condición de ciudadanos de la capital. Otros* **Salvem** *surgen como consecuencia de la política de rehabilitación municipal de los centros históricos (El Carmen, Velluters), que se ha realizado sin tener en cuenta a los principales afectados, es decir, a sus habitantes. Éstos se han encontrado con la aniquilación del entorno que habitan, e incluso en ocasiones, se han visto forzados a abandonar sus casas por una política de expropiación (La Punta, Cabanyal-Canyamelar). Se trata pues, de barrios donde la persistencia e inercia de una identidad municipal propia se ha unido al abandono por parte de las autoridades en la gestión y creación de infraestructuras básicas. Un claro ejemplo de ello es el caso dels Poblats Marítims (El Cabanyal, Canyamelar, Malva-rosa, El Grau, Natzaret), o de Benimàmet, Benimaclet, Benicalap, Campanar, Patraix o Russafa. Incluso la problemática de la urbanización de l'Horta valenciana se podría considerar desde la óptica de un espacio periférico olvidado y maltratado. El malestar de éstos ciudadanos y de grupos sociales preocupados por la conservación de patrimonio cultural es evidente, sobre todo por la falta de dialogo con la administración pública, por lo que no escatiman esfuerzos en unirse y reivindicar «su» territorio y «su» patrimonio cultural como legado inconmesurable para las generaciones del futuro.*

*Desde el año 1995, en que nació* **Salvem el Botànic** *se han venido sucediendo en la ciudad de Valencia distintas plataformas.* **Salvem el Pouet** *surge en 1996 y se constituyó como un* *movimiento de protesta contra la transformación del paisaje tradicional del barrio de Campanar. Esta plataforma alzó su voz para preservar las alquerías, la huerta y las acequias, constituyéndolas en nuevos espacios urbanos. Pero finalmente los intereses urbanísticos fueron mayores y no se consiguió detener el proyecto.*

**Salvem la Punta** *surgió en 1997 como un movimiento de protesta contra la ampliación del recinto portuario sobre la huerta de la Punta. La plataforma defendía el argumento de que se trataba de un paisaje cultural irrecuperable, producto secular del saber hacer de las generaciones pretéritas. Como señala Gómez (2004b) entre el conjunto de soluciones para su conservación estaba la propuesta de cambiar el modelo agrícola, pero también el de convertirla en recurso turístico y de ocio, dado su valor patrimonial. En 2001 se llevo a cabo una Iniciativa de Ley Popular encaminada a conseguir su declaración como espacio natural protegido, que aunque logró el respaldo formal de 20.000 ciudadanos, no fue considerara para su posterior discusión parlamentaria.*

**Salvem Russafa** *se inició en 1998 para intentar la conservación y rehabilitación del barrio de Russafa, sin demasiado éxito.* **Salvem el Cabanyal-Canyamelar** *intenta desde 1998 detener el proyecto de prolongación de la avenida Blasco Ibáñez hasta el mar. El Cabanyal forma parte de los barrios marítimos de la ciudad de Valencia y fue declarado Bien de Interés Cultural, formando parte del conjunto histórico-cultural de la ciudad, aunque paradójicamente esto no ha servido para que se detenga el proceso de degradación que sufre el barrio. La plataforma, junto con otras asociaciones, interpuso un recurso ante el Tribunal Superior de Justicia de Valencia en 2002 y el proyecto municipal quedo en suspensión cautelar.*

**Salvem el Barri de Velluters** *intenta desde 1999 modificar el proyecto de rehabilitación y renovación del barrio subvencionado por el programa URBAN que afecta a la trama urbana y muchos edificios de la zona. También desde 1999 se manifiestan los integrantes de* **Salvem l'Horta de Benimaclet**, *abogan-*

*do por la creación de un cinturón de la huerta que la proteja de la construcción del tercer cinturón de ronda.*

*En 2000, se inició* **Salvem Benicalap,** *donde las quejas por el abandono del patrimonio arquitectónico tradicional y la falta de dotaciones han llegado a que el colectivo solicite la segregación de la ciudad de Valencia.*

*Por último, ha tenido especial repercusión en 2000* **Salvem Amics del Carme,** *donde una rehabilitación realizada sin la gestión vecinal ha llevado a los residentes a protestar por la degradación causada por la saturación de locales de ocio nocturno. En los últimos años, esta plataforma se ha opuesto al plan de urbanización de la muralla árabe del Carme, ya que comporta el desalojo de algunos de los vecinos del barrio. De manera sintética podemos ver los distintos Salvem, siguiendo un orden cronológico en el cuadro siguiente:*

**Los «Salvem» de la ciudad de Valencia**

| *Nombre de la Plataforma* | *Año de Constitución* |
|---|---|
| *Salvem el Botànic* | *1995* |
| *Salvem el Pouet* | *1996* |
| *Salvem la Punta* | *1997* |
| *Salvem Russafa* | *1998* |
| *Salvem el Cabanyal-Canyamelar* | *1998* |
| *Salvem el Barri de Velluters* | *1999* |
| *Salvem l'Horta de Benimaclet* | *1999* |
| *Salvem Benicalap* | *2000* |
| *Salvem Amics del Carme* | *2000* |

*Fuente: Elaboración propia*

*Este tipo de movilizaciones no solamente se dan en la ciudad, tenemos otros ejemplos como la Plataforma del Riu Xúquer (Almussafes-Ribera Baixa), la Comisión Pro-Río (Oriola-Baix Segura.), la Plataforma per un Barranc Vert, Net i Viu (Horta Sud), Salvem el Puig, Plataforma per un Cinturó d'Horta, etcétera en el conjunto del territorio valenciano.*

*Podemos considerar los distintos* **Salvem** *como una propuesta contestataria de los vecinos ante las agresivas políticas
de rehabilitación o de transformación del espacio durante la
década de los noventa en la ciudad de Valencia. Se trata, pues,
de grupos de presión contrarios a la política urbanística municipal que, como respuesta a un caso concreto (transformación
del barrio del Carmen, destrucción del Botànic, etc.), se manifiestan de forma similar en cualquiera de los casos. Realizan
actividades diversas: recoger firmas, comunicados de prensa,
alegaciones, elaboración de informes y dossier, denuncias,
charlas, etc. Básicamente se trata de crear conciencia en la
ciudadanía y agitar la opinión pública para detener o paralizar
el proceso del cual están en contra.*

*Su forma de organizarse es una de las características más
peculiares de las plataformas, ya que independientemente de la
espontaneidad en su formación y de su estructura horizontal,
aglutinan a un grupo estable de personas (los vecinos afectados), que consigue el apoyo de un número importante de
individuos, colectivos e instituciones: particulares, profesionales, asociaciones, colectivos progresistas extraparlamentarios,
intelectuales críticos avalados por la universidad, la propia
Universidad y otros organismos oficiales, etc.*

*La financiación de las plataformas pasa por recurrir a otros
colectivos que tienen medios, desde locales para las reuniones
hasta recursos económicos. También realizan actividades para
poder financiarse: venta de camisetas, bolígrafos, pegatinas,
rifas, etc.*

*Estas movilizaciones son respuestas defensivas por parte de
los afectados directa o indirectamente. En parte, la causa de la
creación de los distintos* **Salvem** *es que la administración no
informa ni permite la participación ciudadana en cuestiones de
rehabilitación o transformación completa de los espacios; no se
realizan con los vecinos afectados los presupuestos de inversión y por supuesto no se plantea ningún tipo de referéndum.
Los principales afectados se encuentran con que todas las
decisiones están tomadas y no solamente no se han considera-*

do sus opiniones sino que ni tan solo se les ha comunicado. En definitiva, los distintos ejemplos que hemos citado tienen un denominador común: la dimensión económica que comporta el nuevo uso del barrio (Russafa, Cabanyal-Canyameral, etc.) y que no repercute en sus habitantes, sino en las empresas o administración que van a realizar el proyecto de nuevo uso del territorio. La reacción defensiva de los afectados se articula a partir de los elementos patrimoniales, insustituibles e inconmensurables, que constituyen la identidad de dicho territorio. De su conservación depende, en gran medida, no sólo su identidad, sino la posibilidad de permanecer en el lugar y mejorar su calidad de vida.

## Lecturas recomendadas para realizar en clase:

ARIÑO, A. y ALBERT, M. (2003): «Cultura i Educació» en L'associacionisme a l'Horta Sud. Un estudi de la societat civil en l'àmbit comarcal, Torrent, Fundació Horta Sud.

GÓMEZ FERRI, J. (2004): «Los movimientos ciudadanos de defensa y activación del patrimonio en Valencia: los casos del barrio del Cabanyal y la ILP per l'Horta» en DD.AA. Experiencias sociales innovadoras y participativas. El rinco + 10.

## Práctica para realizar en clase:

A partir de las asociaciones de patrimonio de tu barrio o localidad trata de averiguar en que contexto surgen, los objetivos que tienen, las actividades principales que realizan, la problemática que les rodea, etc.

CAPÍTULO 7
# EL PATRIMONIO ETNOLÓGICO

ALBERT MONCUSÍ FERRÉ

«Quan parlem de patrimoni etnològic fem referència a la dimensió diacrònica de la cultura, present i actualitzada en l'individu com a part d'un poble que es reconeix, tant per la malla de relacions socials com pel contingut de costums i interaccions amb el medi» (Roma, 1995)

## 7.1. Hacia una definición de patrimonio etnológico

*Tal y como vimos en el capítulo segundo, el proceso de patrimonialización de la cultura se ha caracterizado en las últimas décadas por una serie de transformaciones entre las cuales se encuentra la ampliación de la selección patrimonial. Esta ampliación toma cuerpo, entre otras cosas, en el reconocimiento del patrimonio etnológico. Se trata de un concepto de uso relativamente nuevo y, como sugeríamos en aquel mismo capítulo, problemático. Decíamos entonces que es difícil de definir porque: 1) se usan para un mismo contenido distintas etiquetas (patrimonio cultural, entológico, etnográfico, antropológico...), con lo que se entiende de distinto modo; 2) tiene su origen en el pensamiento folklorista decimonónico; 3) la denominación encubre la contraposición de una «alta» o verdadera cultura (la correspondiente a la noción humanista) frente a una cultura popular o tradicional; 4) su definición se enmarca entre los discursos enfrentados de la disciplina antropológica y de la práctica de las instituciones normativas.*

*Estos distintos problemas, que iremos desgranando en los siguientes apartados, giran en torno a la aplicación del valor identitario a unos bienes, para convertirlos en una expresión directa y considerada auténtica de un pueblo. Efectivamente, la definición institucionalizada de patrimonio etnológico lo entiende como un conjunto de manifestaciones y formas de vida tradicionales, materiales o inmateriales, definitorio de los rasgos propios de una colectividad y, más específicamente, de los distintos grupos que la conforman. Toda práctica sería etiquetada como etnológica, pues, en virtud de su doble carácter tradicional y de referencia identitaria (Hernández, Moncusí y Santamarina, 2004). Esa definición es la que socialmente se reconoce como la más adecuada. Nosotros la hacemos nuestra, asumiendo que tanto la tradición como las identidades son construcciones históricas y no esencias inmutables.*

## 7.2. La caracterización institucionalizada de un patrimonio... ¿etnográfico, etnológico, antropológico...?

*La primera dificultad para determinar qué es el patrimonio etnológico reside en que se usan para un mismo conjunto patrimonial varias etiquetas (patrimonio etnográfico, etnológico, antropológico, modesto o menor, popular, patrimonio cultural o cultura) (Prat, 1999). Esa multiplicidad de rótulos contribuye a dificultar la definición de lo que designan. Si se habla de patrimonio modesto o menor, se está destacando cierto desprecio de unos bienes, considerados sumamente humildes, en contraposición al arte, la arquitectura o los monumentos. Con la referencia a patrimonio popular, se destaca que esos bienes son compartidos por una amplia base social, lo que incluye manifestaciones festivas y rituales en las que la participación es masiva o herramientas y conocimientos que comparte una parte representativa de toda una población, y nunca una élite de ésta. Ambas consideraciones son acordes con un patrimonio que surge en contraposición a la «alta cultura», cuando se decide que un botijo, una serradora, un cuento o una oración popular son patrimonio como un cuadro de Picasso o un arco romano, pero se los considera de algún modo inferiores. Pero como quiera que se habla de «popular», habrá que ver cuál es el pueblo de referencia. Y ahí se empieza a complicar la cosa. Por ejemplo, ¿es patrimonio popular o modesto un juego de té, con incrustaciones doradas, usado por miembros de la alta burguesía de Valencia, en los salones de su casa? Dado lo restrictivo de la práctica y del grupo al que se refieren los objetos en cuestión parece que no lo sería.*

*Las otras etiquetas utilizadas contribuyen a ampliar el alcance de la definición. Cuando se habla de patrimonio etnográfico o etnológico, se puede pensar que detrás de lo patrimonializado hay una forma de conocimiento particular de unos bienes, que los ubica en el contexto de las formas de vida de un determinado grupo humano. Los calificativos etnográfico o etnológico suelen usarse indistintamente, como sinónimos, a pesar de que no significan exactamente lo mismo. El primero connota el estudio y descripción empíricos de prácticas y conocimientos de un grupo humano en particular, mientras el segundo se refiere al conocimiento general de este grupo. Cuando se opta por hablar de patrimonio antropológico, se destaca que los bienes en cuestión forman parte del legado patrimonial de los humanos, en general. La ampliación se hace todavía más patente cuando se identifica el patrimonio etnológico con el patrimonio cultural o incluso la cultura, con lo que acaba confundiéndose una parte (ciertos bienes) con un todo (el patrimonio colectivo o la cultura).*

*Está clara, entonces, la vaguedad conceptual en la que nos movemos. Una buena forma de escapar de ella es preguntarse cuál de los conceptos es el que goza de mayor refrendo social. Y es el caso de la etiqueta «patrimonio etnológico». Su uso es el más institucionalizado, a partir de la aplicación de los dos principales criterios de clasificación de bienes culturales: el jurídico y el científico. Como sugeríamos en el capítulo segundo, siguiendo a Gómez Pellón (1999), el primer criterio contribuye a que se institucionalicen campos de patrimonialización específicos y el segundo conlleva que les competa a ciertos profesionales cada tipo de bien y, en particular, que los antropólogos se encarguen de los etnológicos o etnográficos. Pese a que siguen apareciendo nombres diversos, la confusión conceptual se disipa algo cuando se observan esos dos criterios. Es a partir de ellos que se establece la definición del patrimonio etnológico como el conjunto de conocimientos y prácticas que caracterizan la forma de vida de un grupo humano, tradicionales y transmitidos consuetudinariamente.*

## 7.2.1. La aportación del criterio jurídico

*La primera referencia legal al valor etnológico de bienes para su patrimonialización la encontramos en 1968. Ante la situación de riesgo derivada del desarrollo de la propia sociedad industrial, concretamente por obras públicas y privadas, la UNESCO recomendó entonces la conservación de bienes culturales entre los que se encontraban «las construcciones u otros elementos que tengan un interés histórico, científico, artístico o arquitectónico, de carácter religioso o profano y particularmente los conjuntos tradicionales, los barrios históricos de aglomeraciones urbanas o rurales y los vestigios de civilizaciones anteriores que tienen un valor etnológico». El valor etnológico se equiparaba al valor simbólico identitario, al remitir a un nexo entre pasado y presente para sustentar las identidades colectivas (Agudo, 2003). Documentos oficiales posteriores como las recomendaciones de 1989 para la Salvaguarda de la Cultura Tradicional y Popular y la convención sobre patrimonio inmaterial, de 2003, van en la misma dirección. De todos ellos se desprende que el patrimonio etnológico comprende lengua, literatura, música, danza, juegos, mitología, ritos, costumbres, artesanía, arquitectura, otras artes y valores transmitidos de forma oral, todos los cuales se consideran constitutivos de la identidad cultural de los pueblos.*

*Una mirada a la legislación española sobre Patrimonio lleva a conclusiones parecidas e introduce algunos aspectos más[34]. La Ley del Patrimonio Histórico Español (1985) se refiere a los «bienes muebles e inmuebles y sus conocimientos y actividades que han sido o son expresión relevante de la cultura tradicional del pueblo español en sus aspectos materiales, sociales o espirituales». Por poner un ejemplo de legislación autonómica, la ley cántabra especifica en su preámbulo que «pretende profundizar en la preocupación por la conservación y rehabilitación del llamado patrimonio menor y la cultura material popular, expresada en los numerosos testimonios etnográficos de los ámbitos rurales y marineros, así como en la atención a las relaciones entre naturaleza y paisaje o en la recuperación de los espacios industriales y mineros abandonados». De manera similar, la ley extremeña considera que el patrimonio etnológico «atiende de manera destacada a los bienes industriales, tecnológicos y a los elementos de la arquitectura popular sin olvidar toda la riqueza cultural recogida en usos, costumbres, formas de vida y lenguaje referidas como bienes etnológicos intangibles».*

*Los preámbulos de las leyes autonómicas suelen destacar algún aspecto, concepto o figura que especifica una ubicación particular del patrimonio etnológico, como es «lugar de interés etnológico o etnográfico» (Andalucía y Madrid) o «parques etnográficos» (Canarias). Con ello se contempla la posibilidad de colocar el patrimonio en espacios abiertos y no necesariamente en museos (Hernández, Moncusí y Santamarina, 2004). En todo caso, el objeto de protección legal se determina por su carácter tradicional y su transmisión consuetudinaria (García García, 1998). Por ejemplo, la ley valenciana, especifica que: «forman parte del Patrimonio etnológico las creaciones, conocimientos y prácticas de la cultura tradicional valenciana (...). Aquellas actividades, conocimientos, usos y técnicas que cons-*

---

[34] *En Hernández, Moncusí y Santamarina (2004) se puede ver un repaso exhaustivo a la definición legal del patrimonio etnológico en España.*

*tituyen las manifestaciones más representativas y valiosas de la cultura y les maneras de vida tradicionales de los valencianos serán declarados bienes de interés cultural» (1998:17 y 39). La cultura y maneras de vida tradicionales o la cultura tradicional valenciana caracterizan el patrimonio etnológico, así como la mención a aspectos inmateriales como creaciones y conocimientos. Se intuye que dicha inmaterialidad sería característica del patrimonio etnológico y que, por lo tanto, lo diferenciaría de otros como el arqueológico, el histórico o el arquitectónico. Por otra parte, este patrimonio comparte con el resto de componentes del patrimonio cultural su vinculación con un marco territorial determinado, lo que se deriva de la referencia a lo tradicional de los valencianos (Moncusí, 2004).*

*La legislación, en fin, muestra tanto la caracterización del patrimonio etnológico como algo intangible, en términos de tradicional y de transmisión oral, como su vinculación con un sujeto de referencia territorializado (de un lugar) y comunitario (de un grupo concreto y de los que lo componen). Lo primero se desprende del uso de expresiones como «expresión de la cultura y modos de vida propios», «la cultura tradicional», «expresivos de la cultura y de los modos de vida» o «caracterizan y expresan la cultura tradicional». Por lo que se refiere a la segunda cuestión, se expresa con el uso de términos como «gente», «pueblo», o «región» (Hernández, Moncusí y Santamarina, 2004).*

*En definitiva, el criterio jurídico aporta la valoración simbólica identitaria de los bienes seleccionados como patrimonio. Numerosos museos etnológicos o etnográficos locales responden a este tipo de definición, con muestras de bienes considerados propios de una sociedad tradicional. En todos los casos suele tratarse de aperos agrícolas y de objetos relacionados con el mundo rural. En algunos se añaden al conjunto patrimonial elementos de la vida urbana y de la actividad artesanal e industrial. Es el caso, por ejemplo, de la exposición permanente del Museo Etnológico de Valencia.*

## 7.2.2. La aportación del criterio disciplinar

*El uso de ciertos adjetivos para calificar un tipo particular de bienes o de valor de referencia como patrimonio tiene que ver con la definición de las disciplinas que lo adjetivan (Prat, 1999). De modo que si la arqueología o la arquitectura tienen mucho que decir sobre el patrimonio arqueológico, o el arquitectónico, la etnología podría hacer lo propio con el patrimonio etnológico. Por ello, la definición de esta disciplina puede contribuir a perfilar mejor lo que contiene la definición institucionalizada de este tipo de patrimonio.*

*Etnología se refiere, por una lado, a una de las tres fases del conocimiento antropológico (es decir, sobre la humanidad). La primera fase es la etnografía, que describe las prácticas, creencias y valores de un grupo humano particular. Después está la etnología, que consiste en la aprehensión de éstas. La última fase es la antropología, con la que se establecen conclusiones universales en el estudio de rasgos sociales y culturales del conjunto de la humanidad, teniendo en cuenta la acumulación previa de descripciones etnográficas y conocimiento etnológico (Lévi-Strauss, 1979). Pero al mismo tiempo, por etnología se puede entender, en un sentido amplio, un sinónimo de Antropología Social o Cultural (Barnard y Spencer, 2001). Aunando las dos concepciones, diremos que el objeto de la disciplina que da nombre al patrimonio etnológico son las estructuras, instituciones, composición, normas roles, creencias, valores, la tecnología y las relaciones internas y entre ellas, de las distintas sociedades humanas, en sus manifestaciones particulares. Todo producto humano (material o inmaterial) practicado por una sociedad particular es, entonces, potencial objeto de la etnología.*

*A grandes rasgos, la etnología se ha dedicado, por una parte, al estudio de formas de organización social de sociedades no occidentales y por lo general, colonizadas por occidentales y, por otra, a formas de organización social y culturas tradicionales y populares, identificadas con pueblos occidentales. Según diversos autores (Iniesta, 1995; Gómez Pellón, 1999; Fernández de Paz, 2003a), a nivel internacional podemos identificar dos conjuntos incluidos en la noción de patrimonio etnológico. Por un lado está el patrimonio exótico y por otro, el patrimonio interno.*

*La definición del **patrimonio etnológico exótico** lo hallamos en museos etnológicos nacidos en Europa a causa de la expansión colonial decimonónica. En ellos se combinaba la curiosidad por lo extraño y el desarrollo del espíritu científico animado por el evolucionismo. Es el caso del museo de Hamburgo (1850) o el de Oxford (1851), ambos elitistas y acusadamente exotistas. Una concepción de **patrimonio etnológico interno** se desarrolló a finales del siglo XIX con museos destinados a recuperar y mostrar lo relacionado con un mundo rural tradicional, como por ejemplo el museo al aire libre de Skansen, en Suecia (1890). El modelo se tomaría como referente ya bien entrada la segunda mitad del siglo XX, cuando la descolonización orientó a la etnología hacia las sociedades occidentales. En este contexto nacieron, por ejemplo, los ecomuseos (Gómez Pellon, 1993) y los museos de Artes y Tradiciones Populares.*

*En España también podemos encontrar esa bifurcación de patrimonios. Por un lado, fueron creados museos etnológicos y de historia natural, dedicados a colecciones de bienes de países lejanos y sociedades consideradas exóticas. Es el caso, por ejemplo, del Museo Etnológico de Barcelona, fundado en 1948, que acogía colecciones y exposiciones de objetos procedentes de países no occidentales (por ejemplo Guinea Ecuatorial, Japón, Marruecos, Perú, Nepal...). Por otro lado, seis años antes había abierto las puertas el Museo de Industrias y Artes Populares, dedicado a un patrimonio recopilado en campañas de investigación realizadas en Catalunya y muy particularmente en el Pirineo. El primer conservador del museo, Ramon Violant i Simorra, fue colaborador del Centro de Etnología Peninsular, dedicado a promocionar investigaciones etnográficas en las distintas regiones de la Península Ibérica. Así, la etnología se dedicaba en parte a sociedades exóticas alejadas y en parte a otras más cercanas, ubicadas en regiones territoriales concretas. Sin embargo lo que acabó predominando fue esto último, lo que tiene mucho que ver con el papel histórico del folklorismo, como veremos en el próximo punto.*

*El patrimonio etnológico, entonces, ha acabado incluyendo prácticas, conocimientos y creencias representativos de poblaciones de determinadas regiones y localidades. De manera que se ha definido por la aplicación de dos tipos de valores simbólicos referenciales, tal y como los caracterizamos en el capítulo tercero. Por un lado, el valor simbólico identitario, que surge de reconocer que el patrimonio etnológico es propio de un determinado de un grupo humano particular. Por otro lado, el valor científico, que destaca la importancia de lo patrimonializado por su referencia al contexto sociocultural de aquel grupo concreto. Es decir, que desde este punto de vista, el patrimonio etnológico permite conocer mejor las formas de vida de un grupo humano.*

*El criterio disciplinar se basa fundamentalmente en la aplicación del valor simbólico referencial científico, lo que en el caso del patrimonio etnológico hacen antropólogos y, más particularmente, museólogos y responsables de políticas patrimoniales. Pero, ¿coinciden estos actores plenamente en determinar qué incluye el patrimonio etnológico? Según Boya (1995), en la definición disciplinar de este tipo específico de patrimonio se han desarrollado tres tendencias: 1) Quienes han mantenido una posición tradicionalista incluyen en la definición exclusivamente aquello considerado tradicional y popular, que comprende actividades y objetos preindustriales que quedan fuera de lo que se clasifica como patrimonio artístico o arqueológico (canciones, danzas, leyendas, herramientas, oficios artesanales…). Esta definición es la que suele aparecer en la legislación sobre patrimonio; 2) Los revisionistas mantienen la misma definición, sólo que incluyendo en el concepto objetos relacionados con el mundo industrial; 3) Los que ofrecen una concepción alternativa definen el patrimonio etnológico como una construcción social e históricamente cambiante que inclu-*

*ye potencialmente cualquier elemento cultural (es decir, cualquier producción humana), pero que se caracteriza porque se le concede un valor antropológico, después de su estudio.*

*La concepción alternativa es la más ajustada a la definición de etnología que hemos propuesto. En estos términos, el patrimonio etnológico es un conjunto de recursos culturales fruto de la diversidad cultural humana y formalizados por el conocimiento científico, como una gran memoria colectiva de la humanidad y de cada pueblo. Consiste en una amalgama de creencias, valores, prácticas, tecnología, etc. convertida en referente simbólico identitario, de modo que se le da un sentido como reflejo de la identidad de un pueblo (Prats, 1995). La selección patrimonial puede incluir fiestas, rituales, objetos agrícolas o industriales y todos los bienes materiales o inmateriales que son valorados para ser mostrados como representativos de la forma de vida de un pueblo. La selección pasa, desde el punto de vista del grupo particular, por reconocer en ella al colectivo, mientras que desde el punto de vista de la etnología, cuenta más la relación que guardan los bienes seleccionados entre ellos, con otros o con una cadena de referentes como la época en que fueron producidos o el grupo social que los realizó (Gómez Pellon, 1993).*

*La valoración científica convierte un bien en patrimonio etnológico cuando lo vincula a su contexto de uso (Paggi, 2003). En definitiva, la aportación del criterio disciplinar a la definición del tipo particular de patrimonio que nos ocupa reside en considerar que un aspecto humano tiene un valor etnológico cuando es representativo de las formas de vida de un grupo humano particular, siempre dinámicas y cambiantes.*

*La consideración de las aportaciones del criterio disciplinar y del jurídico, contribuyen a dilucidar una salida a la primera de las cuatro razones que dificultan precisar qué es el patrimonio etnológico. La multiplicidad de términos utilizados para éste queda reducida cuando se determina a qué se refiere el adjetivo «etnológico».*

## 7.3. Patrimonio etnológico y discurso folklorista

*Decíamos más arriba que el tercer motivo que convierte en problemática la definición de patrimonio etnológico es su origen en el pensamiento de los folkloristas decimonónicos. La principal razón de ello es que estos pensadores idealizaron aspectos del mundo rural y preindustrial, considerándolos representativos de identidades colectivas locales, regionales y nacionales. De hecho, el término folklore lo acuñó William J. Thoms, en 1846, para designar el acercamiento positivista (descriptivo, en términos tan realistas como idealizantes) a las culturas consideradas populares, identificadas, precisamente, con la tradición oral rural. Hoy el concepto designa al mismo tiempo el estudio de un cuerpo de datos (fundamentalmente costumbres y literatura oral, constitutivos del saber de un pueblo) y también ese mismo conjunto (Velasco, 1990; Iniesta, 1994; Herzfeld, 1997).*

*El folklore nació como un movimiento burgués de revitalización del espíritu colectivo, ante la nostalgia por la ruptura de la sociedad tradicional que produjo una sensación de desarraigo. Si la etnología sostiene un discurso científico sobre la humanidad, el folklore es un discurso particularista sobre la identidad (Prat, 1991; Velasco, 1990). En España el movimiento entroncó con el regeneracionismo de final de siglo XIX, el krausismo[35] y la Institución de Libre Enseñanza. En Galicia, Catalunya y el País Vasco tuvo un carácter marcadamente regionalista en los movimientos del Rexurdimento, la Renaixença y el Fuerismo Vasco. En el caso catalán, por ejemplo, en la segunda mitad del siglo XIX y principios del siglo XX el folklore era una práctica propia de una élite de terratenientes e industriales que partían de la lengua catalana*

---

[35]   *Doctrina filosófica de origen alemán, extendida en España hacia mediados del siglo XIX. Se trataba de un planteamiento liberal y racionalista, anticlerical y reformista que buscaba vivificar espiritual e intelectualmente España.*

*como símbolo que se expresaba preferentemente en forma de canciones, cuentos, leyendas, etc., a las que se consideraban como reliquias del alma catalana. Una filosofía que orientó la tarea investigadora de las asociaciones excursionistas que realizaban estudios folklóricos. Bajo sus auspicios, por ejemplo, se creó el museo folklórico de Ripoll (1919) (Prats, 1993; Calvo, 2003). Al mismo tiempo, como movimiento de revitalización étnica, el folklorismo impulsó la revivificación de fiestas y rituales populares en distintas partes del estado español.*

*En definitiva, el discurso folklorista fue en su origen un movimiento literario e ideológico que perseguía el descubrimiento y la revitalización del espíritu colectivo de un determinado pueblo. Era, según ha sugerido Velasco (1990), un movimiento moderno romántico y patriótico, pero al mismo tiempo positivista. Su labor, por lo tanto, no consistía en un ejercicio de pura metafísica, sino que tenía el fundamento en un acopio sistemático de datos «objetivos». No en vano el movimiento nació con una élite de intelectuales organizados en asociaciones y sociedades de estudios y que actuaban orientados por la teoría evolucionista. Su principal herramienta teórica era el concepto de supervivencia. Es decir que para ellos la tradición era un fósil del pasado que debía documentarse antes de su pérdida. Y el lugar donde se hallaba era en el entorno rural de la gente inculta, contrapuesto al orden supuestamente civilizado de la ciudad y de la gente culta. El folklorismo se convertía entonces en una actividad paradójica básicamente en tres sentidos: 1) Recuperaba algo pasado y considerado no evolucionado, dándole valor científico a prácticas que se oponían al progreso tal y como era entendido en la modernidad; 2) se refería a la recuperación del espíritu de todo un pueblo, pero en realidad sólo se fijaba en los campesinos iletrados; 3) se pretendía una ciencia que, como tal, perseguía el conocimiento universal, pero que aspiraba a revitalizar la patria nacional particular.*

*Prat (1991) ha resaltado que, desligado de lo literario, el folklore constituía y constituye una disciplina cuyas investiga-*

*ciones persiguen el dato puro, escapando de toda teoría interpretativa. En parecidos términos Velasco (1990) ha sugerido que los folkloristas se preocuparon por los textos (relatos orales, danzas, oraciones...) en sí mismos, ignorando su contexto (relaciones entre personas, trabajos y condiciones de trabajo, la vida real de los que practicaban los rasgos estudiados). Lo que se plasmaba en una etnografía basada únicamente en la recopilación de datos. Con todo, los folkloristas sí tenían teorías, aunque no eran científicas, sino políticas, bien nacionalistas, bien regionalistas, pero siempre en torno a la identidad colectiva. El objetivo era, pues, no sólo recopilar datos, sino recuperar, con ellos, un espíritu popular que la urbanización y el industrialismo amenazaban mortalmente. Son ejemplos de ello el Arxiu d'Etnografía y Folklore de Catalunya (1915), fundado por Tomás Carreras y Artau y la Sociedad de Folk-Lore Español (1881), fundada por Antonio Machado, en Andalucía. Las bases de esta última rezaban que su objeto era «recoger, acopiar y publicar todos los conocimientos de nuestro pueblo en los diversos ramos de la ciencia, los proverbios, cantares, adivinanzas, cuentos, leyendas, fábulas, tradiciones y demás fórmulas poéticas y literarias; los usos, costumbres, ceremonias, espectáculos, fiestas familiares locales y nacionales; los ritos, creencias, supersticiones, mitos y juegos infantiles (...); las locuciones, giros, trabalenguas, frases hechas, motes y apodos, modismos, provincialismos y voces infantiles... y en suma, todos los elementos constitutivos del genio, del saber y del idioma patrio, contenidos en la tradición oral y en los monumentos escritos, como materiales indispensables para el conocimiento y la reconstrucción científica de la historia de la cultura española» (Aguilar, 1990:69).*

*Esa misma línea debían seguir otras asociaciones análogas que Machado pretendía crear en otros lugares de España y fue el patrón según el cual nació la investigación etnológica en España. Desde entonces se empezarían a realizar estudios sistemáticos, con encuestas etnográficas sobre el mundo rural. En España, la primera de ellas la realizó en 1901-1902 la*

Sección de Ciencias Morales y Políticas del Ateneo de Madrid y fue promovida principalmente por el médico y jurista Rafael Salillas, que más tarde dirigiría la Sociedad Española de Antropología, Etnografía y Prehistoria. Era un cuestionario distribuido por varios pueblos de España, sobre el ciclo vital (nacimiento, matrimonio y muerte) y que, por lo general, respondían abogados, maestros, notarios, sacerdotes y médicos de las distintas localidades. El objeto de la encuesta era acumular información para aumentar el conocimiento antropológico, identificado con todo lo relacionado con las prácticas, creencias y valores asociados con el ciclo vital (Lisón, 1991). Tanto esta labor como la que realizaron otros etnógrafos en España[36] iba en una línea descriptiva y acumulativa de conocimientos que en algunos casos se vinculaba a una actitud de valorar la conservación de la tradición y sus valores, asociados en muchos casos a la regeneración colectiva o a la identidad.

El franquismo trató de promover algunas manifestaciones folklóricas considerándolas muestras de «regionalismo bien entendido». Después del régimen, sin embargo, se experimentó en España una eclosión de la cultura tradicional en el campo de las fiestas, como manifestación simbólica de identidad regional, nacional y local mostrada públicamente. Por entonces surgió también un «deseo de museo» que se plasmó en numerosos proyectos de tipo etnográfico. Al mismo tiempo, se institucionalizó una antropología social distanciada del folklorismo. Ya por entonces, el folklore empezó a quedar alejado de las políticas públicas y del mundo académico y, por lo tanto, al margen de los principales canales de institucionalización, excepción hecha del campo de la etnomusicología. En su definición de folklore, por ejemplo, Herzfeld (1997) caracteriza un desplazamiento del concepto en el último cuarto

---

[36] En la primera parte de la Antropología de los Pueblos de España, editada por Prat y otros (1991) se ofrece un repaso panorámico de esas primeras experiencias etnográficas.

*de siglo XX, hacia un estudio sistemático de distintas formas de lenguaje y expresión y de la cultura material, así como su transmisión oral. Como disciplina científica, por tanto, se reconoce en el campo de la expresión popular.*

*Sin embargo y pese a constituir un precedente de la antropología actual, el folklore como disciplina científica ha acabado teniendo escasa institucionalización, fundamentalmente por las dificultades de su carácter paradójico al que hemos hecho referencia antes. Además, acabó interesando no sólo a una élite de intelectuales burgueses. A estos estudiosos —los folkloristas— les acabaron acompañando amantes entusiastas de las tradiciones, a menudo sin formación —los folklóricos— que reproducían el folklore como un arte. Esta práctica a menudo amateur contribuyó a desvirtuar el folklore como práctica científica, especialmente porque fue canalizada políticamente en un aprovechamiento de la asociación entre tradición e identidad y del carácter popular de sus contenidos.*

*La práctica folklórica sigue presente, sobre todo, en su vertiente no científica, como forma de expresión estética y artística de carácter popular. Su conservación pasa por el interés en que sea mostrado el folklore, de cara al turismo o de cara al refuerzo de la identidad colectiva local, regional o nacional. Martí (1996) ha sugerido que los folklóricos despliegan una mentalidad folklórica (actitudes, valores e ideas sobre el folklore) para crear y reproducir un producto (material o no) y una manera de presentarlo (canción, souvenir, fiesta...) también folklóricos. A continuación sintetizamos los argumentos de este autor para cada una de estas vertientes de la actividad folklórica.*

*1) La* **mentalidad folklórica** *identifica elementos diferenciados del mundo culto, rurales y ancestrales, de forma tradicionalista y en relación a una identidad étnica, para presentar consciente e intencionadamente prácticas, creencias y valores del pasado con la finalidad de que sigan existiendo. Esta actitud lleva aparejado un alto grado de purismo estético y moral que se pone de manifiesto, por ejemplo, cuando se eliminan estrofas* *de canciones recopiladas, para evitar expresiones que se consideran malsonantes, o cuando se fuerzan los ritmos de las melodías para adaptarlos a los que se consideran propios de las manifestaciones musicales de un determinado colectivo.*

*2) El* **producto folklórico** *no es siempre igual a su original (cuando lo hay ya que en ocasiones se trata directamente de una invención), sino que se pueden simplificar, complicar o exagerar algunos rasgos en la manera de representarlo o, como acabamos de ver, pulimentarlos para suprimir lo que se considera antiestético. Se trata de un cuadro ideal de lo que se considera típico. Semejante actitud se acentúa cuando el producto es elevado a la categoría de símbolo nacional, como ocurre, por ejemplo, en Catalunya con la sardana. En este caso, parece que hay que mantener la pureza tradicional como si de la misma pureza étnica se tratara, cuidando la forma de la danza y la música y conservando los elementos desarrollados por los ancestros. El producto puede ser también objeto de espectacularización, con un intento de implicar a un público cuya participación se considera muestra del carácter popular del acto. Es el caso de las Danses Guerreres de Todolella (comarca valenciana de Els Ports), recuperadas por algunos jóvenes en 1985, después de haber entrado en desuso, pero con varios cambios (de lugar y momento, incorporando símbolos, simplificando las melodías, modificando la valoración del cap de dansa, explicitando la danza como símbolo...). Pese a que el producto folklórico presenta cambios, se hace referencia a él como si no los hubiera.*

*La revitalización o recuperación folklórica de tradiciones conlleva el intento de «rescatar la tradición para justificar la validez actual de una diferencialidad étnica, para dotar con nuevas facetas de dimensión histórica a la colectividad (...) y, de manera más prosaica, también se desentierra la tradición para ofrecerla como producto comercial o bien para promocionar turísticamente el país que representa» (Martí, 1996:207). Así, por ejemplo, la fiesta de una ciudad, como son las fallas, puede representar a toda una Comunidad Autónoma y una indumentaria de trabajo campesino se convierte en uniforme de esa misma fiesta, para gente urbanizada que se dedica a todo tipo de actividades económicas.*

*Los planteamientos folkloristas tienen gran similitud con los principios de la noción jurídica de patrimonio etnológico, establecida más tarde, lo que sin duda tiene que ver con que a la hora de la activación patrimonial se dejara de lado todo lo relacionado con una sociedad industrializada y capitalista (Prat 1999). Probablemente por ello (y quizá también por la centralidad política de la definición de identidades regionales, nacionales y locales), hoy en día los museos etnológicos españoles se dedican más a lo que hemos definido antes como patrimonio interno, que al exótico. Tanto es así, que al patrimonio etnológico se lo ha llegado a confundir con el folklore, debido a que su origen se remonta precisamente a colecciones y exposiciones llevadas a cabo por etnógrafos y folkloristas de finales del siglo XIX y principios del XX. La autoctonía y la ruralidad preindustrial caracterizan los objetos seleccionados, en este caso (Ballart, 2001b). Pero también lo hace, como veremos enseguida, su carácter popular y tradicional.*

*Las consecuencias de esta segunda dificultad para definir «patrimonio etnológico» son difíciles de abordar. Digamos que una línea de trabajo pasaría por insistir en el contexto de los bienes patrimonializados, más que en estos en sí mismos. Si el folklorismo ha presentado textos (canciones, relatos, artesanía…) sin contexto (el de aquellos que los usaron y los han seleccionado), el trabajo en materia de patrimonio etnológico está en atender fundamentalmente al contexto.*

## 7.4. Patrimonio etnológico, tradición y cultura popular

*El patrimonio etnológico incluye prácticas, conocimientos y creencias que se asocian con el pasado indeterminado (considerado tradicional) de un colectivo y especialmente de sus sectores subalternos (denominados populares). De este modo, a menudo se identifica su contenido con restos materiales o inmateriales de sociedades campesinas. Ello constituye una tercera fuente de dificultad en la definición de este tipo de patrimonio. Y es que sus contenidos se contraponen a una definición de la alta cultura representada en otros tipos de patrimonio, como el artístico y el monumental. Si aplicamos la propuesta teórica de Bourdieu (1979), el patrimonio es capital ya que resulta de un proceso social en el que se acumula, se renueva, produce rendimientos que diversos sectores se apropian de forma desigual y que lo invierten en pro de su propia posición social hegemónica. Según ha hecho notar García Canclini, «existe una jerarquía de capitales culturales: vale más el arte que las artesanías, la medicina científica que la popular, la cultura escrita que la oral (…). Los capitales simbólicos de los grupos subalternos tienen un lugar subordinado, secundario, dentro de las instituciones y los dispositivos hegemónicos» (1993:43). De acuerdo con esta jerarquía, es lógico que la posición de lo que se incluye en el epígrafe «patrimonio etnológico» no sea la más ventajosa.*

*Como hemos visto al principio del capítulo, la definición institucionalizada de patrimonio etnológico se basa en el carácter tradicional de los bienes que abarca y en su propiedad de fundamentar una referencia identitaria. Y precisamente el concepto de tradición es básico en la posición marginal de patrimonio etnológico y en la vaguedad de su definición. Las razones nos las da la misma noción de tradición, definida como algo: 1) de cuya* **autenticidad** *no se duda; 2) vinculado directamente a un determinado colectivo y que dota de contenido a su* **identidad***; 3)* **cronológicamente indeterminado***; 4) que sirve para tratar de* **dar sentido** *al presente y certidumbre al futuro, a partir de una referencia al pasado; 5) Cuyo sujeto principal es un* **pueblo anónimo y genérico.**

*Por lo que se refiere a la autenticidad, Velasco (1990) ha sugerido que el pilar sobre el que se construye esta idea, para el caso de la tradición, es el criterio de oralidad. La tradición es tanto más auténtica cuanto más exclusivamente ha sido trans-*

*mitida oralmente de generación a generación. Dicho de otro modo, un cuento, una oración, un baile, una canción, una forma de labrar el campo, un valor tradicional se consideran más auténticos si han sido transmitidos oralmente de padres a hijos. Como apunta el mismo autor, es lo mismo que decir que «el pueblo no ha tenido contacto con lo literario, sino que expresa claramente que lo ha recibido de sus mayores» (1990:137). Si el patrimonio etnológico se asimila a lo tradicional, en estos términos, privilegiando además su inmaterialidad y oralidad, de nuevo vemos como se constituye en un conjunto contrapuesto a lo culto.*

Con respecto a la identidad, el concepto de tradición conlleva la recepción en herencia de unos bienes que se acaban considerando definitorios de una cultura y, con ella, de una identidad colectiva. De modo que la noción contemporánea de tradición *«se refiere menos a la forma en que se han hecho siempre las cosas (y por lo tanto a la forma en la que aquellas deberían seguir haciéndose) que a los rasgos supuestamente antiguos que le dotan a un pueblo de una identidad colectiva»* (Lowenthal, 1998:515). La patrimonialización de bienes considerados etnológicos se suele basar justamente en esta relación entre tradición auténtica e identidad. Buena muestra de ello son los pequeños museos etnográficos locales con objetos fechados a finales del siglo XIX y principios del XX, evocadores del mundo rural, o los establecimientos de coleccionistas o los puntos de venta y producción de productos artesanales (seda, licores, vino...), convertidos al mismo tiempo en museo. En esos casos el objeto patrimonializado lo es después de ligarlo a un pasado transmitido a través de la memoria oral, o también con la elaboración de genealogías que vinculan al producto mostrado con un colectivo determinado. La música, los bailes, los juegos tradicionales, las leyendas, la cocina, etc... son recuperados y mostrados siguiendo esta operación de vinculación a la identidad desde el presente al pasado (Albert, 2003).

Sobre la imprecisión de la tradición en términos cronológicos, diremos, parafraseando a García Pellón, que «*justamente, la operatividad del concepto de tradición viene dada por la versatilidad que le otorga su indeterminación cronológica» (1999:26). Desde un punto de vista histórico-temporal se trata de algo construido, pero que se presenta como si no lo fuera. Cuando una danza, una canción o una leyenda es calificada de tradicional querrá decir, entre otras cosas, que no se puede fechar su aparición en el tiempo. Ello contribuye a reforzar la relación entre tradición e identidad, por cuanto la primera le puede transmitir autenticidad a la segunda. Si se sostiene que una fiesta, un ritual o una canción fueron cantados desde siempre por alguien, es como decir que ese mismo sujeto ha estado siempre ahí.*

*Por otra parte, la tradición aparecida reiteradamente en los discursos y las prácticas, en el museo, el mercado (el comercio, el folleto turístico…), la fiesta, la danza, el ritual, la canción o el relato… es un lazo que convierte al pasado en un pilar para tratar de dar sentido al presente y afrontar las incertidumbres del futuro. Lo que se construye o se inventa[37] como tradición popular «aparece como un norte y sólido referente capaz tanto de generar activaciones patrimoniales como de convertirse en un preciado bien comercial de consumo» (Hernàndez i Martí, 2000:757-8).*

*Finalmente, la tradición es protagonizada fundamentalmente por un pueblo anónimo y genérico. Del mismo modo que no se sabe cuando empezó, tampoco se conoce quien la practicó por primera vez. La constituyen las prácticas populares. Pero, ¿quién es ese pueblo y de qué prácticas estamos hablando? ¿Podríamos hablar de una cultura popular, identificada con tradición? Podemos decir que sí y que no. Depende de la noción de cultura popular que manejemos.*

---

[37] *Construir e inventar, según Prats (1997), se diferencian porque la segunda conlleva una voluntad, conciencia e intencionalidad de agentes concretos.*

El concepto de cultura popular, surgió como concepto desde la antropología para desmarcarse del discurso folklorista y tenía ventajas respecto al de folklore por su novedad que le evitaba el anquilosamiento y estigmatización de aquel. A partir de las propuestas de Prat (1999) y Hannerz (1999) podemos establecer tres paradigmas de definición del concepto: 1) El primer modelo identifica cultura popular y cultura tradicional e incluye todo lo preindustrial, oponiendo pasado y presente, tradicional y moderno, arcaico y actual, «antes» y «ahora» así como rural y urbano, campo y ciudad, local y universal. El primer término de cada uno de los pares siempre atañe a la cultura popular definida, pues, en términos esencializadores y folklorizantes y como cimiento de la cultura nacional o étnica. Aquí el sujeto al que se asocian los contenidos es el pueblo llano, humilde, en tanto que comunidad colectiva de referencia; 2) Un segundo paradigma considera la cultura popular como cultura de clase subalterna. Aquí corresponderían a la cultura popular las prácticas cotidianas de obreros, trabajadores, indígenas y cualquier grupo que se encuentre sometido al dominio y hegemonía de otros. El sujeto en este caso se ve implicado en una lucha contra el poder e incluso contra la invención de tradiciones impuestas como si fueran una esencia verdadera; y 3) Un tercer paradigma aboga por la confluencia entre cultura popular y cultura de masas en el crisol del consumismo y la mediatización, con el resultado de que se crean multiplicidad de subculturas y movimientos contraculturales.

Todos los modelos tienen en común su oposición respecto de una «cultura de élite» o «alta cultura». El concepto institucionalizado de patrimonio etnológico ha seguido más bien el primer paradigma, aunque sociológicamente se debería considerar cultura popular toda práctica cotidiana definida por su anonimato, su transmisión oral y su apropiación y ejercicio por parte de un colectivo determinado, exceptuando las prácticas de las élites dominantes del grupo de referencia. Ello incluiría multiplicidad de aspectos como la publicidad, la oferta turística, la revitalización de rituales festivos, los movi-

*mientos sociales alternativos, los parques temáticos, Internet...
(Hernàndez i Martí, 2000:758), siempre que fueran prácticas
protagonizadas por quienes no dominan la sociedad concreta
en la que tienen lugar.*

*En algunos casos, el patrimonio etnológico se ha definido
institucionalmente en vinculación directa con la noción de
cultura popular y tradicional. Por ejemplo, el mayor esfuerzo
en la definición de patrimonio etnológico a nivel jurídico en los
casos de Baleares y Catalunya lo encontramos en sendas leyes
de fomento y promoción de la cultura popular y tradicional y
del asociacionismo cultural. El campo de la cultura popular y
tradicional surge, entonces, como un espacio de acción del
asociacionismo cultural, pero también como terreno para la
definición del patrimonio etnológico, la tradición y la identidad. Justamente este hecho es el que presenta la última de las
dificultades que plantea la definición del concepto de patrimonio etnológico y de la que trataremos en el último apartado.*

*El problema que nos ha ocupado en este punto (a saber, la
relegación del patrimonio etnológico a un plano completamente subordinado a la definición de una alta cultura) podría
contrarrestarse considerando que el contexto de los bienes
patrimonializados incluye a todos los estratos sociales (no sólo
el subalterno) y teniendo en cuenta el concepto de cultura en
términos antropológicos, que conlleva una valoración de todas
las prácticas y conocimientos culturales por igual.*

## 7.5. Investigación, políticas y praxis sobre patrimo-
nio etnológico

*La imprecisión del concepto de patrimonio etnológico pro-
viene, por último, de que su definición se enmarca entre los
discursos enfrentados de la disciplina antropológica y de la
práctica de las instituciones normativas. A grandes rasgos
diremos que estas últimas (y fundamentalmente los gobiernos
de distinto alcance territorial) tienden a seguir a menudo una*

*línea de trabajo pareja a la del folklorismo decimonónico, con una preferencia por la tradición, la oralidad y la fundamentación de identidades territorializadas. En cambio, las últimas tendencias en etnología trabajan en la línea de desterritorializar las identidades y los patrimonios y consideran la tradición como algo cambiante y en constante construcción. Quizá la mejor forma de afrontar este problema consiste en dar relevancia a la investigación aplicada al patrimonio etnológico y vincularla a políticas concretas en este terreno.*

*Por lo que se refiere a la* **investigación**, *es fundamental para hacer posible el desarrollo socioeconómico de poblaciones, conocer formas de activación patrimonial y atender a la intervención en ella de múltiples voces. De hecho, en su más amplia acepción, el conocimiento es la materia del patrimonio etnológico, por lo que la investigación tiene primacía dentro de las distintas fases de su tratamiento (investigación, conservación, difusión y restitución) (Prats, 1993). Su principal cometido es doble. En primer lugar, posibilita* **contextualizar** *los bienes patrimonializados en su marco de uso. En segundo lugar, permite considerar el proceso de patrimonialización como un contexto de acción en el que esos bienes toman un sentido cuando se produce la* **restitución** *a sus usuarios, después de investigados.*

*1) Investigar para contextualizar: En el I Congreso de Folklore de París (1937) Georges-Henri Rivière expuso cuatro reglas básicas que, según él, debía seguir todo museo dedicado a materiales etnológicos: seleccionar, contextualizar, explicar y renovarse. Todas ellas requerían de investigación. Así, se investigaba para ver qué pasaría a formar parte del fondo museístico, para situar al objeto en el espacio y el tiempo, para vehicular información a través de él y, finalmente, para conocer nuevos usos y sentidos de los objetos. En general la investigación debía permitir adaptar el museo a los cambios sociales (Llopart, 1995).*

*En el momento en que surge la necesidad de transmitir una información en forma de discurso, se abandona la acumulación de objetos organizados cronológicamente o· simplemente amontonados, para explorar el marco en el que toman significado. La investigación pasa entonces a ser imprescindible para llenar al museo de contenido y para transmitirlo. Se intenta que los objetos comuniquen significados no sólo a expertos, sino al público que «se familiariza con contenidos que la investigación ha proporcionado gracias a las técnicas de análisis comparativo o por acceso a nuevas claves de significado» (Ballart, 2001b:108). El museo ejerce de agente mediador entre el objeto o el dato y el público para que se mantenga un lazo vital entre sociedad y objeto. Se activa así el uso y reconocimiento vivo de conocimientos u objetos, más que la transmisión de una especie de naturaleza muerta (Paggi, 2003). Como sugiere Fernández de Rota, cualquier bien puede ser objeto de una investigación etnográfica, para ello «sólo hace falta entenderlo como formando parte integrante de un contexto, como algo que cobra vida, en la vida cotidiana de la gente» (2003:84).*

*Por otra parte, la investigación sirve también de cara a los propios expertos. Con ella, el museo complementa la fase etnográfica de investigación del antropólogo, e incluso, como sugirió Lévi-Strauss (1979), representa su prolongación. El museo acumula mucha información que en muchos casos ya no puede ser encontrada en otro espacio o que se complementen con la que se puede hallar con trabajo de campo. Fondos bibliográficos, gabinetes de investigación, ciclos de conferencias y publicaciones periódicas son las vías principales de encuentro entre investigación y museo (Gómez Pellón, 1993).*

*2) Investigar y restituir: La labor investigadora puede contribuir a la creación de formas de activación patrimonial, tomen la forma de un museo, de un itinerario cultural o de una programación de actividades de difusión del conocimiento de danzas, artesanía, industria, historia, etc. considerados tradicionales por parte de una sociedad. Dicha contribución será posible si se consigue restituir a esta sociedad lo que de algún modo se tomó prestado de ella al interrogarla.*

*El proceso de patrimonialización es el resultado de la acción de agentes concretos y de sus valoraciones e intereses en la que confluyen diversas lógicas. Una adaptación de una propuesta de Cruces (1998) es útil para distinguir cuatro lógicas: la del mercado, la de las instituciones políticas, la del sentido común y la de la ciencia. La lógica del mercado la enfocamos en el capítulo quinto y las de la instituciones públicas y la del sentido común las hemos visto en el capítulo segundo y, en parte, en el sexto. En este caso nos interesa la lógica científica, según la cual la investigación traduce el patrimonio en conocimiento, con la articulación de teorías como marco abstracto de interpretación explicativo o comprensivo. Se trata de un conocimiento que va más allá del sentido común y que puede ser enriquecedor para los agentes locales para establecer prioridades de conservación y de difusión cultural. En la medida que la etnología estudia no sólo los bienes seleccionados como patrimonio, sino el proceso mismo de selección, puede ser clave para reflexionar sobre la intervención de los distintos agentes activadores y, específicamente, para la implementación de políticas de patrimonio que tengan en cuenta la multiplicidad de agencias y de patrimonios considerados parte de un conjunto (Matas y Bover, 1997; Mairal, 2003).*

*El patrimonio etnológico se entiende como patrimonio social en la medida en que la sociedad se apropia de él, como un recurso cotidiano puesto en marcha por actores locales que comprende elementos, paisajes, lugares y recuerdos compartidos de quienes los transmiten y los reconocen (Rautenberg, 1998). Toda investigación antropológica puede llevar a una restitución en forma de conocimiento (exposiciones, publicaciones...) pero también es una oportunidad para el compromiso con el desarrollo social y cultural a través de su uso como recurso, en un determinado territorio y para y por una sociedad. Algo para lo que es imprescindible la relación entre el mundo académico y el resto de agentes de patrimonialización (Moncusí, 2004).*

*No siempre, sin embargo, se realiza la investigación con una conciencia de aplicación del conocimiento como restitución y de vinculación a una práctica social. En Francia, por ejemplo, Jean-Pierre Albert (2003) ha observado cierto divorcio entre una etnología aplicada y otra teórica, donde la primera se enraíza en el territorio regionalizado mientras la segunda escapa de él, cuando estudia fenómenos que difícilmente se circunscriben territorialmente (por ejemplo la inmigración en su estudio transnacional). Para superar esta distancia, la investigación debe incorporar las perspectivas de agentes que intervienen en el terreno, relacionándolas entre ellas. Pero para ello, el investigador debe participar activamente en el proceso de construcción e institucionalización del patrimonio.*

*La relación entre investigación y patrimonialización entronca con políticas concretas en materia de patrimonio etnológico. Para este asunto un buen punto de partida es el caso de Francia, donde justamente se acuñó el concepto de patrimonio etnológico en los términos de la actual definición institucional, a principios de los años ochenta del siglo XX. Según ha explicado Iniesta (1994), la creación, en 1937, del Musée d'Arts Industries et Traditions Populaires había sido un primer precedente hacia esta conceptuación, acompañada por una institucionalización académica de una etnología sobre Francia. Una crisis de conciencia social, resultado de la crisis económica de los años setenta, contribuyó a acrecentar la necesidad social de buscar seguridad en el significado social del pasado, como pilar para un futuro con sentido. Por ello, el estado se implicó en la definición y protección de las particularidades locales rurales y la naturaleza. Con lo que el patrimonio etnológico se convertía en campo de políticas públicas.*

*En 1978 el Ministerio de Cultura de Francia impulsó un grupo de reflexión formado por responsables institucionales, etnólogos, conservadores y animadores culturales del mundo asociativo, para definir la noción de patrimonio etnológico, así como una política nacional sobre etnología que tuviera en cuenta la investigación, la conservación, la difusión, la acción cultural y la formación. En 1980, se presentó un libro blanco sobre la investigación que indicaba que se tenían que potenciar estudios que fomentaran las identidades culturales y étnicas en Francia. En 1987, otro informe sugirió crear espacios culturales y nuevas fórmulas de colaboración con entidades privadas y de creación de puestos de trabajo a partir de la revitalización del patrimonio.*

*En 1980 se crearon el Conseil du Patrimonine Ethnologique y la Mission du Patrimoine Ethnologique. El primero era un órgano consultivo formado por profesionales de la universidad, museos y asociaciones y representantes de servicios públicos. La segunda realizaba labores de gestión e intervención para potenciar la investigación sobre el conjunto de las expresiones de culturas cotidianas de los grupos que componían la nación francesa. El resultado de los nuevos órganos fue una coordinación institucional que se reflejó en: 1) creación de la figura de etnólogo regional, que anima acciones locales sobre patrimonio etnológico y estimula el ambiente científico de la región que le compete; 2) implantación de agrupaciones para el conocimiento y valorización de patrimonio etnológico, que asocia programas de investigación y animación locales a través del contacto con asociaciones, museos, centros de estudios y grupos de acción cultural; 3) fomento de investigación con la subvención pública local de proyectos temáticos; 4) fomento de formación con la generación de seminarios e intensivos (con colaboración de universidades y centros nacionales de estudios); 5) publicación de revistas periódicas y una colección de libros; y 6) fomento de actos y coloquios (Iniesta, 1994). Estas iniciativas muestran un reconocimiento público tanto del valor del patrimonio etnológico como de la disciplina etnológica y además representan una confluencia de agentes en el campo de la investigación y la conservación patrimonial.*

*El precedente francés ha tenido un reflejo parcial en España, después del franquismo. En los años ochenta empezaron a surgir iniciativas de la sociedad civil, propuestas académicas e intervenciones institucionales que impulsaron la investigación y la museología etnológicas. En el nuevo contexto democrático, «la fiesta y el museo se convirtieron en los instrumentos privilegiados, el primero para lograr la reconquista del espacio público, que había sido confiscado durante la dictadura, el otro para satisfacer el ansia de autoafirmación identitaria a escala microlocal» (Iniesta,*

*1994:224). Había surgido, por entonces, la conciencia de que la memoria colectiva había sido secuestrada durante el franquismo, lo que conllevó la esperanza de construir un presente y un futuro en el que se recuperara esa memoria perdida, a través de una fiesta democratizada. Por otra parte, algo más tarde, la necesidad de alternativas económicas en zonas rurales (y particularmente de montaña) en crisis económica y demográfica estimuló que en algunos casos aquella esperanza se tradujera en iniciativas museísticas diversas y en una organización institucional. Surgen, así, iniciativas centradas en las expresiones festivas y la cultura popular u otras más enfocadas hacia aspectos vinculados a la tecnología y al mundo de los objetos materiales. En el primer caso tenemos, por ejemplo, el Centro de Documentación de la Cultura Popular Carrutxa (fundado en Reus, en 1981) o el Grup de Danses Alimara (fundado en Valencia, en 1975). Es un ejemplo del segundo caso el Ecomuseu de les Valls d'Àneu (abierto en Esterri d'Àneu, en 1994) (Calvo, 2003; Iniesta, 1994).*

*Un concepto fundamental, durante la transición, a partir del cual surgiría el campo político del patrimonio etnológico es el de cultura popular y tradicional. En Catalunya, por ejemplo, la cultura tradicional y popular empezó a ser auspiciada por la Generalitat ya desde mediados de los ochenta, con la creación del Centre de Documentació i Recerca de la Cultura Tradicional i Popular, actualmente denominado Centre de Promoció de la Cultura Popular i Tradicional Catalana (CPCPTC). Su principal línea es el Inventari del Patrimoni Etnològic de Catalunya (IPEC) donde confluyen iniciativas públicas, académicas y de la sociedad civil, así como financiación de entidades privadas (la Fundación la Caixa, por ejemplo) para promover actividades de investigación, conservación y difusión del patrimonio etnológico. De los distintos proyectos planteados, en unos casos de investigación documental, en otros de análisis, han surgido publicaciones pero también se ha contribuido a crear o consolidar propuestas de museos como el Ecomuseu dels Ports o el Museu del Agua de Salt (Calvo, 2003).*

Todo ello va en la línea de propiciar la restitución de los resultados de la investigación etnológica, en forma de iniciativas locales de las que se apropien los protagonistas sobre el territorio, buscando siempre una vinculación entre el tejido social local y el mundo académico. De hecho, los proyectos financiados por el IPEC tienen como requisito involucrar a ambas partes. Actualmente, caben en ellos desde un estudio sobre patrimonio material en una zona rural o sobre turismo rural, hasta un trabajo sobre las porterías de la ciudad de Barcelona o un banco de memoria biográfica. Las propuestas se orientan hacia una línea de estudios e investigación, con la edición de una colección de libros, o hacia intervenciones de tipo museológico, con la promoción de exposiciones y actividades de difusión y desarrollo local en torno al patrimonio etnológico. Además, el mismo centro impulsa coloquios y cursos de formación en materia de patrimonio etnológico y cultura popular y edita una revista (la *Revista d'etnologia de Catalunya*) y un boletín informativo que aglutina, exhaustivamente, informaciones de todo tipo relacionados con la etnología y la cultura popular (exposiciones, cursos, seminarios, congresos, publicaciones...). Todo ello tiene su vertiente jurídica, con la promulgación de la ley 2/93 de fomento de la cultura popular y tradicional y del asociacionismo cultural, en la que se aprobó la creación del CPCPTC.

Como campo de políticas, el patrimonio etnológico se caracteriza por una acción de potenciación de sinergias locales, por medio de asociaciones y centros de estudios y de su contacto con el mundo académico. Es, también, un campo marcado por discursos hegemónicos y subalternos y por agentes en una u otra posición. Tanto el caso francés como las iniciativas desarrolladas en varios lugares de España se caracterizan por una acción de intelectuales de los museos y la academia, como catalizadores de un movimiento que protagonizan asociaciones y centros locales que, de este modo, pueden abandonar la subalternidad en la definición de lo que se reconoce como patrimonio.

*No obstante, el escaso valor atribuido a este tipo de patrimo-nio en comparación con otros —al que hemos hecho alusión antes— se corresponde con un menor reconocimiento de la especialización en su estudio y preservación. Como ha dicho González Alcantud, mientras el patrimonio etnológico se ha presentado muchas veces como «un territorio ignoto, sin im-portancia ni dueño conocido, al cual puede acercarse cualquier amateur, los otros patrimonios, amparados en su singularidad y excelencia, impedían cada vez más el acceso de cualquier profesional no cualificado» (2003:13). En el caso de España la etnología está todavía escasamente institucionalizada. En An-dalucía, por ejemplo, a pesar de ser uno de los lugares con mayor coordinación entre universidad y gobierno autonómico, pocos profesionales en antropología se encuentran en museos. Cuando se pone en marcha un museo etnográfico y se lleva a cabo su gestión, parece ser que lo pueda hacer cualquier persona, independientemente de su formación. El papel de los voluntarios es en ocasiones mucho más importante. Entran ahí desde estudiantes en prácticas, a activistas locales o miembros de «Aulas de la Tercera Edad» que realizan tarea de guías (Fernández de Paz, 2003).*

*Asimismo, Agudo y Fernández de Paz (1999) han llamado la atención sobre la reiteración que ofrecen muchos museos etnográficos locales, reproduciendo restos amontonados y en desuso de oficios artesanales, vestimentas, enseres agrícolas, ajuares domésticos, etc., que se muestran como testimonios de una autenticidad perdida por el avance de la modernidad, de suerte que ni los habitantes de aquellas localidades ni sus visitantes pueden en realidad diferenciar su patrimonio de otros que se muestran en localidades vecinas. La ciencia se caracteriza, entre otras cosas, por la definición de un discurso articulado, analítico, que pone en relación elementos entre sí y con una sociedad y territorio concretos. La mera acumulación de objetos no tiene la cualidad de realizar esa articulación y con la dedicación amateur como origen de museos etnológicos o etnográficos es fácil caer en ella. En esta situación, el valor simbólico identitario se convierte en el principal y prácticamente único garante del patrimonio etnológico, mientras que otros patrimonios se erigen en muestras de alta cultura, con el soporte del valor científico y del estético, además de la posibilidad de contar con el identitario.*

*En consecuencia, el concepto de patrimonio etnológico acaba siendo algo vago, incluso en la propia legislación. Las leyes españolas han contribuido a institucionalizar el patrimonio etnológico, pero lo han hecho omitiendo la demarcación de su contenido en relación con el patrimonio cultural. Así, en algunas leyes autonómicas de patrimonio (por ejemplo en la valenciana) donde se habla explícitamente de patrimonio etnológico no se establece espacio específico alguno (título o articulado) para explicar su contenido. Por otra parte, en ocasiones aparece en compañía de otros patrimonios, como el industrial (Castilla la Mancha y Madrid) o el lingüístico (Castilla y León). El patrimonio etnológico acaba convirtiéndose «en una suerte de "cajón de sastre" donde es posible ubicar distintas manifestaciones, cosa que no sucede, por ejemplo, con el patrimonio arqueológico que parece mucho más fácil de catalogar» (Hernàndez, Moncusí y Santamarina, 2004:18-19).*

*Parece claro, pues, que la dificultad de ubicar la patrimonialización entre el discurso de las instituciones normativas y el de la investigación etnológica sólo se puede superar con una acción decidida de múltiples agentes, en una conjunción de la investigación y de la praxis social en patrimonio etnológico. Cerraremos este capítulo con un ejemplo ilustrativo de cómo se puede llevar a cabo una investigación en patrimonio etnológico, con intervención de varios agentes.*

*El caso concreto es el Arxiu de la Memoria Oral Valenciana. Museu de la Paraula[38]. Se trata de un proyecto llevado a cabo,*

---

[38] *Lo que expondremos a continuación se refiere a un proyecto que viene siendo subvencionado en varias convocatorias por la Diputación de*

*desde hace tres años, por un equipo de investigadores del Departament de Sociologia i Antropologia Social de la Universitat de València y del Servei d'Investigació en Etnologia i Cultura Tradicional, del Museu Prehistòria i de les Cultures de València, integrado en la Diputación Provincial de Valencia. La idea surgió, sin embargo ya en los años ochenta, en el mismo museo, con el cometido de contextualizar los objetos de sus colecciones con información oral registrada en formato audiovisual.*

*A mediados del año 2001 se inició una colaboración con la Universitat de Valencia y, además, se contó con la financiación de Radio Televisión Valenciana SA. y de la Caja de Ahorros del Mediterráneo. Así se puso en marcha un proyecto que tuvo en un principio al museo y la universidad como principales agentes. La tarea de investigación consiste, a grandes rasgos, en entrevistar a personas nacidas antes de 1933 en la Comunidad Valenciana o que, aunque nacidos fuera, hayan residido en ella durante la infancia y al menos dos tercios de su vida. Para ello se ha partido de una muestra proporcionalmente representativa de la población de cada una de las comarcas del país, para realizar en ellas el correspondiente número de entrevistas. A grandes rasgos y sin ánimo de ser exhaustivos, diremos que el equipo sigue las siguientes fases de investigación, en cada comarca:*

*1) Documentación previa y prospección de campo: Esta fase consiste en preparar el terreno para la realización de las entrevistas y, particularmente, en explorar su contexto. Empieza por una documentación sobre la comarca y las poblaciones en las que se realizarán las entrevistas. El proyecto se focaliza en cada comarca en un tema en particular, en torno al cual girarán las entrevistas. Dicho tema se escoge en función de la*

---

*Valencia según convenio firmado con la Universitat de Valencia, Estudi General. Para conocerlo con más detalle, véase García Zanón y Ferrero (2001) y Moncusí (2004).*

*información disponible y de la particularidad de cada comarca. En la fase de documentación se realiza por el momento una bibliografía de cada comarca y se prevé también elaborar un listado de asociaciones y entidades interesados directa o indirectamente en la memoria oral.*

*La prospección tiene por objeto recorrer las asociaciones culturales, centros de estudios y organismos e instituciones que trabajan en la cotidianidad de cada comarca para localizar personas para entrevistar, para una posterior selección en función de las cuestiones de interés y la disponibilidad y disposición de las personas en cuestión. El último paso consiste en concretar cuales serán las personas entrevistadas, para lo que se realizan informes y visitas para comprobar la habilidad para expresarse y el interés del testimonio, en función del proyecto general.*

*2) Realización de entrevistas, tratamiento de la grabación y transcripción: la entrevista la realizan un cámara y un entrevistador, en el domicilio de la persona entrevistada. Se trata de una conversación sobre la biografía de esta, que suele durar entre una y dos horas. Tiene un carácter abierto. Es decir, no existen preguntas estipuladas. El entrevistador únicamente dispone de un guión de trabajo para ver las materias de las que se trata, o para introducirlas si lo considera necesario. La entrevista la pautan las respuestas de la persona entrevistada, lo que le confiere ese carácter de conversación que mencionábamos. En todos los casos se firma un documento de cesión al museo, para dar cobertura jurídica a la donación del testimonio oral registrado. Este documento hace posible que el relato se convierta en patrimonio público, al ser cedido a una institución pública como es la Diputación de Valencia.*

*Las cintas registradas son codificadas y catalogadas según los criterios museográficos del museo etnológico de Valencia y su contenido es convertido a formato digital para su transcripción y posterior incorporación a una base de datos audiovisuales. Asimismo se completan y archivan un ficha con datos personales, para uso interno del equipo de investigación y otra con datos sobre el perfil general del entrevistado, pero sin aquellos datos.*

*La transcripción de las entrevistas es un proceso laborioso que consiste en trasladar a un formato de texto el contenido literal de la entrevista. Se trata de un documento fiel a su original, de modo que reproduce el léxico utilizado y la manera de expresarse del informante. En el texto se van indicando los minutos a intervalos, para facilitar el posterior corte de bloques de la entrevista para los trabajos de la siguiente fase.*

*3) Indexación e incorporación a la base de datos para consulta: cada transcripción se disecciona en bloques temáticos, con el fin de extraer la información que será incorporada a la base de datos. Para ello se utiliza un thesaurus. Es decir, una lista de nombres ordenados por orden alfabético, con sus definiciones y con referencias entre ellos. Esta lista se combina con un sistema de clasificación jerárquico en el que se establece una estructura jerarquizada de temas y subtemas, que parten de una guía general de trabajo. Cada tema incluye un listado particular de palabras. Los temas y las palabras se convierten en descriptores que definen por dónde se deben cortar las entrevistas. Con las primeras entrevistas se realiza un proceso de actualización de los descriptores.*

*Los fragmentos de entrevistas se van incorporando a una base de datos organizada a partir de la estructura de temas y subtemas y del listado de palabras, para organizar la búsqueda de contenidos. La información se guarda y es consultable en formato digital, lo que permite su divulgación audiovisual, conlleva una mejor conservación y también ofrece información gestual, de sonido e imagen ausente en otro tipo de documentos. A medio plazo, se plantea que la base de datos se pueda consultar por Internet, lo que facilitará consultas de carácter reticular, con hipervínculos numerosos y gran libertad de movimientos por parte del usuario. Ello permitirá también un acceso más amplio al archivo.*

*4) Restitución, difusión y apropiación social del proyecto: la última fase no ha llegado a aplicarse todavía en ninguna de las siete comarcas en las que hasta el momento se han realizado entrevistas, pero se han hecho algunos pasos. Por lo que se refiere a la difusión, se prevé la publicación de artículos y comunicaciones en congresos. Aunque la creación del archivo para consulta conlleva en cierto modo una restitución, la manera más directa de devolver de algún modo una parte de lo que se ha obtenido con la investigación es la entrega, a cada informante, de un DVD o una cinta de VHS con su entrevista íntegra. Sin embargo, se están planteando otras medidas que, además, van en la línea de ampliar las vías de obtención de datos y explorar formas de abrir la selección patrimonial, a la sociedad civil. En este sentido van las siguientes propuestas: a) Búsqueda de una institución, asociación o centro de estudios que se erija en centro adscrito al archivo, con acceso a las entrevistas realizadas y como centro de documentación que recoja también nuevas iniciativas en el futuro; b) Asesoramiento en investigación en memoria oral, para impulsar el surgimiento de iniciativas locales de recuperación de memoria oral por parte de instituciones o particulares; c) Edición de un DVD de presentación del proyecto sobre cada comarca; d) Creación de una página web para dar a conocer el proyecto, que incluya entrevistas, bibliografías y listados de asociaciones, particulares, investigadores e instituciones colaboradoras y/o interesadas en la memoria oral, en cada comarca; e) Realización de exposiciones basadas en contenidos del proyecto.*

*El Arxiu de la Memòria Oral es un ejemplo del trabajo conjunto de instituciones públicas de distinto ámbito (museo, Diputación y Universidad) que pivota en torno a una investigación planteada sobre un territorio y para una población concreta. Es un caso que muestra cómo la investigación etnológica pasa por identificar agentes en la selección y muestra de patrimonio y también en su reproducción y reapropiación. Un ejercicio que contribuye al conocimiento de los agentes, prácticas y discursos de una determinada sociedad y al reconoci-*

*miento y activación de su patrimonio etnológico. Y no sólo eso,
sino que asume, como rezaba la cita con la que hemos encabe-
zado este capítulo, que este patrimonio es resultado de la
dimensión diacrónica de la cultura. Es decir, de su proceso
constante de construcción y apropiación social por parte de
una población particular, en un determinado medio.*

## Lecturas recomendadas para trabajar en clase:

INIESTA, Montserrat (1994): «Antropologia i polítiques culturals», en Els
  gabinets del món. Antropología, museus i museologies, Lleida; Pagès, pp.
  216-229.

PRAT, Joan (1999): «Folklore, cultura popular y patrimonio», en Arxius de
  Sociologia, 3:87-109.

## Práctica para realizar en clase:

*A partir de una visita a un museo etnológico, describir: historia particular;
  identificación de agentes (instituciones públicas, asociaciones...); identificación de acciones de cada agente; ámbito territorial y concepción del
  mismo (escala territorial y relación por medio de antenas o itinerarios);
  organigrama institucional; proyectos en curso (exposiciones o investigaciones); organización expositiva (y del espacio, con exposiciones temporales y permanentes...); objetivos; infraestructuras; instalaciones adya-
  centes (tiendas...).*

## CAPÍTULO 8
# EL PATRIMONIO CULTURAL VALENCIANO

Maria Albert Rodrigo

*«La diversidad de culturas humanas es, de hecho en el presente, de hecho y también de acuerdo con el pasado, mucho más grande y más rica que todo lo que estamos destinados a conocer jamás» (Lévi-Strauss, 1999)*

## 8.1. El patrimonio cultural en el Estado español

*La noción actual acerca del patrimonio cultural: amplia, generosa, instrumental y universalista, es considerada, fundamentalmente, como el resultado de las grandes crisis del siglo XX y también del cambio acelerado de las formas de vida de las últimas décadas. Podemos, sin embargo, buscar sus orígenes en el desarrollo de la ciencia y del progreso que tuvo lugar durante el siglo XVIII; momento a partir del cual, la historia se concibió como un proceso complejo que determinaba las distintas formas de vida y la particularidad de cada época. De este modo, el patrimonio histórico-artístico comenzó a valorarse por sí mismo y a entenderse como una riqueza perteneciente a la colectividad. Las anteriores muestras de preocupación por la conservación del patrimonio estaban supeditadas, prioritariamente, a los intereses del poder político absolutista y eclesiástico.*

*Los primeros pasos en materia de protección en el Estado español se remontan a la Fundación de la Real Academia de Nobles Artes en el año 1773, encabezada por Fernando VI y a la* creación de la Real Academia de la Historia y de las Bellas Artes a las ordenes de Carlos III. En materia jurídica, la primera norma destinada a la protección del patrimonio cultural se dictará en 1779; fue la Real Orden[39] por la cual se impidió la exportación, incluso a las provincias de ultramar, de pinturas y otros objetos artísticos antiguos o de autores fallecidos, así como de libreos o manuscritos antiguos de escritores españoles. Con el paso de los años, a esta orden se le fueron uniendo otras que ampliaban los elementos (monumentos antiguos) a conservar.

Durante todo el siglo XIX predominó una visión absolutista que amparó el derecho de propiedad y primó los intereses individuales sobre los colectivos. Así se observa en la normativa que se aplica en materia de patrimonio. El 26 de marzo de 1802, el rey Carlos IV de España promulgó una Real Cédula que obligaba a comunicar cualquier descubrimiento arqueológico y encomendaba a la Real Academia de la Historia la misión de fijar los procedimientos para inventariar y conservar las antigüedades y los monumentos españoles. Con esta finalidad, en 1844 se fundó una Comisión de Monumentos y en 1873 se publicaron unas Normas para evitar la destrucción de edificios públicos por sus meritos históricos y artísticos. Durante este siglo apareció una conciencia **romántica** sobre el valor del patrimonio cultural, al tiempo que adquirió importancia como elemento de identidad propia distintivo de cada grupo. Fue ya en 1880 cuando, producto de una mayor sensibilidad social, surgió en Europa y en América una legislación más acorde con las urgencias proteccionistas de la época en la que se contemplaba la creación de un inventario general del patrimonio cultural.

Fue en este contexto, como ya vimos en el capítulo 2, durante los años 1911 y 1915 cuando se aprobaron en España dos leyes

---

[39]  Disposición reiterada en 1801, 1836 y 1837.

*de alta significación proteccionista que, en cierto modo, son complementarias. La de 1911 regula las excavaciones arqueológicas y la de 1915, conocida como de* **Conservación de Monumentos Históricos y Artísticos**, *establece las bases para una protección real y una catalogación adecuada de los monumentos. A tal efecto, tipifica como monumentos históricos y artísticos las obras con mérito suficiente para ser reconocidas como tales en los respectivos expedientes de catalogación.*

*Durante este periodo, principios del siglo XX, se gestarán dos tendencias antagónicas con respecto al patrimonio cultural. Por una parte, el culto al pasado será calificado de conservadurismo paralizante frente a los retos de la modernidad. Por otra, emergerá y aumentará un sentimiento de nostalgia y de pérdida producido por los cambios que se suceden —urbanización acelerada, industrialización, éxodo rural—, que atentarán contra el estado de cosas que proporcionaba sentido y estabilidad en la vida de las personas. Dichas tendencias, provocarán un gran interés colectivo por el patrimonio cultural y una mayor profundización en el desarrollo histórico como fuente de conocimiento del pasado. De este modo, el concepto de patrimonio cultural pasará a denominar cualquier manifestación cultural que tenga relevancia para la sociedad y surgirá el término de* **Bien Cultural**, *entendido como testimonio representativo de la cultura humana y que será definido como un compendio de valores de naturaleza histórico-artística, arqueológica, etnológica, natural, etc., dependiendo de sus características.*

*Así se observa en el Decreto-Ley de 1926 sobre el Tesoro Artístico Nacional donde se destaca el rasgo del* **valor cultural** *como esencia de los bienes a ser protegidos. En él se explicita que son dignos de ser conservados para la nación, por razones de arte y cultura, el conjunto de bienes muebles e inmuebles y se subraya el carácter típico de pueblos y ciudades. Ampliando así, el concepto de patrimonio a otros elementos culturales tan importantes como los monumentales. En esta línea, durante la constitución de la República de 1931 se aprobará la ley básica* *de Patrimonio Histórico-Artístico Nacional del 13 de mayo de 1933 en la que se contempla como patrimonio los Bienes muebles e inmuebles de interés artístico, arqueológico, paleontológico o histórico que hubiera en España con más de un siglo de antigüedad. Dicha Ley supuso unas avanzadas bases de protección que quedarían congeladas durante la etapa franquista (1939-1976), aunque en ella se aplicarán numerosas disposiciones legales, de las cuales cabe destacar la Ley de 1955 sobre Conservación del Patrimonio Histórico Artístico.*

*Fue en la Constitución española de 1978 cuando, como en muchos otros aspectos, se renovó la legislación referente al patrimonio cultural. Concretamente, en su artículo 46 del capítulo dedicado a los principios rectores de la política social y económica. En él se obligaba a los poderes públicos a garantizar una correcta conservación del patrimonio histórico, cultural y artístico del país, sin distinción de régimen jurídico ni titularidad. Ésta será la primera vez que una constitución española obligue no solamente a proteger, sino también a promover su enriquecimiento.*

*En 1985, con el objetivo de proteger, aumentar y transmitir a las generaciones futuras el* **patrimonio histórico español** *entra en vigor la Ley del Patrimonio Histórico Español. Su referente fueron las normas internacionales adaptadas, aunque de forma ambigua, a la terminología de la Constitución de 1978. Suprime además, el requisito de antigüedad (más de 100 años) de los bienes para ser considerados como patrimonio.*

*Una de las principales aportaciones de la Ley española es la de distinguir entre bienes muebles y bienes inmuebles, aplicando medidas de protección diferentes para facilitar su protección. Sobre estos bienes podrán coexistir y sobreponerse las titularidades pública y privada, sin perjudicar los derechos de los propietarios y, en favor de una idea superior del patrimonio como un elemento colectivo del que todos los ciudadanos son beneficiarios. Al reconocer el patrimonio como un bien de fruición, independientemente de quien sea el propietario, la Ley española reconoce la dimensión social del patrimonio y hace recaer en el Estado su tutela. Por lo tanto, recoge y hace efectivo el principio democrático del derecho al disfrute colectivo de los bienes del patrimonio cultural.*

*Dicha Ley jerarquiza además, los niveles de protección de los bienes que deben ser previamente declarados (todos los inmuebles y los muebles que no pertenezcan a museos o instituciones públicas ya que éstos lo son de oficio), es decir, inventariados. Las categorías que se establecen, como ya vimos en el capítulo 2, según orden de importancia son las siguientes: Bien de Interés Cultural (BIC), Bien Mueble inscritos en el Inventario General de Bienes Muebles y Bien Mueble o Inmueble integrante del Patrimonio Histórico Español (los únicos sin declaración expresa).*

*Las declaraciones de Bienes de Interés Cultural puede hacerse de dos formas: por ministerio de ley o Real Decreto. Por ministerio de ley se convierten en Bien de Interés Cultural toda una serie de elementos tradicionalmente protegidos (como los objetos de los museos de titularidad estatal, las cuevas, abrigos, lugares con manifestaciones de arte rupestre y los castillos) automáticamente al publicarse la ley. También se permite la declaración conjunta de un grupo de bienes, aunque, conviene señalar que en estos casos su tramitación es particularmente compleja y lenta.*

*Los Bienes de Interés Cultural reciben un tratamiento privilegiado a efectos fiscales, y pueden ser subvencionados con preferencia a otro tipo de bienes para contribuir a su conservación. Asimismo, para ser objeto de comercio requieren de autorización especial. Conviene recordar que todos los bienes del patrimonio histórico español con más de cien años de antigüedad requieren de un permiso especial para ser exportados.*

*Es conveniente señalar algunas de las regulaciones específicas que afectan a los Bienes de Interés Cultural, como por ejemplo, la que concierne a los bienes inmuebles que son inseparables de su entorno y que por lo tanto, no pueden ser desplazados. Las obras que afecten a este tipo de bienes o a su entorno[40] deben ser expresamente autorizadas. Los propietarios, además, tienen la obligación de velar por su conservación y el fallo de dicho compromiso obliga al Estado a ocupar el lugar del propietario incompetente.*

*Uno de los aspectos más relevantes de dicha Ley es el llamado* **uno por ciento cultural:** *que toda obra pública, con un presupuesto superior a los cien millones de pesetas, debe incluir en su presupuesto para destinarlo a la financiación de actividades de conservación o enriquecimiento del patrimonio. Lo cierto es que esta figura ya existía anteriormente, pero será tras la publicación de esta Ley cuando dicho uno por ciento se ha ido institucionalizando, ampliando su campo de aplicación y aumentado potencialmente su cuantía. Aspecto sin embargo, que no ha resultado suficiente para que la Ley no haya recibido importantes críticas por considerar que no contempla las medidas de enriquecimiento y fomento del patrimonio cultural adecuadas.*

*Desde que en 1985 se promulgó la Ley de Patrimonio Histórico Español las distintas Comunidades Autónomas adquieren capacidad de legislar publicando en sus propios medios oficiales otras leyes que, conservando el espíritu de la española intentan especificar la normativa a su propia idiosincrasia. La primera en promulgar su propia ley de Patrimonio fue Castilla-La Mancha en 1990 seguida del País Vasco en el mismo año; Andalucía en 1991; Cataluña en 1993; Galicia en 1995; Cantabria, Aragón, Baleares, Madrid y Comunidad Valenciana en 1998; Canarias en 1999; Extremadura en 1999 y Asturias en 2001. Otras leyes complementarias que se han aprobado desde algunas autonomías son las Leyes de Cultura*

---

[40]   *La noción de entorno, noción que en el pasado, pese a existir, nunca fue respetada convenientemente se enfatiza por la Ley 16/1985 que se cuida de destacar la obligatoriedad de preservar los entornos de los bienes inmuebles declarados.*

*Popular, ratificada en Cataluña en 1993 y en Baleares en 2001. En ésta última se establece que las administraciones públicas deberán perseguir la valoración social y cultural de la cultura popular y tradicional, la recuperación, la protección y el inventario de los bienes, las manifestaciones y las creaciones de la cultura popular y tradicional en todas las islas.*

## 8.2. El patrimonio cultural valenciano

*La Ley del Patrimonio Cultural Valenciano (Ley 4/1998) tiene como objetivo la protección, conservación, difusión, fomento, investigación e incremento del patrimonio cultural valenciano. Para lo cual, establece una regulación de los mecanismos de protección necesarios para la conservación de los Bienes de Interés Cultural Valenciano, básicamente incentivos económicos y crea el Inventario General del Patrimonio Cultural Valenciano.*

*La Ley valenciana sigue el modelo de la española; establece que el patrimonio cultural valenciano está constituido por los Bienes muebles e inmuebles de valor histórico, artístico, arquitectónico, arqueológico, paleontológico, etnológico, documental, bibliográfico, científico, técnico o de cualquier otra naturaleza cultural existentes en el territorio de la Comunidad Valenciana o que, encontrándose fuera de este, sean especialmente representativos de la historia y la cultura valenciana. También forman parte del patrimonio cultural valenciano, en calidad de bienes inmateriales del patrimonio etnológico, las creaciones, conocimientos y prácticas de la cultura tradicional valenciana.*

*La entidad encargada de velar por el patrimonio cultural valenciano es la Junta de Valoración de Bienes del Patrimonio Cultural Valenciano, que cuenta con el asesoramiento de la Real Academia de Bellas Artes de Sant Carles de Valencia, las Universidades y los Consejos asesores de archivos y bibliotecas. La Ley valenciana distingue entre los Bienes de Interés Cultural, los Bienes inventariados no declarados de Interés Cultural y los Bienes no inventariados del patrimonio cultural. Entre los primeros (BIC) cabe distinguir entre los Bienes Inmuebles de Interés Cultural, los Bienes Muebles de Interés Cultural y los Bienes Inmateriales de Interés Cultural (patrimonio etnológico). Entre los Bienes inventariados no declarados de Interés Cultural Valenciano aparecen los siguientes: Bienes de relevancia local (inmuebles), Bienes muebles inventariados, Bienes inmateriales valencianos (patrimonio etnológico), Patrimonio arqueológico y paleontológico (mueble y inmueble), Museos y colecciones museográficas permanentes (mueble e inmueble), Patrimonio documental, bibliográfico, audiovisual e informático (mueble) y Bienes no inventariados del patrimonio cultural (mueble e inmueble). De forma esquemática puede verse en el cuadro siguiente:*

## Clasificación de los bienes según la ley (4/1998)

| | |
|---|---|
| Bienes de Interés Cultural (BIC) | Bienes inmuebles de interés cultural |
| | Bienes muebles de interés cultural |
| | Bienes inmateriales de interés cultural (patrimonio etnológico) |
| Bienes inventariados no declarados de Interés Cultural | Bienes de relevancia local (inmuebles) |
| | Bienes muebles inventariados |
| | Bienes inmateriales valencianos (patrimonio etnológico) |
| | Patrimonio arqueológico y paleontológico (mueble y inmueble) |
| | Museos y colecciones museográficas permanentes (mueble e inmueble) |
| | Patrimonio documental, bibliográfico, audiovisual e informático (mueble) |
| Bienes no inventariados del patrimonio cultural | Bienes no inventariados del patrimonio cultural (mueble e inmueble) |

Cabe destacar que la *Ley Valenciana de Patrimonio Cultural* contempla, dentro de los bienes inmuebles de interés cultural: monumentos, conjuntos históricos, jardines históricos, lugares históricos, zonas arqueológicas y paleontológicas, así como parques culturales, que son espacios que contienen elementos significativos del patrimonio cultural integrados en un medio físico relevante por sus valores paisajísticos y ecológicos. También contempla la posibilidad de declarar Bienes de Interés Local (inmuebles) a aquellos de carácter histórico, artístico, arquitectónico, arqueológico, paleontológico y etnológico que quedarían incluidos dentro de los Planes Generales de Ordenación Urbana, así como dentro de un Catálogo de Bienes y Espacios Protegidos.

Por otra parte, con respecto a los bienes muebles de interés cultural, la Ley pone de manifiesto la necesidad de contemplar distintas funciones con respecto a los Centros Históricos. Su reutilización se plantea como un complemento de la restauración para dar continuidad a la vida del edificio (patrimonio arquitectónico). Con ello se busca un reequilibrio territorial, la reintegración del centro histórico en el conjunto de la ciudad y la colaboración ciudadana.

La necesidad de proteger y dinamizar el patrimonio cultural como algo vivo que se incrementa en la medida en que permanentemente se materializan expresiones culturales, se ve reflejada en la modificación de Ley del Patrimonio Cultural Valenciano del 19 de Octubre de 2004. Dicha modificación gira alrededor de cuatro ejes principales. En primer lugar, trata de reforzar la protección del patrimonio inmaterial, en sus manifestaciones musicales, artísticas, gastronómicas o de ocio, en especial aquellas que han sido objeto de transmisión oral, (junto con las ya existentes al patrimonio inmaterial etnológico, categoría en la que hasta el momento se incluía este tipo de patrimonio).

El segundo eje constituye la puesta en valor de los bienes de interés cultural, especialmente aquellos cuyo valor está relacionado en buena medida con la existencia de un uso social: el mantenimiento de las tradiciones y las actividades que las *caracterizan. La ley prevé la introducción de modulaciones en las medidas de protección que, con las debidas garantías, permitan que estos bienes no se conviertan en piezas de museo inanimadas y carentes de vida, lo que sólo generaría su degradación y la pérdida de usos y costumbres que son considerados como parte del patrimonio inmaterial.*

*El tercer pilar sobre el que se sustenta la Ley incorpora la protección del patrimonio informático valenciano. Se incluyen los bienes inmateriales de naturaleza tecnológica que constituyan manifestaciones relevantes o hitos de la evolución tecnológica de la Comunidad Valenciana.*

*Finalmente, la Ley adelanta la inminente remisión a las Cortes Valencianas de un proyecto de Ley de Archivos de la Comunidad Valenciana.*

*Como hemos mencionado, uno de los ejes sobre los que gira esta modificación de Ley es la mayor protección de los denominados bienes inmateriales o intangibles, que son precisamente los que revelan la viveza, el dinamismo y la importancia cultural de un pueblo, es decir, lo que se entiende como patrimonio etnológico. Como vimos en el capítulo 7 con cierta profundidad y de acuerdo con Hernández, Moncusí y Santamarina, «entendemos por patrimonio etnológico o etnográfico lo que viene siendo definido institucionalmente, es decir, como el conjunto de las manifestaciones y formas de vida tradicionales, materiales o inmateriales, que definen las características propias de los distintos grupos que conforman una colectividad. En este sentido, señalamos dos características que parecen conformar la definición normalizada del patrimonio etnológico o etnográfico: por un lado, su carácter tradicional (con todo lo que comporta: popular, folklórico, iletrado, tópico...) y por otro, su capacidad de esencializar unos rasgos identitarios propios de un lugar» (2004:6).*

## 8.3. El patrimonio etnológico valenciano

*El patrimonio etnológico, merece pues, una atención especial por su trascendencia como elemento de identidad cultural. Aunque sus orígenes se remontan a los museos etnológicos que abren sus puertas en el último tercio del siglo XIX, en plena era colonial, cuando Occidente descubre el atractivo del* **patrimonio de otros pueblos**, *fue la industrialización y el nacionalismo los que hacen aumentar el interés por las propias raíces, con la consiguiente revalorización del interés por los modos de vida tradicionales y sus productos culturales.*

*En la mencionada modificación de Ley se especifica que forman parte del patrimonio cultural valenciano, en calidad de bienes inmateriales del patrimonio etnológico, las creaciones, conocimientos y prácticas de la cultura tradicional valenciana. Asimismo, forman parte de dicho patrimonio como bienes inmateriales las expresiones de las tradiciones del pueblo valenciano en sus manifestaciones, musicales, artísticas, gastronómicas o de ocio, y en especial aquellas que han sido objeto de transmisión oral y las que mantienen y potencian el uso del valenciano. Dicha Ley recoge el espíritu de la definición de patrimonio etnológico que realiza la UNESCO, (15 de noviembre de 1989): «La cultura tradicional y popular es el conjunto de creaciones que emanan de una comunidad cultural fundadas en la tradición, expresadas por un grupo o por individuos y que reconocidamente responden a las expectativas de la comunidad en cuanto expresión de su identidad cultural y social; las normas y los valores se transmiten oralmente, por imitación o de otras maneras. Sus formas comprenden, entre otras, la lengua, la literatura, la música, la danza, los juegos, la mitología, los ritos, las costumbres, la artesanía, la arquitectura y otras artes».*

*A continuación hemos elaborado una tipología que si bien no pretende ser exhaustiva, trata de dar una idea de la multitud de manifestaciones culturales valencianas con las que podemos encontrarnos. Cabe destacar que algunas de ellas, pueden identificarse con los vestigios de la cultura valenciana. Mientras que otras, y no menos importantes, podemos encontrarlas en cualquier lugar del mundo, como por ejemplo, un parque temático. Lo cual, tal como venimos señalando a lo largo de todo el libro, desde ángulos distintos, nos obliga a insertar el fenómeno de la identidad nacional valenciana en el marco de la globalización cultural y más concretamente en el de la patrimonialización de la cultura.*

| TIPOLOGÍA DE LAS MANIFESTACIONES CULTURALES VALENCIANAS |
|---|
| *FIESTAS: Fallas, Fogueres de Sant Joan, Moros y Cristianos, Carnestoltes, Bous, Santantonades, etc.* |
| *MÚSICA Y DANZAS: Albades, Trobos, Pregons, Dolçaina, Rondalla, Charanga, etc.* |
| *JUEGOS Y DEPORTES: Tiro y arrastre, Pilota valenciana, Colombicultura, Birles valencianes, etc.* |
| *TEATRO: Representaciones religiosas-litúrgicas, históricas, profanas.* |
| *IMAGEN Y AUDIOVISUAL: Fotografía, Cine, Grafittis, Radio, etc.* |
| *URBANISMO, ARQUITECTURA Y VIVIENDA: Barrios, Cascos antiguos, Acequias, etc.* |
| *ALIMENTACIÓN: Platos y recetas: Paella, arròs a banda... Utensilios, Cocina y Modos de consevación.* |
| *ARTESANÍA Y EXPRESIÓN ARTÍSTICA: Oficios, Herramientas, Pirotecnia, Fallas, Mimbre, etc.* |
| *CIENCIA Y TECNOLOGÍA: Conocimientos sanitarios (herboristería, farmacia) y Meteorológicos.* |
| *ACTIVIDADES ECONÓMICAS: Agrícolas, Ganaderas, Pesqueras, Industrial-gremial, etc.* |
| *ESPIRITUALIDAD Y RELIGIOSIDAD: Rituales, Mitos y leyendas: Dragones, Gigantes, etc.* |
| *CALENDARIO: Ciclos temporales: Navidad, Carnaval, Fallas, Pascua, etc.* |
| *CULTURA ORAL: Refranero, Rondallas, Memoria oral, Jerga y Argot.* |
| *LITERATURA Y PRENSA: Llibrets y Literatura festiva, etc.* |
| *INDUMENTARIA: Vestuario típico: saragüell, llaurador, etc.* |

| TURISMO: Rural, Playa, Cultural, Ecológico y de Parques temáticos |
| DERECHO: Usos: pacto o contrato particular, Tribunal de les Aigües y costumbres |
| USOS SOCIALES: Lenguaje no verbal, Usos de género, Sexuales y Profesionales. |

Fuente: Tipología realizada a partir de Hernàndez i Marti, (1999)

*De acuerdo con Hernàndez i Marti (2001), la vertiente más destacada del patrimonio moderno estriba en su dimensión identitaria, ya que el patrimonio aparece como expresión y refuerzo de las identidades locales, al tiempo que se genera una conciencia global de salvaguarda. En el caso valenciano, el complejo contexto identitario remite a una identidad valenciana fragmentada o como mínimo de difícil construcción para la hegemonía de una identidad central (Piqueras, 1996). La identidad valenciana central o nuclear, coincidiendo con su centralidad geográfica, alcanza una débil implantación en el conjunto de su territorio, ya que compite con imprecisos «nosotros» de las comarcas interiores, con poblaciones vinculadas hacia centros simbólicos exteriores (por ejemplo, Aragón) y, además, es contestada por la rivalidad alicantina no exenta de connotaciones de superioridad (Hernández i Marti, 1999:179). El conflicto que versa sobre la identidad propia valenciana, es pues, un conflicto ideológico (Ariño y Llopis, 1995) que se observa en las distintas manifestaciones de la cultura popular valenciana, ya que ésta participa de la fractura cultural e identitaria y se constituye en lugar de pugna ideológica y política.*

*Estamos pues, ante más de una identidad valenciana que se extiende en un continuo que va desde un extremo en el que se encuentra aquella que aboga por la unidad política y cultural con lo que ha venido denominándose como Països Catalans, ya que considera que su lengua y su cultura es la misma, hasta el otro extremo en el que se encuentra aquella otra que las considera completamente distintas (anti-catalananismo). Esta*

*identidad valenciana, además, se conjuga con la identidad
española o españolismo. Así se refleja en los diferentes estudios
realizados acerca de la identidad valenciana (García Ferrando,
1994; Piqueras, 1996; García Ferrando y Ariño, 1998 y 2001;
Cucó, 1998; Coller y Castelló, 1999), en los que se apunta hacia
una identidad inclusiva, es decir, al hecho de sentir simultáneamente como compatibles la identidad valenciana y la española.
Sentimiento de tendencia creciente según los datos manejados
en las últimas encuestas (García Ferrando y Ariño, 2001). Tal
como señala, Hernàndez i Marti (1999), solamente a partir de
esta reflexión se pueden hacer estudios serios y rigurosos sobre
las verdaderas dimensiones de la cultura popular valenciana,
sobre el «estado de la cuestión» y sobre las actuaciones que
desde la sociedad civil y las instituciones públicas son desea-
bles para la activación y conservación patrimonial en el caso
valenciano.*

*En el capítulo anterior hemos visto las distintas iniciativas
institucionales que se han puesto en marcha desde una pers-
pectiva general. En el caso valenciano cabe señalar el proyecto*
**Arxiu de la memoria oral valenciana. Museu de la Paraula,**
*fruto de un convenio entre la Diputación de Valencia y la
Universidad de Valencia, a través del Servei d'Investigació en
Etnologia i Cultura Tradicional, del Museu de Prehistòria i de les
Cultures de Valencia (SIECT) y del Departament de Sociologia i
Antropologia Social, respectivamente. Así como mencionar que
en la web de la Generalitat Valenciana, en el espacio dedicado
al patrimonio cultural, se recogen once memorias etnológicas
distintas que se han realizado en diferentes pueblos de la
comunidad valenciana a partir de las subvenciones (vía orden
de 27 de enero de 2004, con la finalidad de difundir, promover
y conservar el patrimonio cultural valenciano) que se ofertan
desde la Conselleria de Cultura. Además, la web dispone de una
base de datos exclusivamente informativa de los bienes muebles e inmuebles de etnología. Se trata de un inventario en
constante actualización. En el caso de los bienes muebles
aparecen objetos fotografiados, junto con una ficha técnica que*

*señala fundamentalmente, el uso original del objeto, la época en la que se usaba, la técnica en la que fue construido y el Museo donde se encuentra ubicado. Mientras que en el caso de los bienes inmuebles (puentes, molinos, pantanos, retablos de cerámica, etcétera), aparecen acompañados también de una descripción de los mismos, dibujados y situados en un plano.*

*En lo que sigue trataremos de desvelar las distintas iniciativas que desde la sociedad civil se han activado en el contexto valenciano. En este sentido, podemos referirnos al estudio dirigido por Ariño (1999b), sobre las asociaciones culturales de la Comunidad Valenciana, ya que no podemos obviar la conexión fundamental entre las manifestaciones populares y las asociaciones que son, en multitud de ocasiones, los agentes activadores y portadores de las mismas. El mencionado estudio, en referencia a la tendencia ideológica mayoritaria de los asociados, nos dice que se manifiestan nacionalistas y/o de izquierdas. La identidad nacional les lleva a una búsqueda y defensa del patrimonio cultural valenciano como elemento distintivo de sus raíces. Son defensores de la unidad de la lengua[41] como principal símbolo de la identidad colectiva valenciana y, en general, consideran que si se pierde la lengua desaparecerá el pueblo valenciano. Las asociaciones de Castellón y de Valencia que se definen como nacionalistas de Països Catalans, defienden la unidad lingüística y también la unidad política de la Comunidad Valenciana con Cataluña y las Islas. Mientras que las asociaciones de Alicante que se definen como nacionalistas, no defienden la unidad política, aunque si amparan la unidad lingüística. Este último caso sería un ejemplo de la identidad dual valenciana que apuntábamos anteriormente, compartida, en tendencia creciente, por la ciudadanía valenciana.*

---

[41] *A pie de página, el mencionado estudio señala que respecto a las asociaciones que están en contra y no defienden la unidad de la lengua que resulta difícil pensar que estén activas.*

*En esta línea, el análisis que realiza Albert (2004), sobre la realidad asociativa de la comarca de l'Horta Sud, situada en el área metropolitana de la ciudad de Valencia, se observa que, con la excepción de un par de asociaciones que consideran el valenciano como una lengua distinta del catalán, el resto se manifiesta a favor de la unidad de la lengua y defiende la implantación de una normativa lingüística o bien manifiestan una postura pragmática que aborde el uso de la lengua como algo natural y normalizado. No obstante, se hace patente el conflicto de identidad que atraviesa a ciertos sectores de la sociedad valenciana: la polémica entre una concepción que marca la unidad lingüística y cultural y otra defensora de la secesión y el anti-catalanismo. El conflicto lingüístico e identitario mencionado se hace patente de forma muy visible en la Federación de Folklore de la Comunidad Valenciana[42] que si bien nació para ayudar, defender y orientar a todos los grupos dedicados al folklore, la realidad nos muestra como consta de grupos que se identifican con una línea ideológica identitaria más bien regionalista. Además, su cercanía a los poderes públicos les ayuda a la utilización de los recursos (subvenciones, espacios, etc.) que otros grupos, que entienden su identidad valenciana desde otra orbita, tienen más dificultades en obtener.*

*Más allá de la lengua, que como sabemos constituye el principal elemento distintivo de un pueblo, el patrimonio etnológico podemos encontrarlo reflejado en otras manifestaciones culturales. En este último estudio mencionado, las asociaciones consideran que mediante las actividades que realizan se mantiene viva la tradición y los habitantes de la localidad mantienen el contacto con sus raíces históricas, que son la fuente de su identidad, es decir, se mantienen vivos como pueblo. En cierto sentido puede decirse que los miembros de*

---

[42]  *Nació en 1993 con el objeto de aglutinar a los grupos de danzas, las rondallas, los coros, grupos de tabal i dolçaina y cant d'estil.*

*las asociaciones se entienden a sí mismos como verdaderos guardianes de la tradición, que velan por su pureza y autenticidad. No sólo mantienen viva una práctica cultural, sino que a través de ellos está viva la conciencia y la identidad colectiva nacional. Muchas veces, las asociaciones también interpretan que a través de ellas se logra una mayor integración y participación social en la vida comunitaria. En concreto las asociaciones de patrimonio que se dedican a la danza, el teatro y la música, tienen fundamentalmente dos tipos de actividades. Por una parte, las actividades de formación que suelen tener escuela donde practican y enseñan. Y, por otra parte, realizan actuaciones, que en muchos casos suelen coincidir con las fiestas locales, lo que les sirve para realizar intercambios con otras asociaciones de localidades cercanas. De esta manera, de una forma u otra, tienen un papel destacado en la celebración de la fiesta como hito identificativo, ya que acompañan las procesiones con su música (dolçaina y tabalet), escenifican bailes y danzas tradicionales (ball dels bastonots), cantan las antiguas canciones, etc. Veamos a continuación como la fiesta se convierte en condensador patrimonial y en elemento fundamental del patrimonio etnológico.*

### 8.3.1 Las fiestas como condensador patrimonial

*La fiesta hoy, frente a los estudios esencialistas (rememoración efervescente de un supuesto caos primordial), se estudia como un producto social complejo y dialéctico, como una acción ritual y simbólica, a caballo entre lo racional y lo irracional. La fiesta persigue tanto la sacralización de los valores que identifican una sociedad como la integración de sus miembros. La fiesta pues, es un proceso de reconstrucción identitaria permanente (Ariño, 1992).*

*En la actualidad, las fiestas que se presentan como tradicionales no es que hayan sobrevivido a la modernidad sino que son producto de ella. No hay pues, degeneración desde un origen puro, sino evolución y transformación histórica y social. En la sociedad moderna, la falta de una imagen de comunidad homogénea en las fiestas de todos se compensa con una eficaz organización de fiestas para todos que se presenta de manera opcional para el sujeto (Velasco, Cruces y Díaz de la Rada, 1996). La fiesta ha de entenderse como un fenómeno cultural, como un hecho social total. Se trata de un producto y un proceso social, dialéctico. Su celebración se concentra en tiempos determinados y mezcla opciones diversas en el programa festivo. De manera que se puede elegir entre las distintas elecciones que se ofrecen; la fiesta moderna es plural y opcional.*

*La relación que se observa entre fiesta y patrimonio ejemplifica el fenómeno creciente de la patrimonialización de la cultura, a la vez que ilustra la modernización de la fiesta. De acuerdo con Hernàndez i Marti (2001), los enfoques teóricos más recientes del fenómeno festivo convierten la fiesta en un condensador patrimonial. En primer lugar, es en sí misma patrimonio cultural, y agrupa bienes materiales e inmateriales, cultos populares, muebles e inmuebles, tradicionales y moder- nos. En segundo lugar, se convierte en agente redimen- sionalizador del patrimonio no festivo. Aparece así, redefinida como contenedor y activador patrimonial a la vez que como producto turístico diferenciado. Buena prueba de ellos son los muchos aspectos patrimonializables, ya sea de forma directa o indirecta que podemos encontrar en las fiestas (rituales, cos- tumbres, arte popular, elementos artesanales, gastronomía, indumentaria, lengua, memoria oral, música, danza, pirotec- nia, documentación bibliográfica, fotográfica, cinematográfi- ca, objetos asociados, etc.). De manera que, la fiesta, en tanto que patrimonio y expresión de identidad es utilizada como reclamo turístico y como elemento de desarrollo local.*

*La fiesta se encuentra en cualquier lugar, con independencia del tamaño de la localidad y por informal que resulte la organización de sus fiestas, siempre se hallará un núcleo de personas, más o menos amplio, que ejerce el liderazgo, gestiona el ritual y se erige, merced a un consenso implícito, en media- dor y portador de la* **tradición***. En algunos casos, se encontra-*

*rán comisiones formales, con nombramiento público de sus miembros, entronización de representantes simbólicos, elección de cargos y actuaciones regulares a lo largo de un ciclo anual (así sucede, por ejemplo, con las comisiones falleras); en otros, en cambio, puede parecer que no existe un núcleo organizador porque nadie ostenta cargos ni se procede a nombramientos públicos. Sin embargo, allí donde haya celebración festiva siempre habrá algunas personas que, en función de su experiencia en las redes locales o del barrio y sus contactos amistosos, asumen la responsabilidad de crear fiesta para todos.*

*A continuación presentamos una aproximación del calendario de fiestas valencianas que se celebran cada año. Ello es posible gracias al respaldo institucional y a las distintas asociaciones que tienen un papel fundamental en la activación y mantenimiento de la fiesta. Especialmente, desde los últimos años, en los que ha trascendido el discurso de la democratización cultural incitando a la gestión y organización de la fiesta a todos aquellos dispuestos a participar.*

## CALENDARIO DE FIESTAS VALENCIANAS

| NOMBRE DE LA FIESTA | FECHA | LUGAR |
|---|---|---|
| MISTERIOS | | |
| *Misterio de Elx* | *Agosto* | *Elx* |
| *Carxofa de Silla* | *Agosto* | *Silla* |
| *Corpus de Valencia* | *Junio* | *València* |
| *Degolla de Morella* | *Junio* | *Morella* |
| *Retaule dels Reis d'Orient* | *Enero* | *Cañada* |
| *Belem de Tirisiti* | *Diciembre/Enero* | *Alcoi* |
| MILAGROS | | |
| *Miracles de Sant Vicent* | *Marzo/Abril* | *València* |
| *Els angelets* | *Noviembre* | *Ontinyent* |
| *El pastoret i la Mare de Déu* | *Septiembre* | *Agres* |
| PASIONES | | |
| *Semana Santa de València* | *Marzo/Abril* | *València* |
| *Semana Santa de Benetússer* | *Marzo/Abril* | *Benetússer* |
| *Semana Santa de Crevillent* | *Marzo/Abril* | *Crevillent* |
| *Semana Santa de Oriola* | *Marzo/Abril* | *Oriola* |
| *Semana Santa de Gandia* | *Marzo/Abril* | *Gandia* |
| *Semana Santa de Montcada* | *Marzo/Abril* | *Moncada* |
| *Semana Santa de Borriol* | *Marzo/Abril* | *Borriol* |
| ROMERÍAS Y PROCESIONES | | |
| *Verge de la Balma* | *Septiembre* | *Sorita* |
| *Pelegrins de les Useres* | *Abril* | *Les Useres* |
| *Pelegrins de Catí* | *Mayo* | *Catí* |
| *Pelegrins de sant Roc* | *Agosto* | *Morella* |
| *Mare de Déu de la Salut* | *Septiembre* | *Algemesí* |
| *Mare de deu dels Desemparats* | *Mayo* | *Valencia* |
| *Romería de la Magdalena* | *Marzo* | *Castelló de la Plana* |
| *Romería de la Santa Faç* | *Marzo/Abril* | *Alacant* |
| CARNAVALES | | |
| *Carnestoltes de Vinaròs* | *Febrero* | *Vinaròs* |
| *Carnavales de Villar del Arzobispo* | *Febrero* | *Villar del Arzobispo* |
| *Día de los Locos* | *Diciembre* | *Jalance* |
| *Carnestoltes de Bèlgida* | *Febrero* | *Bèlgida* |

| Moros y Cristianos | Diversas fechas | Alcoi, Cocentaina, Elda, Villena, Ontinyent |
|---|---|---|
| El ball de les espies | Mayo | Biar |
| Turcos y cristianos | Julio | La Vila-Joiosa |
| Turcos y cristianos | Septiembre | Peniscola |
| **FIESTAS DE TOROS** | | |
| Fiestas taurines | Diversas fechas | València, Castelló, Alacant |
| Jornadas del torico | Agosto | Chiva |
| Bou embolat i vaquetes | Diversas fechas | Localidades Diversas |
| **FIESTAS DE FUEGOS** | | |
| Santantonada de Forcall | Enero | Forcall |
| Santantonada de Vilanova d' Alcolea | Enero | Vilanova d'Alcolea |
| Santantonada de Vilafranca | Enero | Vilafranca del Maestrat |
| Santantonada de La Todolella | Enero | La Todolella |
| Falla de sant Gil | Agosto/Septiembre | Altura |
| Nit de les Fogueretes d'Agullent | Septiembre | Agullent |
| Nit de l'Albà | Agosto | Elx |
| Cordà de Paterna | Agosto | Paterna |
| Falles de València | Marzo | València y pueblos |
| Fogueres d'Alacant | Junio | Alacant |
| Foguera de Canals | Enero | Canals |

Fuente: Tipología realizada a partir de Hernàndez i Marti, (1999)

En el estudio de Ariño y Albert, (2003) sobre el asociacionismo en la comarca de l'Horta Sud, se observa la multitud y la efervescencia de organizaciones dedicadas a la fiesta, y como son, en gran medida, las artífices del extenso calendario festivo que hemos descrito anteriormente. En él se observan los vastos orígenes de algunas de las asociaciones festeras que, además, ejemplifican las estrategias de adaptación a la modernidad. Se trata de las conocidas cofradías y hermandades presentes en todos las localidades que dedican parte de sus esfuerzos y recursos a la organización de los actos principales de la festivi-

*dad religiosa. Algunas centran sus actividades en los actos propios de la Semana Santa y otras participan en los actos de las fiestas patronales con sus respectivos patrones, asistiendo con las imágenes a las procesiones. Se han encontrado sin embargo, ejemplos reveladores, como el de una de las cofradías de reciente creación que es el resultado del interés de un grupo de jóvenes por recuperar una de las fiestas más antiguas de la localidad, que consiste en la exhibición en procesión y en el culto a la* **mare de Deu del Rosari***. Se plantean como objetivo prioritario para el futuro de la asociación, la recuperación «de coses antigues, tenim utensilis i eines de treball antigues, de diferents oficis de l'Horta i, en el futur ens agradaria fer exposicions i obrir un museu». Se observa así la relación entre fiesta y patrimonio que, a su vez, ejemplifica el fenómeno creciente de la patrimonialización de la cultura e ilustra la modernización de la fiesta.*

*Con el mismo espíritu, conservar la tradición, en las dos últimas décadas se ha producido una difusión notable por diversos pueblos de la fiesta de Moros y Cristianos, que se ha traducido en la creación progresiva de comparsas, fruto de esa forma particular de sensibilidad o de mirada hacia los objetos y formas del pasado. De la misma manera, han emergido con fuerza durante los últimos años: asociaciones dedicadas al «tiro y arrastre» que se realiza con caballos, deporte de arraigada tradición que prácticamente había desaparecido, así como la raza de caballos con la que se practica. Asimismo, numerosas peñas taurinas que también tiene como objetivo* **continuar la tradició** *protagonizando las típicas fiestas de* **bous de carrer** *a través de la organización de la semana taurina que cada año se celebra. En ocasiones, la protección al medio ambiente se ve confrontada con la defensa de la tradición, aunque la conservación patrimonial y la conservación del medio ambiente, son fenómenos que ocurren de forma paralela en el tiempo, ello no excluye que puedan entrar en conflicto. Así ocurre en el último de los ejemplos citados, els bous de carrer que pese a su enorme popularidad, se enfrentan cada vez más a la crítica emergente* *de las sociedades protectoras de animales, de un lado, y al rigor de las medidas de seguridad y las sanciones judiciales, de otro (Albert, 2004:358). En cualquier caso, los ejemplos mencionados nos muestran cómo de forma crecientemente se rastrea la realidad y la memoria histórica para seleccionar aquellos bienes dignos de preservación futura porque expresan los logros de una colectividad concreta o de la humanidad en general (Ariño, 2001).*

*Como hemos visto en este punto, las manifestaciones culturales activadas desde las asociaciones con las que podemos encontrarnos son muchas y diversas. Sin embargo, la gestión que se realiza desde los distintos niveles de gobiernos (internacional, nacional, autonómico, regional y local) es importantísima para la culminación de este proceso.*

## 8.4. Gestión del patrimonio cultural

*Tal como argumenta García Canclini (1999), la política cultural que se sigue respecto al patrimonio, no tiene por objeto rescatar los objetos* **auténticos** *de una sociedad, sino aquellos a los que se considera culturalmente representativos. De manera que la investigación, restauración y difusión del patrimonio no tiene como finalidad perseguir la autenticidad, sino reconstruir la verosimilitud histórica. No existe autenticidad sino una representación cultural que es una selección, una reconstrucción mediada y construida socialmente. Motivo por el cual, cada vez más cobran importancia los procesos que representan y que simbolizan las formas culturales y de vida frente a los objetos que se manifiestan en el interés creciente hacia lo que hemos denominado patrimonio etnológico. Un ejemplo de ello es la recuperación del patrimonio inmaterial de la Pobla de Vallbona (Comarca Camp de Túria (Valencia)) donde tratan de recuperar sus valores históricos y patrimoniales a partir del Museo Etnológico en construcción; ubicado en una vivienda tradicional de gran importancia histórica, ya que dispone de almazara, trull, bodega, tienda de vinos, establos y vivienda.*

*Fundamentalmente, la recuperación se realiza a través de los testimonios orales de los ancianos de la localidad que conservan en su memoria el modo de vida que llevaban: los trabajos que se realizaban, las fiestas que se celebraban, el folklore, los mitos, las leyendas, supersticiones, cuentos, bailes... en definitiva, aspectos de la vida cotidiana.*

*Otra cuestión de relevante importancia es quienes son los sujetos más adecuados para seleccionar y formalizar el patrimonio cultural a conservar. La ciencia, a través de los cuerpos de expertos (anticuarios, arqueólogos, historiadores del arte y antropólogos, conservadores, restauradores y gestores culturales), son los encargados de realizar estas activaciones patrimoniales ya que gozan de una mayor legitimidad. Sin embargo, no es el único modo posible de conservar el conocimiento de la diversidad cultural; hay otras formas de exploración de la realidad, como las distintas iniciativas que desde la sociedad civil se activan y de las que en el capítulo 6 hemos visto distintos ejemplos valencianos. Por otra parte, los distintos niveles de gobierno, a través de los ordenamientos legales, son los responsables de garantizar y velar por la protección y conservación del patrimonio cultural. En el caso Valenciano cabe destacar la Consejería de Cultura en la que se ubica la Dirección General del Patrimonio Cultural; la Consejería de Urbanismo y Territorio (Medio Ambiente) y las Áreas de Cultura, Urbanismo y Medio Ambiente de Diputaciones Provinciales y los propios Ayuntamientos de cada localidad.*

*Sólo la activación patrimonial garantizará los recursos necesarios para la conservación, (y restauración si se tercia) de los espacios naturales, conjuntos arqueológicos o monumentos. Pero dicha activación no tendrá trascendencia si no queda reflejada en los catálogos e inventarios oficiales. El inventario consiste en documentar la existencia de elementos culturales, con un registro ordenado, con lo que se dan a conocer y se organizan de forma sistemática los elementos que son significativos para una colectividad, algo que se efectúa con una finalidad de intervención y/o difusión. Para ello se utilizan diversas fuentes (entrevistas, observación participante, biblio-grafía, cancioneros, hemeroteca, carteles y programas de fies-tas, revistas de ferias y fiestas, archivos municipales y religio-sos, ordenanzas municipales, actas de hermandades y cofra-días, iconografía, Internet...). Con todo ello se elaboran fichas de registro con los que constituir bases de datos (Delgado Méndez, 2003). El inventario se diferencia del catálogo porque sirve para «identificar pormenorizadamente los fondos (del Museo) con referencia a la significación científica o artística de los mismos, y conocer su ubicación topográfica», mientras que el catálogo es para «documentar y estudiar los fondos deposi-tados en el mismo en relación con su marco artístico, histórico, arqueológico, científico o técnico» (Agudo, 1999:55 citando el Reglamento de los Museos de titularidad estatal y del sistema español de museos, 1987, Cp. V. Art. 12, «Tratamiento técnico de los fondos»).*

*El inventario siempre debe tomar a todos los grupos sociales de referencia, para no excluir nada. El catálogo, en cambio, es más selectivo en función de criterios como el estado de conser-vación, o una tipología preestablecida (por ejemplo, arquitec-tónica) (Agudo, 1999: 55). El fin del inventario es, en buena medida, contribuir a valorizar lo desconocido, precisamente por despertar su conocimiento (Agudo, 1999: 68). La significa-ción de cada objeto se plasma en su registro y documentación, lo que conlleva formalizar su ingreso a un fondo patrimonial (un museo, una colección o un archivo en forma de base de datos), otorgándole un código numérico que permite asociarlo con toda la documentación que tiene que ver con él. Posterior-mente se cataloga el objeto. De la tarea de registro se suelen encargar los documentalistas (antropólogos, historiadores o geógrafos, las más de las veces) mientras que en la catalogación interviene el conservador. Para todo ello se suelen utilizar procedimientos estandarizados entre los que destaca, cada vez más, el uso de bases de datos y fichas de inventario que permiten localizar la información y los objetos (Ballart, 2001b:119-120). Para el inventario es útil clasificar los objetos de acuerdo a un thesaurus, lista de nombres ordenados por orden alfabético, con sus definiciones y con referencias entre ellos. Otro instrumento es el sistema de clasificación jerárquico, en el que se establece una estructura jerarquizada de temas y subtemas (Ballart, 2001b: 122).*

*En el caso valenciano podemos encontrar múltiples ejemplos de activación y catalogación patrimonial. Podemos citar las rutas e itinerarios por los* **molinos de agua de la Safor** *que aparecen en la web del ayuntamiento de Gandia y en las oficinas turísticas de la comarca como reclamo turístico, cuya promoción ha permitido la recuperación y conservación de dichos molinos, así como todos aquellos elementos patrimoniales de su entorno. Se trata de las acequias, los monumentos antiguos (ermitas, acueducto, monasterio, etc.), centros históricos de algunas localidades, depósitos de agua, plafones de cerámica, relojes de arena, etc. Nos encontramos, así, con la paradoja de que el consumo y la conservación se convierten, a la vez, en términos antagónicos y complementarios en el campo del patrimonio (Prats, 1997:84). Frente a la visión que observa a los bienes culturales únicamente por el valor que tienen en sí mismos y da lugar a una práctica de restauración purista, concibiendo su preservación al margen del uso actual, los defensores de la concepción mercantilista postulan que no hay restauración éxitosa si no aparecen nuevos usos. Como pueden ser el consumo turístico, el desarrollo local (García Canclini, 1999) y asociativo. Es posible sin embargo, desarrollar un discurso que hable de la memoria inquietante de las formas de vida del pasado y su relación problemática con los procesos de democratización  cultural.*

*En la actualidad las políticas patrimoniales y la modificación de ley mencionada del caso valenciano en el punto 8.2 sería un ejemplo, se diseñan para lograr la ordenación del sector patrimonial, incluyendo no sólo acciones para la conservación sino también para su puesta en valor y su uso social y turístico. Su puesta en valor entiende el patrimonio como un recurso que fundamentalmente nos permite establecer una relación con el pasado a través de la conservación de los elementos que ahora son patrimonio y que en el pasado eran producidos o utilizados. Sirva de ejemplo la recuperación de los* **Oficios Tradicionales de Cinctorres,** *que nace a iniciativa del Ayuntamiento de la localidad de rescatar los oficios (duler, meler, faixero, cordador de cadires, ferrer, teixidor, carboner, etc.) que han sido abandonados fruto de la industrialización y de los avances técnicos, ya que habían perdido su funcionalidad. Para ello se ha elaborado una colección gráfica, documental, visual y de exposición de todo aquel material etnológico que la propia población de Cinctorres ha cedido. En cuestión de oficios, vale la pena mencionar, que si bien son muchos los que han dejado de ser funcionales, existen otros que han sabido no sólo adaptarse a los nuevos tiempos, sino que se han convertido en industrias punteras. Así, son muchas las empresas textiles dedicadas a la confección y distribución de productos artesanales para la indumentaria tradicional valenciana. Industria que además, ha permitido la reconversión de sastres y modistas que en la actualidad se dedican a ello.*

*De acuerdo con Throsby (2001), la gestión del patrimonio cultural ha de ser sostenible tanto desde el punto de vista económico como cultural, basándose en tres criterios: la generación de bienestar material e inmaterial, el principio de equidad intergeneracional y los efectos del bienestar del proyecto de patrimonio sobre la generación actual. Se hace necesario articular una serie de medidas que apuesten por el valor del patrimonio en su capacidad de crear beneficios materiales e inmateriales. Como hemos venido observando en capítulos precedentes, hoy en día, las activaciones patrimoniales locales con frecuencia nacen como una especie de, en palabras de Prats (1997),* **museabilización de la frustración**. *Se trata de pueblos y zonas que pierden aquello que ha constituido la base de su sustento y que, un tiempo después, buscan, a través de la activación patrimonial, la reconstrucción de su identidad o una alternativa, aunque sea de menor calado, al desarrollo económico, cuando no ambas cosas a la vez. Un ejemplo de lo dicho* sería *La Nau del Port de Sagunt*, que actualmente ofrece una importante oferta de alto nivel cultural, frente a su pasado industrial.

El uso social del patrimonio cultural, su preservación y el uso creativo en el desarrollo económico y social, constituyen componentes importantes del desarrollo humano sostenible y deberían utilizarse para mejorar la calidad de vida de los pueblos, particularmente la de los grupos desfavorecidos, y sensibilizar a los jóvenes a través de la educación (Ballart y Juan, 2001:156). Nada más lejos de lo que en estos momentos esta ocurriendo en las comarcas dels Ports y del Maestrat de Castelló, donde se están arrancando y vendiendo olivos milenarios al mejor postor. Generalmente acaban residiendo en parques de centro Europa que acaban pagando cifras astronómicas a los intermediarios de dicho negoció. Lo cual esta llevando a un auténtico expolio del patrimonio natural de la comarca y a la pérdida de posibilidades para sus habitantes de convertir la zona en un extenso parque natural patrimonial.

Como muestra este último ejemplo mencionado, se hace necesario una auténtica **educación patrimonial** en la práctica social para afirmar y reconstruir la identidad y diversidad de los pueblos, la vida cotidiana y sus alternativas de futuro, que solo adquirirá verdadero sentido con la implicación y participación de las personas como sujetos y agentes del proceso de activación y de la conservación patrimonial. Se trata de una posibilidad estratégica de promover, especialmente en el ámbito local, los derechos culturales, cívicos y ecológicos. De esta manera, el desarrollo comunitario local constituye un referente fundamental para la democratización de la cultura; especialmente por la proximidad al conjunto de la ciudadanía y por su implicación en el proceso. Se trata de un desarrollo que se sustenta en la sociedad civil, la cual debe exigir una presencia responsable y activa a los poderes políticos y a las Administraciones públicas, a través de sus iniciativas y propuestas; que pueden desempeñar un papel significativo en la democratización de la cultura a través de museos locales y comarcales, operaciones de salvaguarda de monumentos aislados, yacimientos arqueológicos, pequeños museos temáticos, incluso dentro de las grandes ciudades, ecomuseos e instalaciones industriales o preindustriales, pequeños santuarios artísticos o históricos de menor relevancia, colecciones particulares, y todas aquellas iniciativas que la imaginación local es capaz de promover y que contribuyen al desarrollo local y turístico.

De esta manera, el territorio se configura como un espacio de socialización e identificación que trasciende la geografía o el paisaje, en el que las comunidades son el referente principal y sustancial de autoorganización y participación social. Uno de los elementos clave a la hora de juzgar la credibilidad y legitimidad socio-política de estas prácticas comunitarias, será la descentralización, en tanto en cuanto subraya identidades y diferencias (también la **distribución del poder**). Singularmente, en una etapa histórica que se debate entre la reconquista del Estado-nación y la reivindicación de las comunidades-pueblos (Caride, 2000:42).

### Lecturas recomendadas para realizar en clase:

HERNÀNDEZ i MARTÍ, G. M (2001): «Les transformacions de la cultura popular», Afers, 37, pp. 751-760.

ROMÀ, J (1996): «Fiestas», en PRAT, J y MARTÍNEZ, A, Ensayos de antropología cultural. Homenaje a Claudio Esteva-Fabregat, Barcelona, Ariel, pp. 204-214.

### Práctica para realizar en clase:

Averigua cual es el patrimonio etnológico de tu barrio o localidad. ¿Figura en algún inventario oficial? ¿En calidad de qué (bien de interés cultural, etc.)?

# BIBLIOGRAFÍA

AGUDO TORRICO, J. (1999): «Patrimonio etnológico e inventarios. Inventarios para conocer, inventarios para intervenir», en VVAA (1999): Patrimonio etnológico. Nuevas perspectivas de estudio, Granada; Comares pp. 52-69.

AGUDO TORRICO, J. (2003): «Patrimonio y derechos colectivos», en AGUDO TORRICO, J. y otros (2003): Antropología y patrimonio: investigación, documentación e intervención, Granada; Junta de Andalucía-Editorial Comares, pp. 12-29.

AGUDO TORRICO, J. y FERNÁNDEZ DE PAZ, E. (1999): «Patrimonio cultural y museología: significados y contenido», en AGUDO TORRICO, J. y FERNÁNDEZ DE PAZ, E. (coords): Patrimonio cultural y museología: significados y contenidos. Actas del VIII Congreso de Antropología, Santiago de Compostela, FAAEE/ AGA, pp. 7-15.

AGUILAR CRIADO, E. (1991): «Antropología y Folklore en Andalucía (1850-1922)», en PRAT, J., U. MARTÍNEZ VEIGA, CONTRERAS; J. e I. MORENO (eds), Antropología de los Pueblos de España, Madrid; Taurus, pp. 58-76.

ALBERT, J.P (2003): «Patrimonio y etnología en el sur de Francia», en GONZÁLEZ ALCANTUD, J.A (ed.) (2003): Patrimonio y pluralidad. Nuevas direcciones en Antropología Patrimonial, Granada; Centro de Investigaciones Ángel Ganivet (Diputación de Granada), pp. 247-270.

ALBERT RODRIGO, M. (2004): La eclosión asociativa en el tránsito hacia una nueva era. Un estudio del tercer sector en el ámbito comarcal de l'Horta Sud (Valencia), Tesis doctoral; Universitat de València.

ALBERT, M. y GADEA, E. (2001): Instrumentos para la participación ciudadana en la comarca de l'Horta Sud (Valencia), Salamanca; VII Congreso Español de Sociología.

ALONSO IBÁÑEZ, M.R (1992): El patrimonio histórico, destino público y valor cultural, Madrid; Civitas.

ÁLVAREZ, J.L. (1989): Estudios sobre el patrimonio histórico español, Madrid; Civitas.

ÁLVAREZ, J.L. (1992): Cultura, Sociedad, Estado y Patrimonio, Madrid; Espasa.

ARATO, A. (1996): «Emergencia, declive y reconstrucción del concepto de sociedad civil. Pautas para análisis futuros», en Isegoría, 13:5-17.

ARIÑO, A. (1992): La ciudad ritual. La fiesta de las Fallas, Barcelona, Anthrogos.

ARIÑO, A. (1993): «La Sociabilidad Festera» en CUCÓ, J. (dir.) Músicos y Festeros Valencianos, València; Generalitat Valenciana.

ARIÑO, A. (1997): Sociología de la cultura. La constitución simbólica de la sociedad, Barcelona; Ariel.

ARIÑO, A. (1998): «Festa y ritual: dos conceptes bàsics», Revista d'Etnologia de Catalunya, 13:8-17.

ARIÑO, A. (1999a): «Como lágrimas en la lluvia. El estatus de la tradición en la modernidad avanzada» en RAMOS TORRE, R. y GARCÍA SELGAR, F.

*Globalizaicón, riesgo, reflexividad. Tres temas de la teoría social contemporánea,*
    *Madrid; CIS.*
ARIÑO, A. *(1999b): Asociacionismo y patrimonio cultural en la Comunidad Valen-*
    *ciana, Memoria de investigación para la conselleria de Cultura.*
ARIÑO, A. *(2001): La patrimonialización de la cultura en la sociedad del riesgo y de*
    *la información, Salamanca; VII Congreso Español de Sociología.*
ARIÑO, A. *(2002): «La expansión del patrimonio cultural», en Revista de Occidente,*
    *250:129-150.*
ARIÑO, A. *(2004): «La diversidad cultural en el discurso de la UNESCO», Alicante;*
    *VIII Congreso Español de Sociología.*
ARIÑO, A. *y LLOPIS, R. (1995): «La identidad colectiva en la comunidad Valencia-*
    *na», Granada; V Congreso Español de Sociología.*
ARIÑO, A. *(dir.), ALIENA, R., CUCÓ, J. y PERELLÓ, F. (1999): La rosa de las*
    *solidaridades. Necesidades sociales y voluntariado en la Comunidad Valenciana,*
    *Valencia; Fundació Bancaixa.*
ARIÑO, A. *(dir.), CASTELLÓ, R. y LLOPIS, R. (2001): La ciudadanía solidaria. El*
    *voluntariado y las organizaciones de voluntariado en la Comunidad Valencia-*
    *na, Valencia; Fundació Bancaixa.*
ARIÑO, A. *y CUCÓ, J. (2001): «Las organizaciones solidarias. Un análisis de su*
    *naturaleza y significado a la luz del caso valenciano», Revista Internacional de*
    *Sociología, 29:7-34.*
ARIÑO, A. *y ALBERT, M. (2003): L'associacionisme a l'Horta Sud. Un estudi de la*
    *societat civil en l'àmbit comarcal, Torrent; Fundació Horta Sud.*
AUDRERIE, D., SOUCHIER, R. *y VILAR, L. (1998): Le patrimoine mondial, Paris ;*
    *PUF.*
AUGÉ, M. *(1993): Los No Lugares, espacios del anonimato: Una antropología de la*
    *sobremodernidad, Barcelona; Gedisa.*
AUGÉ, M. *(1995): Hacia una antropología de los mundos contemporáneos, Barce-*
    *lona; Gedisa.*
AUGÉ, M. *(1998): El viaje imposible. El turismo y sus imágenes, Barcelona; Gedisa.*
BALLART HERNÁNDEZ, J. *(1997): El patrimonio histórico y arqueológico: valor y*
    *uso, Barcelona; Ariel.*
BALLART HERNÁNDEZ, J. *(2001a): «El patrimoni històric: bases teòriques», en*
    *CARRERAS, C., MUNILLA, G., ARTÍS, M., BALLART, J. i BOADA, M. (2001):*
    *Gestió del patrimoni històric, Barcelona; Edicions de la UOC, pp. 12-51.*
BALLART HERNÁNDEZ, J. *(2001b): «Gestió de col·leccions i d'altres actius*
    *patrimonials», en CARRERAS, C., MUNILLA, G., ARTÍS, M., BALLART, J. i*
    *BOADA, M. (2001): Gestió del patrimoni històric, Barcelona; Edicions de la*
    *UOC, 99-130.*
BALLART HERNÁNDEZ, J., JUAN, I. *y TRESSERRAS, J. (2001): Gestión del*
    *patrimonio cultural, Barcelona; Ariel.*
BARBER, B. R *(2000): Un lugar para todos. Cómo fortalecer la democracia y la*
    *sociedad civil, Barcelona, Paidós.*
BARNARD, A. *y SPENCER, J. (1997): «Ethnology» en Encylopedia of Social and*
    *Cultural Anthropology, London; Routledge, pp. 604.*
BAUMAN, Z. *(2003): Comunidad. En busca de seguridad en un mundo hostil,*
    *Madrid; Siglo XXI.*
BEATTIE, J. *(1986), Otras culturas, México; Fondo de Cultura Económica.*

BECK, U. *(1998a): ¿Qué es la globalización? Falacias del globalismo, respuestas a la globalización, Barcelona; Paidós.*

BECK, U. *(1998b): La sociedad del riesgo. Hacia una nueva modernidad, Barcelona; Paidós.*

BECK, U *(2000): La democracia y sus enemigos, Barcelona; Paidós.*

BECK, U., GIDDENS, A., y LASH, S. *(1997): Modernización reflexiva. Política, tradición y estética en el orden social moderno, Madrid; Alianza.*

BERGER, P.L - HUNTINGTON, S.P *(2002): Globalizaciones múltiples. La diversidad cultural en el mundo contemporáneo, Barcelona; Paidós.*

BERGER, P.L y LUCKMANN, T. *(1988): La construcció social de la realitat. Un tratat de sociologia del coneixement, Barcelona; Herder.*

BLANC ARTEMIR, A. *(1992): El patrimonio común de la humanidad, Barcelona; Bosch.*

BOISSEVAIN, J. *(1999): «Notas sobre la renovación de las celebraciones populares públicas europeas», en Arxius de Sociologia, 3:53-67.*

BONFIL BATALLA, G. *(1993): «Nuestro patrimonio cultural: un laberinto de significados», en FLORESCANO, E. (comp), El patrimonio cultural de México, México; FCE, pp. 19-40.*

BOURDIEU, P. *(1979): La distinction. Critique social du jugement, París; Minuit.*

BOYA, J.M *(1995): «Museus, museòlegs i patrimoni etnològic», en CALVO, Ll. y J. MAÑÀ (eds) (1995): De l'ahir i l'avui. El Patrimoni etnològic de Catalunya, Barcelona; Dpt. de Cultura de la Generalitat de Catalunya, pp. 36-39.*

BURGOS ESTRADA, J.C *(1998): «La elaboración jurídica de un concepto de patrimonio», Política y Sociedad, 27, pp. 47-61.*

CALVO CALVO, Ll *(2003): «Patrimonio etnológico: perspectivas desde la experiencia en Cataluña», en GONZÁLEZ ALCANTUD, J.A (ed) (2003): Patrimonio y pluralidad. Nuevas direcciones en Antropología Patrimonial, Granada; Centro de Investigaciones Ángel Ganivet (Diputación de Granada), pp. 271-293.*

CARIDE GÓMEZ, J.A *(2000): «La cultura como construcción social: Animación, Desarrollo Comunitario y Patrimonio» en BÓVEDA LÓPEZ, M. M (coord.): Gestión Patrimonial y Desarrollo Social, Santiago de Compostela; Universidade de Santiago de Compostela.*

CASTELLS, M. *(1997): La era de la información. Economía, Sociedad y Cultura. Vol. 1. La sociedad red, Madrid; Alianza.*

COLLER, X. y CASTELLÓ, R. *(1999): «Las bases sociales de la identidad dual: el caso valenciano», en Revista Española de Investigaciones sociológicas», 88:155-189.*

COHEN, A. *(1982): «Belonging: the experience of culture», en Cohen, A (ed) Belonging. Identity and social organization in British rural cultures, Manchester; Manchester University Press, pp. 1-17.*

CRUCES, F. *(1998): «Problemas en torno a la restitución del patrimonio. Una visión desde la antropología», en Política y Sociedad, 27:77-87.*

CUCÓ, J. *(1990): «El papel de la sociabilidad en la construcción de la sociedad civil», en CUCÓ, J. y PUJADAS, J.J (eds): Identidades colectivas. Etnicidad y Sociabilidad en la península Ibérica, València; Generalitat de Valenciana.*

CUCÓ, J. *(1991): El quotidià ignorat. La trama asociativa valenciana, València; Alfons el Magnànim.*

CUCÓ, J. (1992): «Vida Asociativa» en García Ferrando, M. (coord.). La sociedad valenciana de los 90, Valencia; Alfóns el Magnànim.

CUCÓ, J. (1995): La amistad. Perspectiva antropológica, Barcelona; Icaria.

CUCÓ, J. (1998): «La insoportable levedad del País Valenciano» en BARTOLOMÉ, M.A y BARABAS, A.M (coords.), Autonomías étnicas y Estados nacionales, México; Instituto Nacional de Antropología e Historia, pp. 105-132.

CUCÓ, J. (dir.) y otros (1993): Músicos y Festeros Valencianos, València; Generalitat Valenciana.

DE LA CALLE, M. (2002): La ciudad histórica como destino turístico, Barcelona; Ariel.

DELGADO MÉNDEZ, A. (2003): «Patrimonio intangible e inventarios. El inventario de rituales en Extremadura», en AGUDO TORRICO, J. y otros (2003): Antropología y patrimonio: investigación, documentación e intervención, Granada; Junta de Andalucía-Editorial Comares, pp. 58-75.

DESVALLÉES, A. (1998): «A l'origine du mot "patrimoine"», en POULOT, D (dir.): Patrimoine et modernité, París; L'Harmattan.

DÍAZ MARTÍNEZ, J.A (coord.) (2003): Sociología del turismo, Madrid; UNED.

DONATI, P. (1997): «El desarrollo de las organizaciones del tercer sector en el proceso de modernización y más allá», en REIS, 79:113-141.

FELIU FRANCH, J. (2002) : Conservar el devenir: en torno al patrimonio cultural valenciano, Universitas, Castellón de la Plana.

FERNÁNDEZ DE PAZ, E. (2003a): «La museología antropológica, ayer y hoy», en AGUDO TORRICO, J. y otros (2003): Antropología y patrimonio: investigación, documentación e intervención, Granada; Junta de Andalucía-Editorial Comares, pp. 30-47.

FERNÁNDEZ DE PAZ, E. (2003b): «La política cultural andaluza en materia de museología etnológica», en GONZÁLEZ ALCANTUD, J.A (ed) (2003): Patrimonio y pluralidad. Nuevas direcciones en Antropología Patrimonial, Granada; Centro de Investigaciones Ángel Ganivet (Diputación de Granada), pp. 511-536.

FERNÁNDEZ DE ROTA, J.A (2003): «Patrimonio y desarrollo en el marco de una concepción etnográfica», en GONZÁLEZ ALCANTUD, J.A (ed) (2003): Patrimonio y pluralidad. Nuevas direcciones en Antropología Patrimonial, Granada; Centro de Investigaciones Ángel Ganivet (Diputación de Granada), pp. 79-94.

FLORESCANO, E. (1993a): «El patrimonio cultural y la política de la cultura», en FLORESCANO, E. (comp), El patrimonio cultural de México, México; FCE, pp. 9-18. FLORESCANO, E. (1993b): «La creación del Museo Nacional de Antropología y sus fines científicos, educativos y políticos», en FLORESCANO, E. (comp), El patrimonio cultural de México, México; FCE, pp. 145-164.

FONTAL MERILLAS, O. (2003). La educación patrimonial. Teoría y práctica en el aula, el museo e internet, Gijón; Trea.

GARCÍA CANCLINI, N. (1993): «Los usos sociales del patrimonio cultural», en FLORESCANO, E. (comp), El patrimonio cultural de México, México; FCE, pp. 41-61.

GARCÍA CANCLINI, N. (1999): La globalización imaginada, Buenos Aires; Paidós..

GARCÍA CANCLINI, N. (2002): Culturas populares en el capitalismo, México; Grijalbo.

GARCÍA FERRANDO, M. (1998): *Los nuevos valores de los valencianos, Valencia; Fundación Bancaixa.*

GARCÍA FERRANDO, M. y ARIÑO, A. (1998): *La conciencia nacional y regional en la España de las autonomías, Madrid; CIS.*

GARCÍA FERRANDO, M. y ARIÑO, A. (2001): *Posmodernidad y Autonomía. Los valores de los valencianos, Valencia; Bancaixa-Tirant lo Blanch.*

GARCÍA GARCÍA, J.L (1998): *«De la cultura como patrimonio al patrimonio cultural», Política y Sociedad, 27: 9-20.*

GARCÍA PILAN, P. (2004): *«Los múltiples nosotros del nosotros. Construcción identitaria y niveles de significación en la Semana Santa Marinera de Valencia», en Actes del II Congrés d'Estudis de l'Horta Nord, València; Brosquil, pp. 333-350.*

GARCÍA ZANON, A. y FERRERO, R. (2001): *«La creació d'un museu de la paraula: l'Arxiu de la Memoria Oral dels Valencians (Un projecte museogràfic)», en VVAA.: Fonts orals. La investigació a les terres de parla catalana. Actes de les Jornades de la CCEPC, Barcelona; Publicacions de la Coordinadora de Centres d'Estudis de Parla Catalana, 2, pp. 159-162.*

GEERTZ, C. (1973): *La interpretación de las culturas, México; Gedisa.*

GELLNER, E. (1988): *Naciones y nacionalismo, Madrid; Alianza.*

GENERALITAT VALENCIANA (1998): *«Llei 4/1998, de 11 de juny, del Patrimoni Cultural Valencia de la Generalitat», Sèrie Textos Legals, 146, Valencia; Conselleria de Presidència.*

GIDDENS, A. (1991): *Modernidad e identidad del yo: el yo y la sociedad en la época contemporánea, Barcelona, Península.*

GIDDENS, A. (1993): *Consecuencias de la modernidad, Madrid; Alianza.*

GIDDENS, A. (1997): *«Vivir en una sociedad postradicional», en BECK, U., GIDDENS, A. y LASH, S.: Modernización reflexiva. Política, tradición y estética en el orden social moderno, Madrid; Alianza, pp. 13-73.*

GIDDENS, A. (2000): *Un mundo desbocado. Los efectos de la globalización en nuestras vidas, Madrid; Taurus.*

GINER, S. (1987): *Ensayos Civiles. Península. Barcelona.*

GINER, S. (2004): *La sociedad civil: concepto, presente y porvenir, Alicante; VIII Congreso Nacional de Sociología.*

GINER, S. y SARASA, S. (eds.) (1997): *Buen gobierno y política local, Barcelona; Ariel.*

GÓMEZ FERRI, J. (2004a): *«Del patrimonio a la identidad. La sociedad civil como activadora patrimonial en la ciudad de valencia», Gaceta de Antropología, 20.*

GÓMEZ FERRI, J. (2004b): *«Los movimientos ciudadanos de defensa y activación del patrimonio en Valencia: los casos del barrio del Cabanyal y la ILP per l'Horta» en VVAA, Experiencias sociales innovadoras y participativas. El rinco + 10.*

GÓMEZ PELLON, E. (1993): *«El papel de los museos etnográficos», en PRATS, Ll. e INIESTA, M. (coords): El patrimonio etnológico. Actas del VI Congreso de Antropología, Tenerife; FAAEE/ACA, pp. 119-139.*

GÓMEZ PELLON, E. (1999): *«Patrimonio cultural, patrimonio etnográfico y antropología social», en AGUDO TORRICO, J, y FERNÁNDEZ DE PAZ, E. (coords): Patrimonio cultural y museología: significados y contenidos. Actas del*

VIII Congreso de Antropología, Santiago de Compostela, FAAEE/AGA, pp. 17-29.

GONZÁLEZ ALCANTUD, J.A (2003): «Patrimonio y pluralidad. El largo camino conjuntivo de la alteridad y la materialidad cultural», en GONZÁLEZ ALCANTUD, J.A (ed) (2003): Patrimonio y pluralidad. Nuevas direcciones en Antropología Patrimonial, Granada; Centro de Investigaciones Ángel Ganivet (Diputación de Granada), pp. 13-40.

GONZÁLEZ-VARAS IBAÑEZ, I. (2003[1998]): Conservación de bienes culturales: teoría, historia, principios y normas, Cátedra; Madrid.

GUIBERNAU, M. (1997): Nacionalismes. L'Estat nació i el nacionalisme al segle XX, Barcelona; Proa.

HALL, S. (2003): «Introducción: ¿quién necesita «identidad»?», en Hall, S. y P. du Gay (comps), Cuestiones de identidad cultural, Buenos Aires; Amorrortu, pp. 13-39

HANNERZ, U (1999): «La cultura popular y la ciudad», en Arxius de Sociologia, 3:69-86.

HELD, D., McGREW, A., PERRATON, J. y GOLDBLATT, D. (1999): The Global Transformations: Politics, Economics and Culture, Cambridge; Polity Press.

HERNÁNDEZ HERNÁNDEZ, F. (2002): El patrimonio cultural: la memoria recuperada, Gijón; Trea.

HERNÀNDEZ i MARTÍ, G. M (1999): «Una reflexió al voltant de la cultura popular valenciana» en Arxius de Sociologia, 3:173-181.

HERNÀNDEZ i MARTÍ, G. M (2000): «Les transformacions de la cultura popular», a Afers, 37:751-760.

HERNÀNDEZ i MARTÍ, G. M (2001): La globalización del patrimonio: una reflexión sobre la reconstrucción de la tradición en la modernidad tardía, Salamanca; VII Congreso Español de Sociología.

HERNÀNDEZ i MARTÍ, G. M (2002): La modernitat globalitzada. Anàlisi de l'entorn social, València; Tirant lo Blanch.

HERNÀNDEZ i MARTÍ, G. M (2004): «Turisme i cultura turística», Lluita,239:18.

HERNÀNDEZ i MARTÍ, G. M (2005): La condición global. Hacia una sociología de la globalización, Alzira; Germania.

HERNÀNDEZ i MARTÍ, G. M., A. MONCUSI y SANTAMARINA, B. (2004), «Patrimonio etnológico e identidades en España: un estudio comparativo a través de la legislación», VIII Congreso Español de Sociología, Alicante 23-25 de septiembre de 2004.

HERZFELD, M. (1997), «Folklore», en BARNARD, A. y SPENCER, J (eds): Encyclopedia of Social and Cultural Anthropology, London; Routledge, pp. 236-237.

HOBSBAWN, E. y RANGER, T. (1988): La invenció de la tradició, Vic; Eumo.

HOMOBONO J.I (2004): «Las formas festivas de la vida religiosa», V Congreso Español de Sociología; Alicante.

HONORÉ, C. (2004): Elogio de la lentitud. Un movimiento mundial desafía el culto a la velocidad, Barcelona; RBA Editores.

IANNI, O. (1998): La sociedad global, México; Siglo XXI.

ICOM (1990): Statuts et Code de déontologie professionnelle, UNESCO; Paris.

INGLEHART, R. (1991): El cambio cultural en las sociedades industriales avanzadas, Madrid; CIS.

INGLEHART, R. *(1998): Modernización y postmodernizacion. El cambio cultural, económico y político en 43 sociedades, Madrid; CIS.*

INIESTA, M. *(1994): Els gabinets del món. Antropologia, museus i museologies, Lleida; Pagès.*

INIESTA, M. *(1995): «Els referents internacionals del patrimoni etnològic», en CALVO, Ll. i J. MAÑÀ (eds) (1995): De l'ahir i l'avui. El Patrimoni etnològic de Catalunya, Barcelona; Dpt. de Cultura de la Generalitat de Catalunya, pp. 30-35.*

INIESTA, M. *(1999): «Museos, naciones, fronteras», en AGUDO TORRICO, J. y FERNÁNDEZ DE PAZ, E. (coords): Patrimonio cultural y museología: significados y contenidos. Actas del VIII Congreso de Antropología, Santiago de Compostela, FAAEE/AGA, 59-72.*

JENKINS, R. *(1997): Rethinking ethnicity, London; Sage.*

KEANE, J. *(2005): «Cinco acepciones de la Sociedad civil global» en Claves de Razón Práctica, 149.*

LACROIX, M. *(2005): El culte a l'emoció. Atrapats en un món d'emocions sense sentiments, Barcelona; La Campana.*

LÉVI-STRAUSS, C. *(1979): Antropología estructural, México; Siglo XXI.*

LÉVI-STRAUSS, C. *(1999): Raza y cultura, Madrid, Cátedra.*

LISÓN TOLOSANA, C. *(1991), «Una gran encuesta de 1901-1902. Notas para la Historia de la Antropología Social en España»en PRAT, J., U. MARTÍNEZ VEIGA, CONTRERAS, J. e I. MORENO (eds), Antropología de los Pueblos de España, Madrid; Taurus, pp. 33-57.*

LIMÓN DELGADO, A. *(1999), «Patrimonio: ¿De quién?», en VVAA, Cuadernos: Patrimonioetnológico, nuevas perspectivas de estudio, Granada; IAPH, Consejería de Cultura.*

LOWENTHAL, D. *(1998): El pasado es un país extraño, Madrid; Akal*

LLOPART, M.D. *(1995): «La recerca patrimonial als museus etnològics», en CALVO, Ll. i MAÑÀ, J. (eds) (1995): De l'ahir i l'avui. El Patrimoni etnològic de Catalunya, Barcelona; Dpt. de Cultura de la Generalitat de Catalunya, pp. 60-65.*

MAIRAL BUIL, G. *(2003): «El patrimonio como versión autorizada del pasado», en GONZÁLEZ ALCANTUD, J.A (ed) (2003): Patrimonio y pluralidad. Nuevas direcciones en Antropología Patrimonial, Granada; Centro de Investigaciones Ángel Ganivet (Diputación de Granada), pp. 63-78.*

MARTÍ PÉREZ, J. *(1996): El folklorismo. Uso y abuso de la tradición, Barcelona; Ronsel.*

MARTÍNEZ QUINTANA, V. *(2003): «Turismo y aspectos socioculturales», en DÍAZ MARTÍNEZ, J.A (coord.): Sociología del turismo, Madrid; UNED, pp. 155-252.*

MÉNDEZ MUELA, G. *(2003): «La sociología del turismo como disciplina», en RUBIO, A (2003): Sociología del turismo, Barcelona; Ariel, pp. 43-81.*

MESPLIER, A. y BLOC-DURAFOUR, P. *(2000): Geografía del turismo en el Mundo, Madrid; Síntesis.*

MOLINER, M. *(1990): Breve diccionario etimológico de la lengua castellana, Madrid; Gredos.*

MONCUSÍ, A. *(2004): «Investigació antropològica i patrimonialització», Arxius de Ciències Socials, 9:87-106.*

MONCUSÍ, A. (2005): Fronteres, identitats nacionals i integració europea: el cas de la Cerdanya, València; Afers.

MORALES, A.J (1996): Patrimonio histórico-artístico. Conservación de bienes culturales, Madrid; Historia 16.

NOGUÉS, A.M (2003): «La cultura en contextos turísticos», en NOGUÉS, A. M (coord.): Cultura y turismo, Sevilla; Signatura.

ORTIZ, R (1997): Mundialización y cultura, Buenos Aires; Alianza Editorial.

PAGGI, S (2003): «De la mediación del patrimonio etnológico», en GONZÁLEZ ALCANTUD, J.A (ed) (2003): Patrimonio y pluralidad. Nuevas direcciones en Antropología Patrimonial, Granada; Centro de Investigaciones Ángel Ganivet (Diputación de Granada), pp. 95-121.

PÉREZ DÍAZ, V. (1994): La primacía de la sociedad civil, Alianza Editorial, Madrid.

PIQUERAS, A. (1996): La identidad valenciana. La difícil construcción de una identidad colectiva, València; Alfons el Magnànim.

POMIAN, K. (1987): Collectionneurs, amateurs et curieux. Paris, Venise: XVI-XVIII siècles, Paris; Gallimard.

PRAT, J. (1999): «Folklore, cultura popular y patrimonio», en Arxius de Sociologia, 3:87-109.

PRAT, J. (1991): «Historia. Estudio Introductorio», en PRAT, J., MARTÍNEZ, U. VEIGA, CONTRERAS, J. y MORENO, I. (eds), Antropología de los Pueblos de España, Madrid; Taurus, pp. 13-32.

PRATS, Ll (1993): «El estudio y la gestión del patrimonio etnológico en España. El caso de Cataluña», en PRATS, Ll. y INIESTA, M. (coords), El patrimonio etnológico. Actas del V Congreso de Antropología; Tenerife; FAAEE/ACA, pp. 151-163.

PRATS, Ll. (1995): «Què és el patrimoni etnològic?», en CALVO, Ll y MAÑÀ, J. (eds) (1995): De l'ahir i l'avui. El Patrimoni etnològic de Catalunya, Barcelona; Dpt. de Cultura de la Generalitat de Catalunya, pp. 26-29

PRATS, Ll (1997): Antropología y patrimonio, Barcelona; Ariel

PROTT, L.V (1999): «Normas internacionales sobre el patrimonio cultural», en VV.AA: Informe Mundial sobre la Cultura, Barcelona; Fundación UNESCO, pp. 222-236.

PUJADAS, J.J (1993), Etnicidad. Identidad cultural de los pueblos, Madrid; Eudema.

QUINTERO MORÓN, V. (2003): «El patrimonio inmaterial ¿intangible? Reflexiones en torno a la documentación del «patrimonio oral e inmaterial», en AGUDO TORRICO, J. y otros (2003): Antropología y patrimonio: investigación, documentación e intervención, Granada; Junta de Andalucía-Editorial Comares, pp. 144-157.

RAUTENBERG, M. (1998): «L'émergence patrimoniale de l'ethnologie: entre mémoire et politiques publiques», en POULOT, D (ed): Patrimoine et modernité, Paris; L'Harmattan, pp. 279-289.

RIBEIRO, G.L (2003): Postimperialismo. Cultura y política en el mundo contemporáneo, Barcelona; Gedisa.

RIECHMANN, J. y FERNÁNDEZ BUEY, F. (1995): Redes que dan libertad. Introducción a los nuevos movimeintos sociales, Barcelona; Paidós.

RITZER, G. (2000): El encanto de un mundo desencantado. Revolución en los medios de consumo, Barcelona; Ariel.

*RIVIÈRE, G.H. y otros (1989): La muséologie selon Georges-Henri Rivière, Paris; Dunod.*

*ROBERTSON, R. (1992): Globalization: Social Theory and Global Culture, London; Sage.*

*ROBERTSON, R. (1998): «Identidad nacional y globalización: falacias contemporáneas», Revista Mexicana de Sociología, 60(1):3-19.*

*ROBERTSON, R. (2005): Tres olas de globalización. Historia de una conciencia global, Madrid; Alianza.*

*ROMA, J. (1995): «L'actualitat del patrimoni etnològic», en CALVO, Ll y MAÑÀ, J. (eds) (1995): De l'ahir i l'avui. El Patrimoni etnològic de Catalunya, Barcelona; Dpt. de Cultura de la Generalitat de Catalunya, pp. 40-43.*

*ROMERO DE TEJADA, P. (2002): «Antropología y museología: nuevas concepciones para los museos etnogràficos», en Anales del Museo Nacional de Antropología, Madrid; Museo Nacional de Antropología, pp. 167-190.*

*RUBIO, A. (2003): Sociología del turismo, Barcelona; Ariel.*

*SAHLINS, P. (1993): Fronteres i identitats: la formació d'Espanya i França a la Cerdanya, s.XVII-XIX, Vic; Eumo.*

*SALAMON, L. y ANHEIER, H. (1998): «El sector de la sociedad civil», en Revista del Ministerio de trabajo y asuntos sociales, 5:37-45.*

*SANMARTÍN, R. (1993): Identidad y Creación. Horizontes culturales de interpretación antropológica, Barcelona; Humanidades.*

*SANTAMARINA CAMPOS, B. (2003): Naturalizar la cultura, normalizar la naturaleza: Institucionalización y resistencia en la construcción social del medio ambiente, Tesis doctoral; Universidad Complutense de Madrid.*

*SANTANA, A. (2003): «Mirando culturas: la antropología del turismo», en RUBIO, A (2003): Sociología del turismo, Barcelona; Ariel, pp. 103-125.*

*SANTANA JUBELLS, G. (2000): Fiesta y modernidad. Anàlisis de las transformaciones del Sistema Festivo en Gran Canaria a finales del Siglo XIX, Las Palmas; FEDAC-Cabildo de Gran Canaria.*

*SEGALEN, M. (2003): «Cuestiones de identidad y alteridad. La experiencia francesa del patrimonio», en GONZÁLEZ ALCANTUD, J.A (ed) (2003): Patrimonio y pluralidad. Nuevas direcciones en Antropología Patrimonial, Granada; Centro de Investigaciones Ángel Ganivet (Diputación de Granada), pp. 41-62.*

*SMITH, A.D (1991): National identity, Reno; Univeristy of Nevada Press.*

*SOLDINO, T. (2004): Patrimoni i Societat, València; Universitat de València.*

*THOMPSON, E.P (1979): «Tiempo, disciplina de trabajo y capitalismo industrial», en Tadición, revuelta y conciencia de clase, Barcelona; Crítica.*

*THROSBY, D. (2001): Economía y cultura, Cambridge; Cambridge University Press.*

*TOMLINSON, J (2001): Globalización y cultura, México; Oxford University Press.*

*TOMPSON, J.B (1998) : Los media y la modernidad de los medios de comunicación, Barcelona; Paidós.*

*TROITIÑO, M.A (1997): «La protección y recuperación de los centros históricos en España», en BERNAL, B: El centro histórico de las ciudades. Patrimonio Cultural. Primeras Jornadas de Geografía Urbana, Burgos, pp. 57-79.*

*VALCUENDE DEL RÍO, J.M (2003): «Algunas paradojas en torno a la vinculación entre patrimonio cultural y turismo», VV.AA, Antropología y patrimonio:*

    investigación, documentación e intervención, Granada; Junta de Andalucía-
    Editorial Comares, pp. 96-109.
VAQUER, M. (1998): Estado y cultura. La función cultural de los poderes públicos
    en la Constitución Española, Madrid; Editorial Centro de Estudios Ramón
    Areces, S.A.
VELASCO, H. (1990): «El foklore y sus paradojas», en Revista Española de
    Investigaciones Sociológicas, 49:123-144.
VELASCO, H, CRUCES, F. y DÍAZ DE RADA, A. (1996): «Fiesta de todos, fiesta para
    todos», en Revista de Antropología, 11:147-163.
VINCENT (1992): Modern political ideologies, Oxford; Blackwell.
VINSON, I. (1999): «Patrimonio y cibercultura: ¿Qué contenidos culturales para
    qué cibercultura», en VV.AA: Informe Mundial sobre la Cultura, Barcelona;
    Fundación UNESCO, pp. 222-236.
VV.AA (1998): Informe Mundial sobre la Cultura. Cultura, creatividad y mercados,
    Madrid; Ediciones UNESCO.
VV.AA (2001): Informe mundial de la cultura. Diversitat cultural, conflicte i pluralisme,
    Barcelona; Centre UNESCO de Catalunya.
WILLIAMS, R. (1981): Cultura. Sociología de la comunicación y del arte, Barcelona;
    Paidós.
WOLTON, D. (2004): La otra mundialización. Los desafíos de la cohabitación
    cultural global, Barcelona; Gedisa.

# FILMOGRAFÍA

1.- *La selva esmeralda (1985) (The Esmerald Forest): Gran Bretaña, dir: John Boorman*

2.- *En busca del fuego (1981) (La guerre du feu): Francia-Canadá, dir: Jean-Jaques Annaud*

3.- *La balada de Narayama (1982) (Narayama Bushi-ko): Japón, dir: Shohei Imamura*

4.- *La joven de la perla (2003) (Girl with a peral earring): Gran Bretaña-Luxemburgo, dir: Peter Webber*

5.- *El inglés que subió a la colina y bajó una montaña (1995) (The Englishman Who Went Up a Hill, But Came Down a Mountain): Gran Bretaña, dir: Christopher Monger*

6.- *En construcción (2001): España, dir: José Luis Guerín*

7.- *El oso (1988) (L'ours): Francia-Estados Unidos, dir: Jean-Jaques Annaud*

8.- *Timeline (2003): Estados Unidos, dir: Richard Donner*

9.- *Bienvenido Mister Marshall (1952), España, dir: Luis García Berlanga*

10.- *El loco del pelo rojo (1956) (Lust for life), Estados Unidos, dir: Vincente Minnelli*

11.- *El último de su tribu (1992), (Last of his tribe) Estados Unidos, dir.: Harry Hook*

12.- *El cielo gira (2004), España, dir.: Mercedes Álvarez.*